Libro albedrío

Serie
BIBLIOTECA JOSÉ KOZER

Ensayo

Libro albedrío

EDUARDO ESPINA

RIALTA EDICIONES

D. R. © Eduardo Espina, 2021

Primera edición: febrero de 2021

ISBN: 978-607-98884-5-9

Publicado bajo el sello Rialta Ediciones
Santiago de Querétaro
www.rialta.org

D. R. © Carlos Aníbal Alonso Castilla (Rialta Ediciones)
Blvd. Hacienda La Gloria #1700, Col. Hacienda La Gloria 76177
Santiago de Querétaro, México.

Albert Camus dedicó El primer hombre, *novela inconclusa y póstuma, a su madre analfabeta: «A ti, que nunca podrás leer este libro». Entre mis amigos mejores, seis de ellos nunca podrán leer este libro: Rubio (2004-2015), mi gato; Campeoncito (2004-2020, muerto de cáncer de hígado el 28 de septiembre, en mis brazos),* alias Champion, Maila *(2009-),* Lola *(2010-),* Toby *(2010-) y* Debbie *(la encontramos en la calle, por lo tanto, fecha de nacimiento desconocida), mis perros.*

A ellos, lectores imposibles, está dedicado Libro albedrío.

You forgot what you meant when you read what you said*
All My Friends, LCD Soundsystem

---

* «Olvidaste lo que quisiste decir cuando leíste lo que dijiste».

Can You Hear Me Now?

«¿Puedes escucharme ahora?» es la frase más repetida por quienes están hablando por teléfono celular y tienen problemas para que el interlocutor comprenda lo que están diciendo.

Tan poderosa y soberana es la escritura, que ni siquiera el poeta más difícil diría para que lo entiendan mejor: «¿Puedes leerme ahora?».

Este libro nació libre. No basta con abrirlo para poder leerlo. Permite cotejar lo irrazonable de mí, autor del que soy mientras escribo. Ha recurrido a palabras de las que pueden expresar, aunque no sean conversables. Cuando las leo, tras haber cumplido con un ciclo de incontables reescrituras, concuerdo con quien quiero ser. A veces, también, con mi yo menos verídico. Cada tanto lo saco a pasear entre palabras y predicados. Las páginas de este libro incluyen prosa y poesía; habla escrita y dicha (como estado de felicidad). Ya que soy mi lector favorito, resulta difícil demostrar la distinción empírica entre ambas modalidades de escritura y ordenamiento de las cláusulas, más allá de que unas van hacia los costados y otras, hacia abajo, como buscando el sótano profundo del habla. A decir verdad, nada de fondo las diferencia. Son intervenciones opcionales del individuo al expresarse, escenas de sucesos provenientes de la imaginación, o de un confín indeterminado de la mente donde la realidad resulta irreconocible. Con toda seguridad, el siglo XXI impondrá la disolución de los géneros literarios. De lo contrario, seguirá prevaleciendo la misma vetusta literatura de causa y efecto, de declaración de cometidos e interpretación aprobatoria, de estado inactual o de ya mismo, de cuanto antes y de a quién le importa cuándo si a nadie le importa, de contar versus cantar (con escasos viceversas), mecánica repetición de una concepción neoclásica y romántica del acto de producir secuelas estéticas a partir de aquello que por separado llamamos poesía o prosa, y que, quizá, no sea tan solo eso.

¿Es esto el prólogo?
¿Qué tan diferente sería si lo fuera?
(*Libro albedrío* en la era de los *fake readers*)

Recuerdo a mi abuela Julia Franchelli de Espina asentir con frecuencia en horas de la noche: «No me interrumpan, voy a ponerme a leer». Siempre me pareció extraña la afirmación. Nadie dice: «No me interrumpan, voy a peinarme», «No me interrumpan, voy a lavarme la cara», «No me interrumpan, voy a ponerme el pijama rosado antes de irme a dormir». Con los libros, es diferente. Hay cierta válida solemnidad en la acción premeditada de dar vuelta a las páginas, de cada una que viene después de la anterior. Por eso la abuela lectora debía anunciarlo en forma tajante: «Voy a ponerme a leer».

Solía decirlo, además, con tono intimidante, propio de cuando no hay vuelta de hoja, aunque dar vuelta a las hojas era lo que se disponía a hacer. Lo decía así, con tono prófugo, para que nadie la molestara y poder justificar en compañía de un libro las horas vividas durante la jornada que estaba a punto de culminar. El viaje que se preparaba a realizar no era de cabotaje. Iba por lo alto en busca de ciertas ideas, islas solo de ellas. Salía a la búsqueda de algo desconocido para vivirlo otra vez o de nuevo: como desenfrenado frenesí de la atención, de regreso al área no pronosticable de un *déjà vu* dispuesto a dar su visto bueno.

Aunque mi abuela hubiera pasado el día haciendo quehaceres domésticos, o no hubiese hecho nada, absolutamente nada (aparte de dormir la siesta entre las tres y las cuatro de la tarde, como siempre lo hacía), el acto de la lectura le era de gran utilidad funcional a los efectos de corroborar que en esta vida hay asuntos de mayor importancia que otros, que no cuentan tanto y, por eso, pueden con facilidad pasar desapercibidos; sin llegar a ser «leídos», y sin que la trascendencia necesite anexarlos. El camino donde esa tarea acontece no conduce al olvido. Es más bien cauce y parteaguas que nos lleva a lo que queremos llegar a ser, porque no solo se trata de llegar a ser humano. A fin de cuentas, son las palabras de la literatura las que llenan los espacios vacíos de las líneas de la vida que denominamos frases, versos, oraciones, cláusulas con algo más para agregar al desconocimiento por añadidura.

En los tiempos de mi abuela, que no los del #MeToo ni de #CualquierOtroHashtag, aunque tampoco tan antiguos pues coincidieron con los de mi niñez y mi edad escolar, la lectura era aún un acto trascendente, de radical transversalidad. Transportaba a mejores mundos posibles que bien podrían estar presentes en este. Ya no. La lectura sufrió un vertiginoso proceso de caricaturización. Se ha «desintensificado». Puesto que el acto de leer en solitario se trivializó (hoy se lee –y mal– cualquier cosa), los niveles de intensidad mermaron. Las estrategias de asedio, inherentes a una lectura creativa con participación activa de todas las partes, se han debilitado, a la vez que hubo un desmoronamiento y devaluación de los patrones de valor en el mundo que de manera incremental se ha venido a añadir a lo posdigital. Ni la mente es capaz de escapar de los *memes*.

En un periodo de la historia con mayor cantidad de opciones en materia informativa y en el que triunfa la apoteosis de la dispersión, todo lo real existente impone su condición escrita para ser leído con instantánea trivialidad; desde los eslóganes de los productos anunciados en televisión, hasta los mensajes que a diario reciben quienes dependen de las redes sociales, pasando por los enormes letreros publicitarios (*billboards*) instalados en carreteras de todo el orbe (incluso en Corea del Norte los hay, pues hasta el comunismo es un comodín de la nostalgia y sigue haciendo *marketing* de la ideología).

La saturación de contenidos que acompaña la acumulación de palabras sobre superficies desvinculadas de un propósito específico ha creado (con y entre ellas) un vínculo caracterizado por lo torrencial irrestricto, por una suma de pérdidas y displicencias trasladadas al acto de la percepción. El periodo de atención es de cada vez mayor brevedad, de escandalosa nimiedad. Ha aumentado la producción de olvido. La tiranía del clic vive tiempos de esplendor. Como consecuencia, se perdió el relacionamiento con los momentos íntimos del texto, misceláneos o no, en los que la sintaxis sublevada pone a prueba la eficacia de la interpretación.

El aceleramiento de lo que se da por entendido con sospechosa prontitud ha llevado a no saber distinguir una frase innovadora, acuñada con preciosismo detallista, de otra mediocre, producto del *playback*, la cual caerá en el olvido una vez leída, si bien a ese pozo infinito también irá a parar aunque nadie la lea. Pasan desapercibidos los nuevos paradigmas de lo que puede hacer el lenguaje cuando lo dejan ser de otras maneras. Se perdió esa disciplina sin nada protocolar de fondo. El correlato entre escritura y recepción es ahora asimétrico. El aceleramiento de la lectura no vino acompañado de un cambio de velocidad en la forma de pensar «verbalmente», a partir de cláusulas elaboradas con contenido de fondo. El pensamiento tiene serias dificultades para sortear los momentos textuales en los cuales la complejidad clausular se incrementa. El proceso de detección de novedad colapsa a las primeras de cambio, puesto que es de corto plazo el «arrendamiento» de la atención, como si esta fuera una especie de Airbnb de la lectura.

En junio de 2006, a los 83 años de edad, José Saramago afirmó: «No vale la pena el voluntarismo, es inútil; leer siempre fue y siempre será cosa de una minoría. No vamos a exigirle pasión por la lectura a todo el mundo» (lo dijo en una conferencia dictada en la Biblioteca Municipal de Oeiras, suburbio de Lisboa). Ha pasado el tiempo desde entonces, pasaron años que fueron unos cuantos en contenido y cantidad, pues pareciera que en el presente cada día sucede algo diferente y la «minoría» a la que refería Saramago empequeñeció. A tanto ha llegado el rechazo a lo trascendente, que «lo escrito», lo que sea, es visto sin sospechas. No hay duda sobre el material a consideración.

Tampoco hay ligereza trágica en el recorrido por las superficies libradas de intenciones. De ahí que la ignorancia se haya convertido en atributo de postín, cualidad de la cual se hace gala, bajo la burda excusa repetida con obscena insistencia de «no leo libros, pues leo otras cosas» (lo que en verdad «leen» son frases quebradas, porciones rotas de información, contenidas en tuits y comentarios enviados por Facebook, Instagram, etcétera, además de los titulares de las noticias del día, aunque no a diario). A tanto ha llegado el debilitamiento del criterio a la hora de expresar pensamientos por escrito, que si las cosas siguen así pronto la hipersimplificación como estilo de vida será considerada beneficiosa también para la higiene personal.

Hasta en la relación superficial con palabras superfluas, que parecieran estar dirigidas al vacío de la escucha aunque por coyuntura las consideremos nuestras, la lectura no acepta ser un acto neutro. Ni siquiera en ocasiones en que tiene la misión de entretener puede serlo. Es un episodio de apelación a lo no convencional, a lo sin porqué y carente de verdad explícita. En la repetición de tentativas hay algo a ser verificado con lentitud de escrutinio, un intercambio que debe completarse, una zona de pleonasmos inadaptados esperando turno. Nada que no haya existido por completo puede ser corroborado, nada puede considerarse descabellado si no consigue generar antes un efecto *des-neutralizador* al momento de concluir la lectura.

En tiempos en los que el mundo se aproxima a la cumbre de lo baladí –no es la idea hecha realidad, sino banalidad–, la captación de los intervalos aconteciendo en la sintaxis sufre los daños colaterales de la desatención generalizada. El grado de esta debería ser motivo de alarma. La falta de concentración alcanza niveles predatorios. La desarticulación se ha puesto de moda; amenaza con arrasar la lógica rítmica de la prosodia y de las frases bien comunicadas entre ellas, lo que vendría a configurar el espacio donde confluyen el contenido del mensaje con la forma que le otorga una exterioridad y, también, un estado de prematura belleza, aquella que permite detectar la presencia de frases escritas con rigor gramatical y aspiraciones fuera de lo estrictamente informativo. Por lo tanto, cuando este actor tan fundamental deja de importar, la lectura se transforma en proceso circunstancial aleatorio, de «pasada por encima», de mirada a vuelo de pájaro; en una actividad anecdótica que sobrevuela sin aterrizar en ninguna parte.

La nada más absoluta es el *modus vivendi* de la época. Cada tema es visto como si hubiera una sola faceta a interrogar. Las formas de comunicación preferidas son aquellas en las que queda graficada la gratuidad de lo circunstancial. No en vano, la escritura elaborada, en la cual se nota el trabajo aleccionador de la imaginación en la gramática, sufre un furioso embate desde distintos escenarios de la realidad y de la vida colectiva. En el afán por arremeter contra lo que es percibido como estética intelectual e inaccesible, por el simple hecho de haber hecho pasar a las emociones por el laberinto de una sintaxis implacable con lo accesorio, cualquier momento del habla escrita dominado por la melodía de lo lírico es detestado. Nada cuantificable hay en aquello que no sabemos cómo clasificar. Y la literatura que se atreve a escuchar lo que aún no ha expresado revela precisamente eso: el estado indomesticable del lenguaje al entrar por donde, en verdad, debería salir.

Para mantener a raya la trascendencia se lee con cizaña, pero sin lucidez; se saltean los argumentos minúsculos que residen entrelíneas, en el pozo del habla a donde solo el interés fisgón de la inteligencia alcanza a llegar. El chateo y la chatura prevalecen, habiendo desaparecido el interés por el vértigo lingüístico, por el secreto algoritmo que una y otra vez encripta sus características, por el juego verbal que obra en provecho propio: por el deseo de expandir el auge de la inquietud respecto a lo que puede ocurrir a partir de ahora. Esas lecturas blandas, sin entonación, son todo aquello que les falta. El éxito de la instantaneidad sin contratiempos devino meta colectiva, sin que esté claro qué se entiende por éxito y por meta, que no es metafísica.

¿Será tan definitivo el triunfo de la nada envuelta para regalo, y celebrada por la cultura del *like* y del dedito para arriba, como si en la realidad pasaran cosas tan importantes para halagar y destacar, cuando en verdad –razón informa– no es así, y los asuntos planteados en uso de un pensamiento inquisidor son la notoria excepción? En todas partes ha venido disminuyendo a pasos agigantados el número de quienes buscan la compañía de aquellas palabras que no informen de nada y reciban al curioso lector con el gesto hospitalario de una belleza a contramano, ni funcional ni utilitaria. Su enterezа está en ser mensajeras solitarias de su propio acontecer interior, no en integrarse a un plan de sentido esporádico.

Desde que la página, con la complicidad de la tecnología disponible, comenzó a prescindir del soporte papel para transformarse en multimundo de realidades superpuestas, la lectura entró en crisis. Ya no se lee buscando el núcleo de interioridad de las cláusulas. Se va hacia los costados, en desplazamiento auspiciado por la facilidad y velocidad con que las palabras aparecen, desaparecen, y reaparecen. Están ahí como meros artefactos decorativos de la retórica más básica, cuyo mensaje no costó demasiado tiempo elaborar, por lo que puede ser aceptado al instante. Resulta difícil, por no decir casi imposible, que en el acto de «leer en movimiento» la atención genere pautas de descubrimiento situadas en la interacción de las palabras al momento de funcionar a favor de lo inesperado, que bien puede ser un mensaje al desbordar el mero margen retórico donde hace acto de presencia.

––––––––

De esta manera, puede advertirse que el lector actual no solo está muy mal preparado para leer la literatura que podría considerarse «difícil» (toda literatura original y valiente lo es), sino también aquel tipo de sintaxis que supere lo elemental y básico de una comunicación escrita pensada para comunicar algo en forma oral. Cualquier tipo de escritura de la imaginación que trascienda los límites de lo descriptivo es considerada inaccesible. En lugar de enfrentarla con un intento de interpretación y aprovechamiento de sus enigmas, resulta de inmediato rechazada. Ni por asomo pasa a tener presencia en el inventario de lo menos pensado.

Puede entonces concluirse que el procesamiento de la información, sea personal, noticiosa o literaria, experimentó a partir de la primera década del siglo xxi un desacomodo radical, e impidió que determinadas regiones del contenido resalten su condición de *primordialidad*. Tampoco el lector hace mucho para exhumarlas. La dimensión del registro queda minimizada. El recuerdo instantáneo de las frases visitadas desaparece. Tal pareciera que se lee para olvidar lo leído, no para recordar esas frases particulares que han interpuesto un registro de diferencia en la lectura y llevan pronto al gozo, si les seguimos el juego.

El paradigma predominante, ectópico y no relacionable con una realidad retórica al alcance de la interpretación lógico-deductiva, escapa al mundo de la metáfora. El sortilegio es el teorema, y responde a la erudición de la intuición. El mundo es primero una palabra, después, lo que les pasa a ambos cuando entran en desacuerdo. Podemos por tanto llamar 'literatura' a todo aquello que les ocurre; con sus excesos inciertos, sus etimologías, con su turno en la mente para decirlo cuanto antes. No se han propuesto simbolizar lo que ya son.

«Leer es pensar con un cerebro ajeno», dijo con cerebro propio Arthur Schopenhauer. En nuestros días, el lector les tiene horror a las escrituras tilingas y ajenas provenientes de la locura de lo cuidadosamente elaborado, cuya tarea ejemplifica una colisión de estéticas al rescate de bellezas carentes de nombre, situadas entre lo antiguo y lo muy actual, entre lo anacrónico y un haz de futuridades. Al leer con «cerebro ajeno» se les otorga una voz (las que sean necesarias) a las estrategias de la mente mientras escribe, tratando de saber todo lo que le acontece cuando a la marcha va cambiando de temas, sin quedarse en ninguno.

Desde mucho antes de que San Juan, el discípulo preferido, escribiera el Apocalipsis dejando en claro que a la verdad de las cosas inciertas solo resulta posible llegar mediante la revelación de lo incomprensible, la literatura ha sido cedazo de desafíos diversos, sitio para esparcir inquietudes, fragmentos de la mente en movimiento, jamás un estado del lenguaje para auspiciar calma y complacencia. La escritura que apela a metáforas y metonimias nunca se ha atribuido a sí misma el aura de ser entretenida; más bien, lo rechaza de manera sistemática. El gato no pasa por liebre, aunque hoy en día hay quienes saben cómo disfrazarlo muy bien, y hasta hacen al felino más veloz.

———

En «Rainbow In The Dark», canción ideal para cuando lo que ya no importa comience a importar otra vez, canta Ronnie James Dio: «You're just a picture, you're an image caught in time / We're a lie, you and I». En ese ritual de imposturas y pantomima, en el que pocas realidades se salvan de convertirse en señalamiento de alguna forma de engaño, el lenguaje subsiste encriptándose, recurriendo a la lógica del artificio, del postulado verdadero del embuste. Con esas metas y fines, la escritura da rienda suelta a la lateralidad de ciertas instancias del pensamiento en estado de libertad (hay una gramática que los patrocina), en situación inverificable apenas llega el momento. Parece estar diciéndoles a las ideas: «Sálvese quien pueda».

———

La relación con la intransigencia es catártica. Al postergarse el desenlace, el lenguaje se satura de perplejidad yendo en la misma dirección de puntos suspensivos que en lugar de tres bien podrían ser seis o sesenta. Las palabras se hacen cargo de cualquier realidad que suceda en los alrededores de su interior. Las conclusiones, que al postergarse confirman por anticipado su desaparición, dejan a la paradoja sostenida en una telaraña de oportunidades encontradas, como si hasta ahí llegara lo que tenían para decir y que pasó ahora a pertenecer al lector una vez activada la transacción: para que lo continúe y, si quiere, que lo (de)termine mediante la interpretación, una de las formas de asediar los destellos del idioma al montar su espectáculo ambulante, uno de atisbos y desacuerdos a nivel general.

Perito de sus peripecias, el autor existe a partir de palabras. Entre medio no hay intermediarios, tampoco tiene inconvenientes en activar un régimen de tensiones sostenidas, con su correspondiente dosis de trabas, de inauguraciones frásticas recientes. Cada frase se transforma en ópera prima. Como tal, en plan de desestabilización, encabeza un total replanteamiento de las certezas. Como tantas otras cosas en la mente cuando no es solamente imaginación, y con el afán de sorprender a propios y ajenos, el autor se transforma en un *unabomber* de filologías. Atenta, detona y contradice. Dice para ir en contra. Está a favor de lo opuesto. De sus cortocircuitos puede esperarse una iluminación sin medias tintas. Quiere que, al adentrarse en el lenguaje, la mente se sienta indispensable.

«You know what blood looks like in a black and white video?», dice un verso de «Lake Marie», canción de John Prine (me vino a la cabeza justo al terminar de escribir el párrafo anterior). El acto de la lectura es algo así de similar. Configura una ecuación retórica y mental planteada a manera de pregunta incondicional, instantánea. Al paso le sale un montaje de presencias, «un hacer en desarrollo» con forma de rompecabezas a punto siempre de insinuarse. Se enfrenta al discontinuo estruendo de lo que viene desde antes, de quien sabe cuándo o dónde (porque en alguna parte hay un dónde donde permanecer), y no encontró motivos para modificar su velocidad.

No hay con qué darle. Sin someterse a ninguna índole en particular, sin necesitar levantar la voz para comunicar sus expectativas (nunca desmedidas), el lenguaje entra en una máquina del tiempo que solo sabe ir hacia delante. Las palabras menos pasables fueron las pensables. Hacen aparecer desapariciones. Conforman frases entre comillas que anticipan vidas pertenecientes a quien las ha escrito. Perciben lo insólito en presencias ausentes, en ideas hechas sintaxis que se pusieron a decir por su cuenta; en cuotas de intensidad y precisión desiguales, como si necesitaran ser llamadas para decidirse a venir, como si no les importara demasiado.

Son frases que no están de paso, que no han llegado para irse tan enseguida. Vinieron a informar sobre lo que les pasó camino a un significado omiso. Cada una es un lugar que reúne ámbitos diferentes. Sus efectos jerárquicos y duraderos, a plenitud, provienen del momento clave en que de improviso coinciden lo inesperado con lo desproporcionado y lo fortuito (es la mesa de disección de Isidore Ducasse), y la tergiversación tiene orientación metafórica, invitando a recalar en lo que acaso podría ser otra cosa y muy diferente, porque lo es, y no la conclusión o el inicio de una finalidad que lleva a eso mismo que se estaba esperando ocurriera de un momento a otro. Podríamos considerarlas simetrías inversas que anticipan el regreso al emplazamiento del cual, en verdad, nunca se ha salido.

Asumiendo el papel de estribillo de una dinámica verbal en vías de extinción, las frases van en pos. Asumen su condición de ritual de postergaciones. Se enteran de todo, y nada las hace cambiar de propósito; no se conforman con saber solo lo justo. Son frases que se apartan del montón para ejercer su privacidad, que no pierden la ocasión de ser factibles apenas alguien les preste atención. En un acto de concentración pura, están siempre del lado de lo que les acontece, desencadenando actos de desapercibimiento que propician introspección.

El privilegio de la escucha entra por los ojos, puesto que la lectura capta la cadencia de las palabras libradas de su anonimato. En esas fracciones de segundo en que la mente privilegia la vista, por considerarla receptora de algunos de los primeros significados, hay una transacción de magias sin adversidades, de imágenes hostigadas por su porvenir de hoy pasando por mañana, para poder algún día empezar. El lector conversa con otro oyente; ¿quién es?: el lenguaje de la literatura.

Es aquella literatura –en la que este libro se siente incluido, hace al menos el intento– donde se agrupan palabras para alejarse de lo exclusivamente informativo y cotidiano, de lo que no tiene condición introspectiva, de todo aquello que jamás será noticia de último momento. Escriben su autobiografía para ir por partes. Son esas, a disposición del largo viaje a un recinto inesperado, las palabras a las que dejamos hablar, para que hablen solo de ellas, si quieren. Acortan la distancia con los sentimientos que buscan representar.

Eso es de lo que hablamos cuando las dejamos decir, como pidiéndoles que no se apoltronen en cualquier seguro confín del habla. Las imágenes las necesitan, también el pensamiento al salir a la busca de un desorden superior, porque ahí, entre la nada que desconoce sus cortapisas, puede aparecer lo nunca supuesto. La única verdad que conoce es aquella que más desconoce.

Cada poema, cada ensayo, en los que también el habla quiere imaginar, es un *spoiler* cuyo cometido no busca adelantar nada en particular. Anticipa, sin realmente hacerlo, las características de una película en la que solo actúa el lenguaje, protagonista monológico, aunque en verdad, es el lenguaje perteneciente a otra película. Obliga al lector a decidir si se queda y lo intenta, o tira la toalla; si apuesta a huir de lo que no sucede como relato o conocimiento explícito (ni tampoco trata de un único tema), o se queda a disfrutar del escapismo hedonista en que lo inhabitual no queda del todo descartado.

———

Agrimensoras del acto de establecer coincidencias y disimetrías, las palabras saltan exultantes al escenario a pregonar, pues para eso están: «Ahora hacemos lo que nos da la gana». ¿Está el lector preparado para gozar o conmoverse con los aspectos de un mundo alfabetario con el cual apenas se está familiarizando? ¿Tiene la contraseña mental como para entrar sabiendo que parte del pacto será quedarse y asentar su dominio, ejercer de protagonista?

Con sus idas y venidas a través de instantes sin visaje que no pudieron ser abandonados, el lenguaje literario define su condición de espacio al servicio del tiempo que queda fuera –o permanece de otra manera– en el momento de la lectura. Mediante una sincronía de inquietudes que lo condicionan a mantener vigente su novedad, a no dar tregua al raciocinio cuando marcha a la deriva, desparrama aconteceres propios y subyuga. No da tregua a la velocidad de los usos y costumbres actuales, caracterizados por el dinamismo y el permanente borrar en todos los órdenes.

No obstante, las convenciones de esa actividad llamada «literatura» han sido alteradas. La labia trabaja en dirección opuesta, ni favorable ni contraria a su decir expansivo; una de confidencialidad y configuración estricta. Pasó a depender de palabras reunidas por el azar y la razón, las que se han quedado más tiempo de lo previsto, bastante más de lo que suponíamos. Su rango se hizo irreconocible. No son cláusulas que se detienen a dejarse interpretar. Les hace bien sentirse inadaptadas «a las intenciones de orden al servicio de la interpretación del pensamiento». No podemos considerarlas epifenómenos varados a mitad de camino por propia decisión, no todo es ver lo que las frases exhiben.

Como si emularan aquello que nunca llegarán a representar, se transforman en icebergs que construyen su trayecto y que pueden ser recién divisados cuando el barco los embiste, saliendo al campo de batalla de la dicción para sentirse «como en casa», en un archipiélago de cese y reinicios donde nada ni nadie sabe con certeza cuál de todas puede encarnar la idea principal. Tampoco tienen problema en hacerse pasar por nociones sucesivas cuando la ocasión les llega.

En un contexto histórico de hablas devaluadas y de escuchas interinas (¿puedes oírme ahora?), las palabras, ergo, las palabras de la literatura, son actrices de una comunidad de hechos sucesivos, situados al borde de lo inexplicable. Se regodean en su intransigencia, en su constante discrepar con lo que pueda salirles al paso, invitando a imaginar zonas intransitables en transición. En el reparto de papeles se prestan mutua atención, dejándose conocer de cerca aunque no estén tan próximos por entero, en la complicidad de su (póngale el adjetivo que prefiera) presencia. Aparecen y desaparecen como si de ese acto de des-familiarización dependieran. De ahí que la *performance* del elenco desafíe a la perfección formal, en caso de que haya tal cosa de dudosa idealización, y quede al servicio de algo más que el encuentro con una verdad improvisada, la que cada tanto hace su aparición para vivir en un pensamiento por separado. Es el trabajo que la literatura mejor sabe hacer.

En las páginas, en el espacio que solo puede ser exclusivamente de ese modo, presenciamos escenas como de cine mudo, en las cuales entendemos lo que está pasando sin requerir de palabras ulteriores para explicarlo y enviarnos así a una dimensión diferenciada, más allá de la originada por ese instante de ruptura impremeditada con las expectativas. Por eso resulta imposible permanecer indiferentes a lo que no sucede del todo ni por completo, a los detalles entrecortados que impiden disimular el embellecimiento de la realidad empírica a partir de vocablos actuando de a poco, como muy de vez en cuando. Les pedimos que nos digan lo que el lenguaje acaba de decir. ¿Qué más dijo? A consecuencia de esto, de la noche a la mañana, el texto se transforma en una sincronía de amagues y dilaciones que postergan el momento resolutorio, el paso del trance al desenlace.

La época ha condenado a una cantidad de prefijos a la obsolescencia; uno de ellos es *re*. La reescritura y la relectura están en vías de desaparición. Las escrituras livianas triunfan, aquellas que buscan complacer las pedestres exigencias de un lector al que solo le interesan y atraen textos con un arsenal retórico y sintáctico caracterizado por la claridad, por historias que no presenten dificultades a la hora de ser contadas, por poemas que transmitan «mensajes inmediatos», ideas y sentimientos fácilmente detectables.

Por consiguiente, podríamos concluir por anticipado que la falta de literaturas de innovación está relacionada con las formas de pensar y leer que han dejado de actuar a contracorriente. El lector actual tiene fobia a cualquier dispositivo textual que desafíe la interpretación o la ponga en entredicho, que altere –pese a vivir en un mundo «hipertextual»– el proceso de lectura unidireccional carente de dinámica recombinatoria. Por todos los medios, que son los de la mansedumbre, evita insistir sobre lo que no es tal cual lo había imaginado, como si le temiera a la instantaneidad de un ritmo neurótico y desacatado que va cambiando de parecer a medida que aparece. En ese contexto divulgativo, la relación entre autor y lector no es ya de ida y vuelta.

Al desconocer, por falta de interés, el acceso a un tiempo imposible de acotar, el lector se exaspera cada vez que aparecen cláusulas largas para disfrutar con morosidad, lo más lejos posible de la cronología. Con el reinado de la homogeneización, y con la curiosidad en crisis –la paciencia ha sido linchada–, el lector lee con el piloto automático en *on*, sin aterrizar en ninguna parte, haciendo que las cosas que se están llevando a cabo en situación de realidad permanezcan sin interrogar. La nada en desarrollo pasó a convertirse en precepto. En primer plano se filtra lo anodino. Antes la lectura podía ser tanto horizontal (narrativa interpretativa) como vertical (poética intuitiva).

En su afán por participar lo menos posible del proceso de pensar a partir de palabras que esconden sus intenciones, el lector entra a los textos con la idea de encontrarse con lo superfluo cuanto antes. Tal como podría esperarse, en esta devaluación de las expectativas, entre las que figuran las del conocimiento cuestionando su eficacia, hay daños colaterales. El lector inicia una operación de desdén de aquello que de antemano no está interesado en leer por no pertenecer al vocabulario de las circunstancias.

Cuando el muy parlanchín Polonio pregunta «¿Qué estás leyendo, señor?», Hamlet responde: «Palabras, palabras, palabras». En el apresuramiento caracterizador de la lectura de hoy, ¿cuál es la forma metafísica de la que toman posesión las palabras? ¿Hay alguna? Los textos se leen como si fueran fotografías, sin hacer el intento por saber qué hay debajo, sin siquiera preocuparse por si de veras hay algo. Es una lectura *a capella*: a la orquesta le falta el acompañamiento del asombro y la complicidad creativa para mitigar las restricciones de la interpretación.

El tiempo cualitativo de la lectura ha sido arrasado por un cambio notorio, radical, en la forma de administrar la temporalidad. Leer significa asociarse al ritmo de la prisa, entrar en sintonía con un apresuramiento; ya no se lee, se elabora un proceso de síntesis, según el cual la información debe surgir resumida en la menor cantidad posible de intervalos de atención. Se constata, además, una acumulación de bienes concretos, una superflua celebración de lo inmediato, sin otra finalidad que el esparcimiento. La literatura debe entretener. Es un pasatiempo más.

———

Un ser humano es lo que lee y su mente tiene en cuenta. El conocimiento de sí mismo y de la realidad a la que pertenece se fundamenta en el material proveniente de sus lecturas. El proceso de la sinapsis deja consecuencias duraderas. No obstante, si bien la noción de que un libro puede cambiarle la vida a alguien no perdió del todo validez, hoy resulta utópica, alejada de las tendencias en boga que definen el presente. Los hábitos de lectura que han caracterizado a la modernidad, la temprana, la del medio y la tardía, no son ya contraculturales; rechazan cualquier desafío a la normatividad lógico-racional que puedan contener las frases, el poder desorientador de estas. El pensamiento de la imaginación, aquel que con audacia viene a ocupar los espacios del lenguaje en los que nada sucede –seguida, no sucesivamente–, salvo la escritura ocupándose de su propia índole, es desdeñado.

Ante una audiencia generalizada, a la que le encanta estigmatizar el enigma, la literatura de innovación y contrastes reposiciona su condición de ser salvoconducto de bríos. Cumple con el anhelo principal de la palabra desde que el ser humano utiliza signos no solo para comunicar información, porque la meta irrestricta de la escritura creativa es alcanzar aquello que falta por saberse sobre lo absoluto o inexpresable.

El hecho de no expresar nada en particular es también una perseverante forma de conocimiento. Pero, aunque las apariencias –sin engañar– puedan hacer pensar lo contrario, no se trata de que las cláusulas sean conjeturas duraderas, astucias favoritas del acto de dudar, como en cierta forma lo es cualquier forma de desconocimiento al comunicar lo que sabe. Los cruentos vericuetos de la expresión deben ser llevados al límite de sus posibilidades, para corroborar qué pueden expresar más allá del decir *mainstream*.

Convertido en gurú de escrituras tabúes, el escritor que desafíe la tiranía de la linealidad lógica deductiva, que exalte la belleza ética del lenguaje al modificar sus intenciones en medio de una frase, pone de relieve un mar de lenguajes y circunstancias expresivas ajenas a cualquier normatividad. Las que pone en circulación son palabras relatando su autobiografía no confirmada, que bien puede referir a realidades no consideradas por el lenguaje. De ahí que un buen texto literario, exigente con su compromiso estético, complacido por haber pactado el desafuero de lo sistemático, no sea un lugar al que se llega, sino un haz de estados transicionales.

En esos códigos de comportamiento de la mente al adentrarse en el lenguaje, en los que la prontitud artificial del tipo WhatsApp carece de influencia y presencia (triunfa la parsimonia), el régimen de visitas no estipula un orden pre-establecido, mejor dicho, es otro el ordenamiento que se impone para hacer al mundo legible y dejar hablar a sus realidades. Salvados los contratiempos de lo exhaustivo, despunta una entonación de etimologías que vienen al caso, caracterizadas por el constante mapeo de detalles, en los que las cosas no se acostumbran a coincidir así porque sí tan fácilmente.

Si bien no hay retorno a los tiempos de Alonso Quijano, cuando la lectura era registro de sublime lentitud y contentamiento con lo inservible en apariencia, surge una modalidad de existencia, la cual se instala en la demora de los vocablos que no se proponen informar: y en los que la vida encuentra un tiempo que no está localizado en las cosas acostumbradas de todos los días.

Esa escritura que recupera el contento de lo que solo puede existir despacio mete a las palabras en la conversación, recompensa las cosas buenas del decir. Lo extraordinario que sale del idioma literario, así sea este considerado jeroglífico ilegible, entra en litigio con lo predecible, con la prosa cotidiana cuyo principal intento es explicar.

En las cada vez más escasas literaturas de innovación, ambidiestras y polímatas, figuras de culto en el mapa de lo muy nuevo que a sí mismo debe definirse, el lenguaje elige ser su propio doble, ya no intermediario de nada ni de nadie. Mensajero que reparte sus propios mensajes, no tiene entre sus intenciones ser el cartero del mundo. Su pensamiento escribe al revés para desdecirse y decir a partir de un *desde* ilocalizable. Al hacerlo, deja de reconocerse, e inicia un ilimitado ciclo expresivo en la posibilidad. Su embestida, tanto a la noción de sentido como a cualquier afán por significar una realidad de propósitos definitiva y determinada, se concreta apenas las palabras fijan su perspectiva en una dirección, pero terminan apareciendo por otra. Es esa, tan proclive a la duda y al distanciamiento de cualquier tipo de reconocimiento marcado por la veracidad, una situación similar a la de aquel individuo que, mientras intenta cruzar una calle londinense, es atropellado por uno de los tradicionales ómnibus rojos de dos pisos: por haber estado mirando hacia la izquierda, cuando los vehículos en ese país circulan por la derecha.

El sentido ausente (o en construcción) es lo que se arraiga al final del camino recorrido por las palabras cuando convierten cada entramado clausular en un sendero independiente *hacia*, en un suceso no necesariamente asociado a una conclusión prematura, en un atajo al pensamiento escenificado. En este aspecto, el cambio de rumbo y tendencias ha sido drástico. Hoy lo único capaz de interesar es aquello ya conocido (o que se cree conocer) y que requiere un mínimo esfuerzo de comprensión, ergo, de tiempo invertido por página durante la lectura. Todo va tan acelerado como una ojeada fugaz. Que un lector joven se interese por palabras escritas cuya intención no es informar simple y llanamente sobre hechos cotidianos de actualidad, y que además están impresas en papel, resulta una hazaña fenomenal.

———

El rango y capacidad de atención durante el acto de la lectura vienen a la baja. Alguna responsabilidad ha de tener en esto la no muy lenta desaparición de las palabras editadas y publicadas en papel. La vida de libros, diarios y revistas dejó de depender de formas impresas. Hay indicadores irrefutables. Lo pude constatar no hace tanto. De unos treinta y pico de jóvenes con edades entre 19 y 28 años que conocí durante un simposio en China en noviembre de 2018, todos con formación universitaria y, por lo que pude ver, lectores sagaces y con capacidad de discernimiento, ninguno había leído nunca un diario en papel. Y, con toda seguridad, nunca lo van a hacer.

Además, en China los diarios no los usan para envolver las bananas, tal como ocurre en las ferias callejeras de América Latina (donde también la basura está envuelta en noticias). Por lo tanto, jamás llegarán a tener en sus manos una hoja de papel diario, en la cual leer el horóscopo o el pronóstico del tiempo de dos o tres semanas atrás, correspondiente al día en que la lluvia los atrapó a la salida del metro de Chengdu.

Lo extraño, para quien haya crecido con la noción de que leer informaciones impresas suponía mancharse los dedos con tinta, es que cuando les pregunté a los jóvenes si leían diarios, todos respondieron de manera afirmativa: «sí». El diario lo leían en su teléfono celular y, según me informaron, también de esa forma lo hacían sus padres. En esa pantallita luminosa, ¿de qué forma se cumple el acto de la lectura? ¿Cuál es el grado de atención invertido en el pasaje de una frase a otra, y de ahí a las demás?

En un país como China, con una población de 1 403 500 365 habitantes y en vías de monstruoso crecimiento, hay cientos de diarios de circulación regional, varios en cada megalópolis, pero si uno considera el tiraje de la mayoría, casi todos matutinos, quedará sorprendido por lo ínfimo que es. Si bien los chinos tienen conocimiento de los principales medios informativos en formato diario, dentro de la mayoría de los lectores hay un número grande que prescindió de manera definitiva de la versión tradicional impresa. Lo digital no solo representa el futuro a la vuelta de la esquina, sino que es el presente en tiempo pasado.

En Estados Unidos, pocos días después de la visita a China, hice la misma pregunta a un sector poblacional con el mismo promedio de edad, y todos –menos uno– respondieron que las noticias y comentarios provenientes de los diarios las leían en su teléfono celular o tableta, aunque, a diferencia de los jóvenes chinos, varios de entre los estadounidenses habían leído al menos una vez un diario en formato tradicional en papel.

Como dato interesante cabe mencionar que en universidades y *colleges* estadounidenses, una suma superior a 4 000 y donde de lunes a viernes se edita un diario hecho por los estudiantes, estos en su gran mayoría prefieren leer la versión digital, por más que la edición impresa se reparta en forma gratuita dentro del campus y en locales aledaños. Salta a los ojos, sin vuelta de hoja, que no se les puede imponer la tangible condición de la página impresa a quienes crecieron con la pantalla como intermediaria de todo lo que tenga palabras escritas y comunique información de vigencia perecible.

Habrá por consiguiente que cambiar la manera de interpretar e interpelar la realidad de las circunstancias: no solo se trata de que el papel esté desapareciendo de la ecuación informativa, es que hay quienes nunca han estado expuestos a su uso, a mancharse los dedos de tinta. Crecieron sin necesitarlo para tener acceso a la información.

Dadas las actuales circunstancias, queda claro que el desafío no se resuelve exacerbando la nostalgia por aquello que perdió protagonismo en años recientes, sino estableciendo las características de la emergente masa de lectores, la cual, a diferencia de sus ancestros, lee tanto como escribe (hoy se escribe mucho más que en los tiempos no tan lejanos de mi abuela y de mi infancia), aunque una cosa como la otra, lectura y escritura, estén sujetas a una idéntica característica: la desatención, y la proliferación de mensajes desarticulados al borde de la agramaticalidad.

¿Qué es lo que la gente lee cuando dice estar leyendo? ¿Qué lee, mientras lee? ¿Es una lectura horizontal o vertical, narrativa-deductiva, o poética-intuitiva? ¿Es una lectura para «conocer», o solo para «enterarse» de algo que ocurrió en la realidad vigente y que en la mayoría de los casos expira con alarmante prontitud? ¿Cuáles son las características que definen hoy en día al acto de leer? Estas son algunas de las preguntas que tanto difusores de noticias como profesores en cualquier nivel de la educación básica o superior debieran estar planteándose, sobre todo, en momentos en que la historia se desplaza con inaudita premura sin que nadie sepa bien hacia dónde, y si tal «dónde» es en verdad verificable. Los datos referidos al estado actual de la lectura resultan impresionantes en varios sentidos.

Quien hoy recibe un promedio de treinta mensajes de texto por día, olvida en horas de la noche el contenido de los primeros mensajes que leyó en la mañana. Si todas las eras, cuyo tiempo de existencia resulta difícil de medir con precisión, han tenido una denominación, también la nuestra califica para tener una: la Era del Olvido y la Desatención. Por consiguiente, otra pregunta obligatoria se agrega al amplio menú de interrogantes al acecho. Si se lee tan mal, ¿cuáles noticias podrían aspirar a mantener vigencia en el periodo temporal de una jornada, que va desde las primeras horas matutinas hasta las últimas vespertinas, considerando que no habría jerarquías entre las noticias y todas tendrían el mismo poder de apelación?

La última gran revolución de la atención la inició el maguntino Johannes Gutenberg alrededor de 1440. Con la invención de la prensa de imprenta con tipos móviles, la lectura adquirió una privacidad inaudita, «de película», en tanto la mente comenzó a tener un registro de documentalismo cinematográfico. Cada página pasó a ser algo así como el fotograma inmóvil de una escena en desarrollo, en cuyo interior las palabras hacen las veces de las imágenes. La intimidad del conocimiento mediante la interpretación de las palabras halladas en una página obligó a la mirada a pensar con cuidado, cada vez que se encontraba con una asociación concentrada de signos.

La intensidad del entendimiento aprendió el valor del máximo esfuerzo, de la concentración en cada segmento de escritura que pudiera aportar pistas para completar el rompecabezas del sentido. Por entonces, y durante los tiempos de la historia que llegan hasta antes de ayer, una frase bien escrita quería comunicar bastante más que solo la capacidad gramatical y retórica de quien era su autor. *In illo tempore* había en juego emotividad, dramatismo, ideas sin desear decirlo todo de una sola vez, indicios de intimidad sin sosiego. Cada cláusula implicaba perspicacia, visión de la interioridad que hablaba, conocimiento de las aptitudes retóricas del yo al desacatarse, y en ocasiones, más bien infrecuentes y exclusivas, cuando la buena literatura hacía su aparición, implicaba acceso a un tipo de belleza sin utilidad funcional.

Así pues –y tal cual destaca sin que sea necesario reiterarlo–, el asunto no pasa por si la nueva generación de lectores, aquella que creció con la parafernalia digital, lee o no diarios (revistas, semanarios, etcétera) en papel, pues la historia de la humanidad es la historia constante de los reemplazos. El papel sustituyó al papiro, y lo digital al papel. Es demasiado tarde para rebobinar y nadie, salvo las fábricas de papel, está interesado en regresar al mundo de antes que, lo mismo que los actores al final de la obra teatral, desaparece haciendo mutis por el foro.

Si la caducidad del papel fuera el único problema a consideración, entonces no habría contratiempo alguno. Pero la cuestión reviste mayor complejidad y afecta de inusitadas maneras a nuestro relacionamiento con las palabras y con el conocimiento, sobre todo en relación con aquellos hipotéticos lectores que crecieron sin la presencia cohesiva y rigurosa de libros, diarios y revistas organizados bajo la égida del papel, esto es, los que cuentan con soporte fijo para codificar el inapelable proceso de la lectura.

Al desaparecer la lectura unificada por la aparición de súper o hipertextos, de espacios gratuitos con múltiples entradas y salidas, la falta de concentración pasó a incluir el retaceo de las estructuras, tanto a nivel de la frase como del párrafo. Al saltearse lo fundamental, lo elemental triunfa. Las lecturas son incompletas. Por consiguiente, si hay *fake news* (concepto que va más allá de la traducción literal «noticias falsas»), existe también un *fake reader*, un «lector falso», que no lee, que ya no sabe leer, que solo «ve»: palabras desfilando aprisa ante su mirada desatenta sin generar realidades intrínsecas y colaterales en el pensamiento y, por ende, sin implicar en el proceso a la abstracción, la cual resulta imprescindible para generar y acceder a cualquier tipo de conocimiento mayor.

Ese lector circunstancial «ve» palabras que le fueron enviadas no siempre con un propósito establecido *a priori*, o bien que encontró de manera azarosa en la web y son parte de una noticia de actualidad, de un mensaje que contiene información personal, de un texto literario, de un aviso publicitario, o de cualquier otro ente escrito que para existir necesite de palabras organizadas en torno a una gramática establecida. Por temor al disenso con lo supuestamente incomprensible, veámoslo de esa manera –todo aquello que por escrito escapa al relato realista claro y llano–, el *ethos* de la lectura, que encuentra su estado de encumbramiento en el disfrute lexical y sintáctico sin sentirse amilanada por el exceso interpretativo, entró en fase de irreversible *fragilización*. Ardió Troya, y sus cenizas esparciendo consecuencias representan la posdata de una época en disolución. Por consiguiente, el dilema convertido en desafío es hacer que el lector deje de «ver» únicamente superficies y regrese a la lectura. Ahora, sin la ayuda del papel.

En un mundo de realidades itinerantes, de certezas en transición, de avatares fieles a su condición ilusoria, las palabras interrogan a la mirada respecto a la respuesta que debe dar (hoy leer es ver). Se integran a ese canon de existencias sucesivas y en ocasiones superpuestas, anunciando lo que vendrá, así sean causas sin objetivo y deseos sin objeto, hasta que al final lo que iba a venir queda pospuesto. La conversación es con un tema postergado, con un tiempo abstracto de semiabsolutos, a pesar del cual, nada habrá de suceder: ni en parte, ni por completo. Esa conversación de abisal intimidad pocos se animan a iniciarla, y menos son quienes saben de qué se trata.

Tan devaluada está la práctica de prestar atención durante el acto de la lectura, que en el intangible mundo del futuro (comenzó ayer) la encrucijada a resolver tendrá a la vista una única alternativa: habrá que escribir para quienes no se han rendido ante el desafío de las palabras cuando las cláusulas las hacen coincidir, no solo para estar juntas, sino para decir «algo» de la mejor manera posible con la complicidad de la imaginación: de la forma como no lo dicen en un diario, en una revista, en un blog, en cualquier plataforma de contenidos pasajeros, y menos, en un libro diseñado para ser *bestseller* y destinado, vaya paradoja, al público que no lee libros.

———

Escribir es enviarles cartas a las palabras. Resulta raro a esta altura de las épocas recurrir al verbo «cartearse», pronominal. Ya casi no quedan registros epistolares, cultores de la lentitud compartida, entre quien escribe y quien lo lee. Con la maldita costumbre de mandar tuits y correos electrónicos que a los cinco segundos o antes de haber sido leídos se olvidan y quedan borrados, son pocos los que se toman el trabajo de comprar un buen papel (las cartas así lo exigen) y usar una estilográfica cuya tinta es capaz de resistir el paso del tiempo, sobre todo en un momento de la historia en que las últimas cartas en haber sido escritas comienzan a ponerse amarillas, tal como se ponen en la canción de Nino Bravo, del año 1972: «Y busqué entre tus cartas amarillas...». Ya nadie busca ahí. La era de las buenas frases, las que llevan ratos largos y porfía escribir, las que hacen grande a la literatura impidiendo que le llegue su hora sepia, no es esta. Que cada uno haga lo que pueda –y esté a su alcance– para postergar el final definitivo de la civilización bien escrita.

Uno de los principales escritores estadounidenses modernos, de los originales en serio, Joseph Heller, autor de la novela *Trampa 22*, dijo que «la literatura es la buena frase que de pronto aparece». En el acto de prestar atención a las buenas frases del otro, no solo a lo que otro esté diciendo, sino también a cómo lo dice, radica el calibre intelectual del lector riguroso, capaz de leer con una perspectiva diferente –no necesariamente una de mayor objetividad– a la de aquel al que está leyendo. El rigor viene acompañado de amabilidad y lucidez para enaltecer el encuentro anticipado con los detalles, aunque estos sean mínimos, inescrupulosos.

El «lector de frases», capaz de descubrir un placer inexplicable en la coreografía de las palabras, entra en sintonía con la cordialidad en el disenso. En su tarea de adentramiento en lo inefable proveniente del lenguaje, debe revalorar incluso las figuras retóricas (asíndeton, polisíndeton, antítesis, aliteración, elipsis, hipérbaton e hipérbole, metáfora, anáfora, onomatopeya, paradoja, anacoluto, etcétera) que han venido a ejercer su estelaridad, a quedar al alcance. Ese tipo de lector agoniza. Está casi al borde de la extinción. Tal vez en un mundo pos-apocalíptico, *pos-apocapitalista*, como el que aparecía en la película *The Book of Eli* (*El libro de Eli* o *El libro de los secretos*, en español), aquellas formas de literatura que invitan a la concentración y al deslumbramiento a partir de lo inaudito recobren dominio, y pasen a ser las únicas capaces de interesar a los últimos supervivientes. Llegado ese momento, la minuciosa escritura de este libro habrá valido la pena.

Soy mi poeta favorito

Confirmar una certeza que lo seguirá siendo una vez concluida esta oración: es difícil escribir en cualquier idioma, sitio geográfico, y en las varias posiciones para hacerlo que hay. La dificultad es la misma, con un lápiz, un dedo en la arena, una laptop, o una Bic azul de trazo medio de las que antes tanto se usaban. Un sentimiento romántico de inclaudicable vigencia sugiere que la escritura poética podría encontrar espacios de realidad más propicios que los demás. Allí las musas se sentirían mejor (como felices o salvadas, completas incluso), o vendrían con menos dificultades: sin necesidad de llamarlas ni tener que implorarles, «vengan ya por favor» (es una de esas situaciones en que el implorar «por favor» de nada sirve).

En ese contexto idealizado aparecerían elementos para privilegiar la existencia: la casa natal, el olor de algunos árboles con voz propia, los ecos de la infancia reflejados en el momentáneo color del cielo o de las nubes, vecinos que dicen no y sí, la humedad de ciertas lluvias venideras (en la memoria la inocencia aparece siempre mojada), lugares que fueron en algún momento previo a la vida, calles, bulevares y caminos que llevan a mansos sitios, sonidos solo semejantes al ruido que acaso seguirán siendo, algunos vientos en su nitidez o veloz polvareda, etcétera. Y demasiado más no siempre necesario. Ascesis y onomástica: de lo que se trata es de nombrar de nuevo todo, y lo demás.

De alguna forma, tan grata cuan magnífica, la aparición de palabras en su orden superior –cuando la poesía se siente lo más parecido a todo aquello que decidió revelar– podría quedar favorecida por una realidad *virtualizable* (en tanto espuria mezcla de virtual y virtuosa), que estaría aguardando agazapada en alguna parte, incluso antes de haberlo estado. No en vano, vive vislumbrando su porvenir, su estado próximo de existencia. La poesía existe primero como atrevida promesa de su propia condición. De lo que cada cual puede ser cuando dejó de estar consigo. Quizá para muchos sea esto verdad absoluta y la excusa de los elementos propiciatorios tenga ciertamente valor real aplicable a la vida literaria. Allá ellos. Gabriel García Márquez acotó tajante: «el lugar donde se escribe es uno de los misterios insolubles de la creación literaria». Alguien, en otro tiempo y en distinta parte de cuyo nombre podría acordarme, me dijo que en su «nuevo» país (el posterior, pues el primero le vino de nacimiento) le resultaba imposible escribir porque los aromas, sonidos y sabores eran diferentes. ¿Será posible, será tan así?

En mi caso, el contexto, tanto geográfico, sentimental, como culinario, resulta neutral. La página en blanco (diana del solitario) es la sola región por habitar. Causa única de crisis. Cláusula y efecto. En su espacio tentativo, es lo primero que a primera vista puede ser anticipado: el quieto repertorio de una quimera en desuso en la cual resaltan sentimientos con revelado instantáneo, imágenes que se saltean el cuarto oscuro, Polaroids que amplían el escenario emocional retratado –aunque no revelado– por el lenguaje. Mar de circunstancias, océano del espíritu retozando a su antojo; blanco que es el único blanco; núcleo para claves ignoradas. Es ese baldío espléndido el que fomenta tan incomprensible desafío, y no lo que pueda quedar excluido, sean para el caso los tactos y cariños, las dudas y verdades (el lenguaje es capaz de hacer maravillas), los perfumes interplanetarios, el vacío que se insinúa entre medio de lo visible, o todo aquello que el paisaje pueda tener para decir con sus resultados panorámicos. Eso poco importa, y cada vez menos. Es la página –permanente hogar privativo– exenta de charadas propiciatorias, ella, orilla a donde van a dar los mares del idioma, a la cual se llega para erigir un refugio en el que fulano de tal puede llegar a ser en sus palabras el mengano ideal.

En el folio se pacta la representación del archivo. Un proyecto de actitud: la vida a partir de lo vivido, vívido. La página actualiza la obligación de sincronizar los relojes del presente con los del pasado, porque tal vez allí, en el montón imprevisible de fotos sepias donde hay gente cuyos rostros apenas reconozco y sus nombres casi olvidé, esté enterrado el tiempo perdido imposible de recuperar. «Despiertos vamos atravesando un sueño: no somos más que fantasmas de tiempos pasados» (Kafka).

Con su negra didáctica cargada de combinaciones indescifrables y antojadizas, tiempo y espacio pasan a existir librados de explicaciones y, por ende, de interpretación. La catarsis del recuerdo vivirá a partir de ahora de la melodía de pequeños detalles salvados de la disolución, de las pausas sin palabras instaladas en medio de lo acontecido. Ahora solo resta mirar hacia atrás para saber qué puede haber delante –si lo hay–, y seguir transcurriendo por un estilo de vida similar (por oposición) a ninguno, al cual las palabras ponen en entredicho.

De esta manera, la información de/sobre lo real expuesta por la intimidad incluye la opinión y el rastreo de sentimientos, en tanto acceso habilitante antes no tenido en cuenta; en tanto éxodo exitoso hacia un punto de partida en constante itinerancia (el individuo se reinventa creando itinerarios). La traza del origen invertido es la meta final. Está al alcance, por más que no termine de irse. Existe en fuga de continua permanencia. Las enmiendas de lo probable (lo que puede ser aunque resulte imposible demostrar su existencia) son algo más que las de la razón establecida y justificada (su actuación) por prerrogativas lógico-lineales. Esa, sin embargo, no es la excluyente razón en juego. Hay otra, una paralela: co-razón. El corazón con razón.

Hay en todo esto sin salvedad una disposición a la travesía ideal (aquello que antes llamaban «salir a la ventura») que carece de objeto y objetivos, pero que desborda la subjetividad mientras deambula. De eso se trata: de escribir para asegurar una salvación a largo plazo o morir lo menos posible en el intento.

Son esos lapsos impostergables en los que el silencio completa absorto las frases, cuando la soledad en vuelo rasante no tiene nada más para decirle a la prematura ausencia de sentido, y de alguien a quien nombrar. Entrado en continuidad imposible de ser abreviada, y a un tris de nunca terminar, el tiempo se hace preguntas melódicas, aunque debamos entenderlo en su radical afonía. El tiempo no escribe cartas, para qué: nadie habría al otro lado para leerlas. Envía preguntas, cuando ha llegado la hora de hacerlas.

———

¿Soy aún el mismo? Ya son demasiados años fuera. El destierro sufre de Alzheimer. Está hecho de minúsculas observaciones que la conciencia quiere visitar sin poder recordar, de historias entreveradas por el tiempo, justo cuando el pasado, siempre demasiado anterior como para parecer verídico, es la única excepción a ser demostrada. El descubrimiento de la realidad que falta por habitar ignora la extranjería del anfitrión convertido en invitado de piedra: reconfortada por su eco, la voz hace esgrima y agrimensura con las mismas palabras adaptadas a otro idioma, al idioma de otros. El reconocimiento y superación de lo que es, o puede llegar a serlo, carece de propósitos de fondo. Es capaz de tenerlos todos.

Pero el alma, que ha recuperado su vigencia (al menos en lo que yo escribo, cuando escribo), no se empeña por descubrir ansiosa el mapa de sus trayectorias, o alterar la orografía del paisaje (dígase, para el caso, ortografía) que la rodea; prefiere salir del idioma para mirarse mejor en sus apariencias: como si ella misma fuera una apariencia más. Motivos le sobran. Sus imágenes, que nada tienen que ver, salen de vacaciones. Dejaron de representar el capricho preparativo de algo en absoluto inexplicable; significan el paso repentino de la ojeada a la visión, el tránsito de todo cuanto ha sucedido, a lo que todavía podría ocurrir. Es el viaje sin retorno a un estado de ánimo diferente, fulminante. Es, por consiguiente, una alternativa metafísica, no cultural, que reside en lo imposible para hacerlo menos probable.

Las variantes que hasta ese sitio de la transterritorialización han llegado (no siempre sin proponérselo) se encargan de ocupar la página principal, justo en esos tramos de la historia cuando los días encuentran su honorable Siglo de Oro fuera del meollo central, sin sentirse intrusos en su permanencia. Las palabras ponen en circulación mundos creados recién, en donde la realidad anterior funciona a la par de la recién llegada, y sobre la cual no todo –ni muy poco– ha sido dicho. Activan presencias y significados sin saber cuál entre tantas es la huella buscada, y si hay una a la cual entrar y resituar lo que uno es (y cree saber), incluso en estos días de menos diáspora (mía) a contramano, cuando las cosas conocidas quieren aprender para seguir siendo tanto o más interesantes que las restantes, y que cada cual.

Ha sido el viaje de la *War on Poverty*, a la *War on Poetry*. Actuando por motivos ulteriores, desinteresadas en generar significados, las palabras se sienten entretenidas, mejor atendidas, hasta felices diría, con su nueva semejanza «entre» y fuera de sí informando de una euforia pendiente, de un coto –el suyo– al margen de cualquier causa específica. Las apariencias que tienen no engañan: son ellas mismas.

Escribir en un idioma –que bien podría ser el natal, apoderado de la lengua materna– mientras se vive en un país donde se habla otro (idioma) es no solo una anomalía, una práctica tenaz del «afuera». Es asimismo un acto de «aguante», tanto a nivel lingüístico, social, psicológico, y político. Hablaría para el caso de radicalidades de una intimidad sin dividir, indivisas, donde coinciden; lenguaje, resistencia a perder el tono oriundo, y extranjería del yo cuando es vista como peligro a la vista.

Valiente oposición también a aquello en lo que uno no quiere convertirse ni llegar a ser algún día, aunque haya llegado a una parte de la geografía transformada en destino. Y más aún, cuando el idioma que decidió utilizar quien escribe es el castellano y el país en el que realiza su práctica cotidiana de blindaje es Estados Unidos.

En tiempos difíciles para la «extranjería», cuando los actos y muestras de xenofobia (léase «odio u hostilidad hacia los extranjeros») proliferan en todos los niveles de la Unión Americana, desde la vida suburbana que condensa los estertores del *american way of life*, hasta las altas esferas de la política en Washington, la poesía escrita *en español*, esto es, la práctica pública del lenguaje del «enemigo», del visitante que no es bienvenido, deviene por decisión propia una desafiante demostración de solipsismo autoimpuesto. Una radicalidad de Ícaro y kamikaze a la misma vez. Lo que intenta ascender termina escrachado contra el piso, pero vuelve a subir, a intentarlo, sístole y diástole de una inconformidad metafísica por ser, también, física.

Son días en que el escritor corre de inmediato el riesgo de la marginación, de la no existencia, del no ser, y sin embargo la resistencia pasa del plano de la intimidad exclusiva, a la esfera de la actividad social. El hecho estético es el gran *melting pot* del sujeto poético y del sujeto social, en donde el hablante –incluso cuando me toca ser yo– se convierte en quien escucha y verifica. Resistencia a estilos de vida y a prácticas de la comunicación, antes que fuga hacia una intimidad exacerbada, la escritura de la alteridad lingüística implica rechazar la absorción del contexto inmediato, la bastarda aculturalización impuesta por el idioma dominante. Se erige como fábrica de contenidos inaccesibles al *statu quo* social, como intencional desvío de cualquier totalitarismo cultural. Es la forma más efectiva en que el sujeto poético y el sujeto social expresan su descontento ante lo que no pudo ser para terminar siendo de otra forma.

Entonces, según lo expresado, ¿se puede pensar diferente por estar en un lugar geográfico que en (la) realidad es «otro», por habitar alrededores tan inhóspitos como inesperados que articulan ficciones diferentes en la dicción poética? ¿Se escribe peor, mejor, o bien la escritura alcanza su porvenir, su modo de innovación y exactitud por el hecho de haber cambiado de realidad geográfica y dejado sitiada la identidad de procedencia? Este tipo de interrogantes estuvo siempre fuera de la materia prima de mi escritura. En Uruguay, país donde la poesía ha sido sistemáticamente desdeñada y mal leída, ya escribía poesía. Era una de las formas de ir en contra de la ignorancia colectiva, que desde entonces se ha ido agravando. Empecé cuando tenía 15 años de edad. Fue el primer error de imprenta de mi adolescencia.

Deambulando a lo largo y ancho de un estado de existencia superior a ninguna otra (porque los años uruguayos entre 1973 y 1982 así lo dispusieron), me sentía igual a Gary Cooper en *High Noon*. Me sentía incluso peor, pues de héroe no tengo nada ni llevo sombrero de *cowboy* (y las únicas botas que uso son para la lluvia). Vivía en el Libro Guinness de Récords de las Horas Perdidas. Sintaxis y solipsismo. Vaya paradoja (uruguaya): en la soledad de aquel silencio sureño salían palabras admonitorias con anhelo de salvación, ¡y eran mías! En Estados Unidos, donde la tradición de ruptura formal y profecía de la «gran poesía norteamericana moderna» (Pound, Eliot, Hart Crane, Wallace Stevens) está en vías de extinción y los poetas celebran el triunfalismo del lugar común, del anecdotismo, y de la palabra pobre en recursos sonoros y sintácticos, en toda esa poesía que solo cuenta por no saber cantar, sigo insistiendo en lo mismo, por insignificante que pueda parecer, y por más que los lectores de poesía hayan existido en un tiempo pasado tal vez menos condenable y, para peor, en inglés.

———

Vine a donde estoy a experimentar la lógica del todo puede ser posible. Vivo en lo que no sé bien qué puede ser y que las palabras denominan transformación. No es sino una forma de subsistir en la mudanza de las fechas que origina formas y comportamientos donde el ser está, tal como le gustaría ser. Alejado de la catarsis de la confesión, del avatar con apariencia de suceso sin reproches, entro cada día al paleolítico por venir de la imaginación vestido con ropas de seda, bata y bonete para lucir emperifollado pasado mañana. Quisiera que el quimono fuese eterno. En ese tiempo librado del calendario, lejos del alcance de la temporalidad, pasado y presente definen el futuro. Y lo que pasó.

Cuando la realidad era lo que menos quedaba claro, la ansiedad hacía horas extras. Ante las circunstancias de un avatar entre paréntesis aceptado al pie de la letra, fue sintiéndose parecida a la hinchada de un club de fútbol que juega de visitante, mostrando adhesión a un sentimiento que no está ni mal ni bien, porque no podía estarlo, cómo, si había de todo y nada por completo era obligatorio. Hoy es lo mismo. Da lo mismo.

En un lugar del suroeste estadounidense, donde el diablo perdió el poncho (me pasé la vida entera esperando la oportunidad para poder utilizar esta expresión tan usada por mi finada abuela), ejerzo, manifiesto y demuestro la portátil condición del idioma con el cual crecí y vine a dar a la poesía. Sin Texas no sería quien soy, tampoco lo sería mi sintaxis. Me veo reflejado en el espejo de un idioma hacia después, y el espejo a la vista es transparente. La vida en sí, y la vida en no; es todo lo que sé.

Allí, en el ahora surgido como respuesta al pretérito (imperfecto) en fase de borramiento y disolución, surge un tiempo en condicional: el que proviene de la realidad que bien no sé si por casualidad o causalidad se convirtió en referente del que (y de quien) sigo siendo, incluso como futuro incierto de la persona idéntica que antes fue otra (casi la misma, aunque a medias diferente). Se trata, no menos, de acertar con la posición de la mirada y de saber mirar lo que emerge a la manera de realidad irreconocible, de estado posterior a la sospecha. ¿Dirá la verdad el Eclesiastés cuando sentenció que no hay nada nuevo bajo el sol? Recurro a Alejandro Dumas para sintetizar una historia similar: «Mi imaginación enfrentada a la realidad se parece a un hombre que, visitando las ruinas de un monumento destruido, tiene que pasar por los escombros, seguir los pasadizos, agacharse en las poternas, para reconstruir más o menos el aspecto original del edificio en la época que estaba lleno de vida, cuando la alegría lo llenaba de cantos y risas o cuando el dolor era un eco para los sollozos».

Entre paradojas consuetudinarias de la imaginación, entre ruinas de vida remota, las palabras hacen todo lo que tienen al alcance para convertirse en literatura donde nunca habían estado, ni tampoco el lenguaje. Es de la forma como les gustaría vivir, para sentirse sanas. Poesía y prosa, sin Prozac (o Zoloft para las que se sienten solas). Les ha dado por eso. Construyen su apartado aparato vertical, su ansiolítico casero. Son ritmo y cesura. Sueñan sus nombres propios en la prosodia escindida de la prosa. El lector dejó de contar, nula es su influencia. Si existe, no será celebrado; si no está, no será castigado.

Como antes del mamut y del fuego (y en las paredes de Altamira hay jabalíes vivos tratando de escapar de su simbolismo), el hombre escribe poesía por dos razones excluyentes: porque tiene algo que decir, y para hablar consigo. Allí el yo –imaginación y espacio contra el veredicto del tiempo– puede oírse inusual. La poesía no es otra cosa (en mi caso, del resto no hablo) que una tarea sagrada para asegurar la supervivencia del hoy en el ahora mismo más inmediato. Aunque capaces de ser proféticas, las palabras evitan hacer pronósticos sobre el pasado.

A la manera de quien entra a una iglesia por no tener otro sitio a donde ir, entro a la casa del lenguaje para orar y esperar que el milagro de sentirme cercano a mí mismo cuando soy yo se cumpla. Y hasta ahora, con explicables excepciones, ese milagro se ha cumplido. Escribo para reconocerme mejor que en los espejos, para ser la menos definitiva de mis imágenes. Para sentir que sigo siendo mi poeta favorito. Es la lisonja del cazador que ha disparado una perdigonada hacia lo alto, porque las bestias andan a ras de tierra. Es el escopetazo sin causa y con efecto, el tiro que salió por la culata y dio en el blanco. La poesía, casa de una caza, cetrería sintáctica plagada de corazonadas. Que cada uno haga lo que pueda.

La poesía es la conciencia feliz de quien a destiempo celebra su equivocación favorita, su nado atemporal contra la corriente, oyendo, tal cual me sucede casi a diario, la partitura de un río marrón y fulminante llamado Brazos, Brazos River, bilingüe por haber nacido traducido. En mi versión, Texas es un río largo y cercano, autopista líquida, que va a dar a la mar, aunque sea difícil –cuánto cuesta– amar la carencia de maravilla. Qué falta me hace. La realidad aprendió a vivir en la tercera orilla.

En el reino suave y no siempre complaciente (tampoco accesible) del caudal imaginario, el lenguaje se bambolea, orondo, fervoroso. Como ola de un océano con los nervios de punta, oscila de un lado a otro buscando salvarse en el primer verso (por lo general mío) que encuentre a disposición: siente desprecio absoluto por la banalidad en boga, prefiere salir de los rituales superfluos de la moda y del culto a lo mundano que definen a los días actuales, que son precisamente estos. Los he contado.

Las palabras actúan santificando una dicción semiabandonada, como si pretendieran llegar a la comarca de una textura fónica específica que, cuando quiere, puede ser impropia. Aliteraciones y homofonías, a salvo y en propiedad: la obediente metáfora borra el error de lo utilitario. De eso asimismo se trata (aunque no trate de nada): de escribir para intentar salvar el lenguaje con sus gramáticas tan propicias al ornato y a la sobreelaboración lírica. A fin de cuentas, la mayor aspiración del acto de la escritura no es otra que convertir a las palabras en las únicas amas de casa de una casa que no ha sido aún construida, por más que residan ahí desde hace tiempo.

En medio de una sorpresa presa de su poderío, ejerciendo la parsimonia de las cosas que solo a uno pueden ocurrirle, en el lenguaje me convierto en albañil de mi propia residencia. Exhibo imposibilidades abandonadas en el camino, la pérdida predilecta de ayeres y pasados, la cual suele venir acompañada de desapego ante la realidad –una de las tantas– que cesó de persistir. Es a partir de ahí, de ese instante en el vacío de las verdades solas, de reconocimiento de aquel que no sé bien quién soy, en que me veo desde dentro de las palabras. Puedo hablarme. Me convierto en megáfono de mí en el lenguaje. Suban el volumen (y las cláusulas hacen caso). Concuerdo con lo que escribió Cecília Meireles en una carta: «Quien ha dicho esto, debe decir más». Siempre se puede hacer otra toma, de reanimar la cotidianeidad.

Aunque no todo siempre se pueda, hay que aspirar a una totalidad sin precedentes. En los secretos vulnerados, no puede haber error de cálculo. Hay que aprender a pasarse de la raya, aunque más no sea para desobedecer al mundo material de los puntos y las comas, de lo que nadie sabe si viene a continuación. Escribir poesía es una disfrutable anomalía in extremis.

En tiempos en que la banalización de la palabra carece de techo, la intervención en el sentido debe ser de conflicto y discrepancia; debe incluir todo aquello carente de sentido. A la imaginación no le basta con entender el mundo real, se desvive por hacer diferente todo lo que luce «igual». En algún punto del habla en actividad el patrón de sentido evita convertirse en entretenimiento escapista. En el ver que nos mira, lo otro es entendido desde el no conocer, que es una forma aparte de representar lo universal. Sin tener a la desorientación por designio, las palabras se toman el trabajo de averiguar en qué momento empezamos a hacer coincidir lo ajeno y lo propio, haciendo posible entrar en discordancia con la subjetividad (a pesar de que dejo de hablarme, la voz en *off* que oigo no deja de ser la mía, porque la reconozco).

Escribir poesía teniendo el lenguaje como templo distintivo y ejemplar es, por tanto, pensar diferente: obliga a salir de las evidencias, a pasar como si nada –y por la nada, por si acaso– del cuerpo al alma, y viceversa (y de paso, atravesar el espíritu). Supone hallar entre la maroma de sonidos arrepentidos el rumor constante, no cualquiera, constante, y una geometría de zigzags innumerables. Es encontrar un territorio indivisible en todo lo que pueda parecer una respiración de vida acérrimamente vigente o una expiración de fallecimiento; es responder con voces desconocidas a su implícito eco interior. En todo caso, la vida es una respuesta demasiado incompleta en la cual ocurren mil cosas, y resaltan acontecimientos menores y mayores.

La pregunta, entonces, ¿para quién escribo?, queda al instante borrada por la que viene enseguida, obstinada y carente por naturaleza de resolución: ¿para qué escribo? Hay una respuesta: porque no puedo dejar de hacerlo. En esa tautología atravesada por enigmas que hacen el bien sin mirar a quién, y por la coincidencia de múltiples realidades, soy víctima de una seducción. Narciso nada en las aguas de su imagen para no tener que mirarse. En la soledad de su natación, el regreso será hacia un lugar habitado por palabras: donde la visión es una, y unánime. Después de todo, el lector es un imaginario parcial, una derivación que evita ser definida. Mejor no hacerlo.

Escribir poesía, aquí como en Andorra y Marruecos, en Birmania y Myanmar, en Bolivia y Uzbekistán, es redondear la síntesis del ser; la irremediable caducidad que roza a pleno lo absoluto, para que este vuelva a realizarse nuevo otra vez, irreconocible, nuevamente.

Escribo, pues, como salida de emergencia metafísica o llegada a deshoras a una meta física. Cuando quiere y se lo propone, el cuerpo deviene jinete del ánima. Sigo su galope. Poco importa a esta altura (de secuoia) quiénes puedan descifrar mis exagerados descubrimientos, o la ronda inmóvil de una soledad perturbada por solapados alaridos. Qué importa si los lectores son apenas tres, o tres mil, o no es ninguno quien lee y ya no hay nadie allí para invitar al lenguaje a decirlo. Cambiamos de propietarios, hasta de avatares que nos abandonan dejando secuelas. Soy más bien como el niño de la fábula judía que andaba por las calles de su pueblo pregonando: «Tengo una gran respuesta, ¿quién tiene una pregunta para hacerme?».

Una cuestión palpitante –homenajeo aquí a Emilia Pardo Bazán, señora de cuerpo imponente– me ha hecho caso. Vivo aparte en este país que me dio residencia (en Estados Unidos me des-uno) y aquí escribo, como antes en otras lindes y también lo hacía. Salgo a la calle, entro a un bar, al supermercado, voy al cine, pago impuestos, llamo a un número telefónico de siete dígitos, *wrong number*, responde una computadora autoprogramada, miro por una amplia ventana cuando la lluvia dejó de ser lo único posible (una realidad me espera allá fuera), preparo camarones al ajillo, pasta con alcaparras, hoy no quiero pollo frito, tampoco berenjenas al horno, le pregunto a los sabores, me saco el gusto, oigo ruidos idénticos, respiro, me rasco la espalda, la oreja izquierda, y tomo agua, como todo el mundo. A veces, veo caer la nieve. Otras, veces también, la nieve cae en la imaginación sin que nadie la vea.

Soy aquel mismo que escribe, quien apuesta a un acto considerado anacrónico, como es escribir poesía y seguir haciéndolo, no parar de hacerlo, cuando la palabra en los grandes mercados de la ideología sufre su peor crisis, desventurada metamorfosis. Agoniza para ganar preciosidad. Pero –vaya triunfo– no sé hacer otra cosa, no sé qué otra cosa hacer. Las alternativas y paliativos fracasaron: intenté cambiar la dieta, los horarios, correr diez millas diarias, dejar de caminar, tener hijos, casarme, abandonar la poligamia, cambiar de domicilio, de bicicleta, de champú, de perfume francés, dormir la siesta con excepción de los lunes y los domingos, hablar más despacio, no preocuparme por los años bisiestos, tomarme la presión arterial en esas máquinas que hay en los supermercados y en las que uno debe meter el dedo índice y poner una moneda, comer menos naranjas, muchos menos kiwis, afeitarme con mayor frecuencia, y otras cuantas cosas que fueron también más. Pero la poesía seguía regresando: sin lectores ni editores. Sin preguntar. Venía sola. Nunca hubo un innecesario para qué, ni menos, un por qué. ¿Para qué? Hoy la isla es definitiva, y ya no quiero dejar de ser mi casi feliz (a menudo) Robinson Crusoe. La isla a solas es además archipiélago: Sur y Lejano Oeste de un mundo que se mantiene distinto mientras no empiecen las definiciones.

El temblor metonímico y la contigüidad apresurada de quien habla solo solo aceptan ser interrumpidos por aquello que se desplaza hacia todas partes, y existe primero como realidad escrita. Los hechos lingüísticos, los actos del lenguaje, conforman una actividad incombustible tras reconocerse en el espejo cóncavo de la sintaxis. En la respiración y en el silencio generoso de la invisibilidad en desuso soy quien se mira postergado en su paciente goteo de escritura.

Cómplice, hacedor y antagonista de una imposibilidad, salgo de la hora anunciada para satisfacer los reclamos y fisuras inusuales del deseo, para escribir desde y dentro de un lenguaje que ya me pertenece (es parte de mí), y en el cual preservo imágenes de siempre y de casi nunca, porque en ellas me reconozco como protagonista principal. No siempre soy el mismo, pero hacia él voy.

Tengo la misma autoayuda que pueda acaso tener una lombriz o un escarabajo buscando el camino de regreso al hogar, Odiseo de su insomne periplo. Es parte de la condena: amamos cuanto estuvo y no puede ser reemplazado por todo aquello que está ya presente. El diccionario de la vida, abierto en la letra z. A las fotografías uno nunca vuelve con el rostro con que salió.

La escritura poética, territorio y habitante desarropado, es, además, la única disciplina que practico con constancia. Aunque enseño Literatura (para ganar un salario, no lectores) considero el idioma como algo más que un instrumento de comunicación, algo de mayor importancia que una mera coincidencia de reglas gramaticales. No tan funcional ni limitada es esa lingüística con afanes diversos. Podría vivir sin diptongos ni diéresis (aunque no sin la ñ).

Pedro Salinas, poeta de vida corta y errante como «el pastor griego» de la canción de Georges Moustaki, acertó al decir desde su exilio estadounidense, en carta dirigida a su esposa Margarita Bonmati Botella Marichal Salinas (el nombre y apellido ocupaban la mitad de la misiva): «Hoy, para mí, el idioma es la mejor memoria de mi país, y como lo estudio y lo explico resulta que sin querer, sin desear acordarme, lo estoy recordando a todas horas». Recuerdo también el memorable pasaje de la película *La eternidad y un día*, cuando el poeta moribundo reflexiona: «¿Por qué he vivido mi vida en el exilio? ¿Por qué me he sentido en casa en esos raros momentos cuando se me dio la gracia de hablar mi propio idioma? Mi propio idioma. Cuando todavía podía recuperar palabras perdidas o rescatar del silencio palabras olvidadas».

———

Con su destino caleidoscópico y sus travestidos aparecimientos (casi escribo apercibimientos), la lengua materna, sea ya para enseñar el pluscuamperfecto de subjuntivo, el gerundio, el uso de los adverbios terminados en mente, o seguir aprendiendo lo que no tiene nombre, resulta fuente de interrupciones, irrupciones y desvíos. Como tal, el efecto del habla en la página resulta antes propulsor de sinsentidos y gravitaciones inversas, que intermediario directo de utilidad; de funcionalidad al servicio de una comunicación inmediata. Es la gran máquina de epifanías que mediante interrogantes e interrupciones responde para encontrar preguntas, en caso de que las haya. Allí abrevo. Arte que almacena latidos, que libera libido. Ahorra metonimias y metas nimias. Farándula del idioma, apego a la trascendencia.

———

Al final, cada reencuentro con mi yo permanente termina siendo con el optimismo: no el de quien cree en las imágenes y ofrecimientos del mundo exterior y confunde la pasajera tregua con la felicidad, sino optimismo de aquel que celebra la capacidad de esconderse y dejarse maltratar que tienen las palabras, antes y después de haberse ocupado del idioma. En su perseverancia (que no busca excusas ni razones), el lenguaje me ha servido para ahondar en el anonimato, en propósitos antes escasamente acosados; solipsismo y transterritorialización.

En otras palabras (que también son estas): aquí, en Estados Unidos, no existo en totalidad en mi porcentaje completo, y puedo por eso permanecer al margen, como pieza prescindible que decidió vivir excluida del rompecabezas. Pido que me incluyan fuera. El presente dejó de recibir quejas. Ahora también –un ahora que lleva años continuos siendo actual– tengo más tiempo para leer, y las noches están llenas de libros de cabecera. Hago turismo enciclopédico en el lugar más próximo al jardín que riego cuatro o cinco veces por semana.

Veo hibiscos, cardenales (pájaros no religiosos), mariposas amarillas para pasar el rato, mariposas blancas para que les hagan caso. Cada mañana, todo es oriundo en el lugar que nunca se ha ido a otra parte. El tiempo anda dando vueltas, los ruiseñores son diferentes según las horas, incluso aquellos que no pudieron llegar a la realidad, pero van en camino. Entre pájaros con tanto canto me siento una *rara avis*, los imito en lo que puedo, hago el esfuerzo. Soy testigo de códigos entre vientos sin cauce ni ríos a los que les han prestado el agua. Cada volumen de la mirada y de la existencia es una introspección filantrópica (los beneficios vuelven a uno, son el *boomerang* que nunca lancé), otra incomprensible razón para justificar el haberme ido hace tanto de donde nací. La inutilidad desparrama satisfecha virtudes ancestrales.

El intercambio logrado por añadidura es con una imagen improbable; como no hablo (porque afuera no hay nadie y yo hago como que no oigo), escribo. Soy ventrílocuo de una afonía elemental. Solo existo en el lenguaje torrencial dedicado a residir en páginas garabateadas. Puedo. Las palabras disfrutan del exilio elegido, y el anacoreta celebra la inexistencia de todas las demás cosas faltantes, del mundo inmaterial no tan a la mano ni tan seguido. El problema de la recepción de sus palabras no consiguió desvelarlo. Entonces, ¿por qué no seguir celebrando la autocomplacencia de lo más ínfimo y mínimo del mundo invisible? ¿Para qué dejar de hacerlo?

Vine a donde estoy, a encontrarme con una fauna de seres acuáticos (algunos aéreos) y terrestres a los que aprendí a ver por primera vez, a reunirme con un silencio nada similar a los anteriores, con árboles a los que no sé qué nombres darles, ni siquiera sé si los tienen. Y como no sé y tan bien lo desconozco, repito los que ya les han dado. Vivo en lo previo del desconocimiento. En lo mucho reducido a una novedad que parece no llegar jamás y por eso, antes de confirmar su presencia, distribuye alrededores (por si hubiera una verdad importante por salvar). Estas mañanas nuevas, bellas hasta llegar a serlo, ponen a los recuerdos de la vida anterior frente a un pelotón de fusilamiento, contraste vivo de un tiempo envejecido que se desmorona, sin posibilidad de retorno a la noche natal, al plan oriundo del cual nadie conoce con exactitud su punto de llegada.

El destino se hace a la marcha. Todo va bien, hasta que la felicidad constata que las oportunidades no son demasiadas, ni tantas, y empieza a confiar en la buena voluntad del destino. Por obra y gracia suya aprendí a ejercer la alegre superación de los momentos innecesarios. La vida entra por la ventana de mi casa, empujada por el gorjeo nada austero de petirrojos y cardenales, de ruiseñores y azulejos (y del mirlo requeteoscuro de Wallace Stevens que una tarde primaveral le mostré a Daniel Freidemberg), por la sensación de estar conociendo todo cuanto desconocía.

El instinto de supervivencia quedó liado al deseo de querer amar aquello que ha sido descubierto al pairo por la mirada: claridad de una vez sola, viento invisible, viento que no aprendió a ser de la mejor manera, ni de una diferente, y en la que tiene insiste redundante. Quizá la abundancia de resplandores y claridad a tutiplén que reparte este sitio convertido en mi reino de este mundo esté asociada a la posibilidad de iluminación (¿a la manera de Rimbaud?, no lo sé), a la libertad del entendimiento cuando quiere comprender o imaginar aquello que el pensamiento tiene entre sus prioridades.

La imaginación es el ágora, residencia y semilla del habla por escrito, diosa de entrecasa (presta sus pantuflas), canon único del ahora absoluto con todos sus tiempos en infinitivo. Resalta indomesticable, más auténtica que de costumbre. Ante ese dilema, miro para saber qué y cuánto nunca podré llegar a conocer por completo. Debe ser, así lo entiendo, el desguarnecido asombro (*thaumasía*) ante la armonía. Por lo tanto, a diario me siento aprendiz de un avistamiento con aspecto de vislumbre, ocurrido en las entrañas del adefesio geográfico donde resido, y de modesta manera me animo a decir con los viejos maestros griegos: «Amamos el conocimiento, amamos el saber, pero sobre todo amamos la vida».

———

Construir una obra literaria en los suburbios de la querencia, hacer el intento hasta casi la medianoche, aceptar los espejismos de los cambiantes estados de ánimo, es dar forma a la elusiva semblanza del desterrado. Ese mismo, quien ha ido a mirarse al idioma cuando nadie lo ve. Desde el ínterin del silencio, justo en el momento lapsario cuando empieza a expresarse, a «ver» qué dice (el sentido es visual), la escritura poética intensifica la metódica disolución de límites; aquellos que han estado y los que vendrán, como luego, o recién. No hay regreso a lo que ya fue, y es muy tarde para empezar a rebobinar. ¿Por dónde? Nostalgia es el seudónimo que la vida usa cuando no sabe qué hacer con el tiempo transcurrido y que después, avanza solo hacia atrás.

Además, mi incapacidad para practicar la literatura confesional es absoluta. Esta es la vida que me ha correspondido (aunque no sea a la manera de «amor correspondido»). Preservarla en la página –guarida del ser– es la forma de adecuar el trabajo de la poesía a la continuidad accidental de la existencia. Ese soy, y en el idioma de mis palabras despierto. Varias cosas se iniciaron mientras miraba para otra parte. A suerte y verdad, la realidad de las cosas cuando no saben por qué pasan me ha instalado, por imposición de la perseverancia más que nada, en un espacio de total inexistencia, social y literaria, aunque no textual. De lo contrario, las palabras dejarían de venir, de seguir llegando sin retraso, de hacerse pasar por mí. Quien escribe y pronostica la próxima frase –esta no, la siguiente– es el enunciado de su propia representación, la mejor de sus innumerables consecuencias. En la melodía de lo muy incierto se oye una fe profunda, cae en la cuenta por sus propios medios. Paul Valéry: «Miedo del ridículo –terror de lo banal–, ser señalado a dedo; no ser notado. Dos abismos».

Escribo, más que antes –es decir, todavía escribo– y percibo la nostalgia por un supuesto lector, sagrada hipótesis secular, como otro abominable simulacro de la razón. Esta no siempre la tiene. Poco en la lógica implícita de la imaginación depende de las casualidades del pensamiento, y bastante, de los estados de ánimo del vocabulario, de los monólogos de la lengua, donde falta determinar qué imágenes o ideas tienen importancia superior. En esa amable constatación de la existencia, que al final termina haciendo lo que le da la gana (diferenciando la infamia de la fe y la felicidad), quedan por descifrar vestigios de máscaras, tiempo de mucho antes que perdura en espiral, tótem que no puede ser suplantado por algún recuerdo consagrado, y de cuya importancia exhibe las primeras muestras tardías.

En ese trasiego interminable, he pasado de *che man* a chamán de La Mancha, sin dejar de pertenecer a una abstracción patriótica que incluye todas las identidades y atribuciones de realidad. A pesar de la transterritorialización, a contracorriente prevalece el apego al ámbito de procedencia, un sentimiento de querencia propio de la nostalgia cuando en sigilo hace su tarea. Se prolonga la inestable duración (ese timo cronológico) de las etapas anteriores, en las que la vida a punto de quedar olvidada sigue siendo la única prueba documental sobre la cual dar cuenta, perdiendo la cuenta. Escribir poesía es pedirle a la vida que lo diga como quiera o se le antoje. De tal manera, el tiempo en el que estoy es uno sin *maelstrom* ni mal amaestrado, que cada tanto regresa a un presente perpetuo con la fuerza de un géiser invertido. Por consiguiente, para poder seguir merodeando las costumbres del lenguaje, es solo cuestión de proponérselo; de no alejarse más de lo innecesario de las palabras favoritas cuando se sienten rodeadas de sus propios significados, aquellos que, sin haberlo planeado, han venido a imponer.

———————

Entonces, ¿cuáles son los límites de vivir y escribir en un país donde el idioma que se habla en la calle no es el mismo que hablo en mi poesía? Son unos cuantos, y ninguno a la vez. ¿Escribir poesía pensando en un lector inmediato, como si viviera yo en Madrid, Bogotá, Tacuarembó o Talcahuano, en la calle montevideana donde nací y en aquella donde viví por más tiempo, o en una aldea de Bolivia rodeado de alpacas, montañas y bolivianos bien abrigados? Para qué. No vivo ahí, sino en un pueblo de Texas que en algunos mapas no aparece. Maestra a la hora de engañar a la cartografía, la nada carece de señas de identidad.

Por otra parte, por más que hubiera un salvavidas metafísico y espiritual, me resulta imposible imaginar algo diferente (tampoco quiero) a una página escrita por exigencia de la existencia, y a todas las restantes páginas en blanco absoluto que puedan venir sin vengarse de nada ni de nadie, tal como supongo vendrán, así sea en estas condiciones de absoluto aislamiento, de excesiva zona yerma. En griego, el término para definir ese estatus fuera del correlato y de la identificación es *xenitis*: forastero en cualquier parte, extranjero incluso en los hielos deshabitados de Groenlandia. Pero no estoy solo.

En estos alrededores cosmopolitas, con tufos de urbes universales (tengo un vecino chino, otro hindú, y entre ambos habita la nada, y más allá un nigeriano practicando vudú), en donde el inglés es el idioma obligatorio (en caso de que uno salga a la calle), pienso, amo, sueño, dudo, converso, digo no, sí y todo lo contrario, prometo, cumplo, y a diario escribo en castellano. Ese otro yo sin distancia ni proximidad, mi ser sin sentirse aparte, mi único país. No puedo hacer otra cosa, tampoco sé cómo hacerla. Tal vez lo ideal sería que mis lectores y yo pensáramos lo mismo, que habláramos la misma lengua, compartiéramos el instantáneo sueño de la similitud, que la poesía tuviera más estatus social que los deportes y los juegos de naipes, que la gente gritara «¡gol!» cada vez que encuentre una buena metáfora o el adjetivo apropiado. Sin embargo, desde hace tiempo, vaya uno a saber por qué, lo ideal y yo dejamos de coincidir.

De todas maneras, debo seguir insistiendo en la cotidiana tarea de darle vida a la página; el destino está escrito y la escritura es el destino. Un ángel a canje. La guerra privada contra el tiempo es asimismo contra el olvido de la voz hablada, y a favor de la belleza que el lenguaje hizo suya. Hago mía la oración de los navajos: «Que haya belleza arriba de mí. Que haya belleza debajo de mí. Que haya belleza a los costados del camino que en belleza acabe».

En ese confín inconfesable, la dimensión de lo bello desconfía del inexacto parloteo de los significados, de las palabras que caen rendidas ante el recuerdo desmedido de sus pasadas actuaciones. Antes fueron soneto, ahora deben sonar como puedan. Son palabras que no vinieron al mundo a ser súbditas de ninguna técnica en particular. Entre ellas, resonando y amontonándose consagradas, el auditivo objeto de la escritura se exhibe como muy probable, pero sin dejarse alcanzar por el significado: o el deseo va muy rápido, o bien, su objeto está demasiado detenido.

En ese intersticio estoy y me monto a mi imagen incondicional, no psicótica, sino neurótica. No sustituyo, evito. (El profesor vienés: «la neurosis no niega la realidad: se limita a no querer saber nada de ella. La psicosis la niega e intenta sustituirla»). Permanezco en el roce, en el nervio puntiagudo: evito la queja y el paradigma. La culpa no es del origen ni de sus circunstancias. Aquí, o donde las palabras digan, nada hay de flagelación ni de implantación heroica.

El deseo, ilegal (no indocumentado) pero legítimo, súbito cuando la voz lo expresa, es también insaciable (incluso en la superficialidad de sus atípicos desplazamientos). A él me debo: a su postrimería en proceso, a su fetichismo de ida y vuelta, al nomadismo que no pudo olvidar su procedencia. Quisiera ser otro para seguir siendo el anterior y el siguiente, los antípodas sin diferencia (aunque no siempre prevalezca el método para ser alguien más en mí mismo). Cargo la suma de mis nacimientos, todos mis rangos de procedencia, hasta donde nadie nunca lo sabrá. De esta manera, el destino queda apropiado y su noción jamás será obstáculo para representar la experiencia en la medida de lo posible: tarde o temprano, la reconfiguración llegará.

Woody Allen dijo que le interesaba el futuro, «porque es donde voy a pasar el resto de mi vida». En mi caso, el presente sin *a posteriori* ni futuro anterior ha sido la meta principal, la excluyente distracción. No en vano, mis únicos vaticinios son sobre lo que podrá ocurrir a partir de ahora en el ya mismo de este momento, aunque más no sea para demostrar que el olvido no se resuelve tan rápido, ni el lenguaje da nada por realizado.

Como música de absolutos que no quiso cambiar de melodía, la poesía, sintiéndose simbólicamente civilizada, se convierte en aquello llamado a ser, para tener algo en común con el resto que la rodea y la atiborra de responsabilidades. Dicha tangibilidad proviene de un reto escasamente providencial; el de resistir sin que haya razones precisas para hacerlo y justificar a su vez el intento. Convertida en resurrección que para cumplirse ha sido eximida de efectos especiales, la poesía se encarga de la erudición nada menor de las emociones. Lázaro se levanta y escribe.

En «Los Olímpicos», canción de la década de 1990, canta quien se llama Jaime Roos: «uruguayos dónde fueron a parar». Yo vine a parar a donde termino ahora mismo esta frase. También esta. Tal como suele ocurrir con mayor frecuencia de lo esperado, la vida responde a los desconciertos y casualidades con interrogantes que se van presentando. Desde que llegué a Texas he vivido preguntándome qué hago aquí. A qué he venido. Sigo sin entender el mensaje del destino. Había vivido en Amherst, Massachusetts, un tiempo no sé si largo o corto que se hizo interminable. La nieve y la desolación, mezcladas con el tedio (combinación fatal), eran presencias ubicuas. ¿Cómo vivir así? ¿Se puede? Robert Frost pudo, pero no era uruguayo.

Entre el aire polar y la falta de lar, la vida iba de una soledad bárbara al bar de la esquina del apartamento minúsculo donde residía intentando vivir en cuotas, a plazos. En los que fueron los días de Robin Derbi, vivía a contracorriente, entre el penúltimo trago y el siguiente. El alcohol arruina realidades, aunque en ocasiones puede salvarlas. Depende. Nunca he visto gente triste en un bar. Mi poesía les debe más a Johnnie Walker, a Jack Daniels y al señor Dewar's con su agradable sabor cargado de suaves desniveles aromáticos, que a Walt Whitman y a Wallace Stevens, quienes de no haber sido poetas serían nombres de cocteles cosmopolitas, como lo son Tom Collins o Rob Roy. Con la sensación de desamparo pisándome los talones, y con el alma no en pena oliendo a *whisky on the rocks* («and your breath as hard as kerosene», dice la canción «Pancho and Lefty», de Townes Van Zandt), vivía deseando irme cuanto antes a donde fuera y estuviese lejos. Salir lo más pronto, como que ya me estaba yendo, e iba.

En ese pueblo sobrevalorado de Massachusetts –a unos kilómetros de Lowell, donde está enterrado Jack Kerouac, cuya tumba visité una tarde helada de diciembre de 1986 mientras la nieve al caer comprendía– pasaba cada tarde frente a la casa de Emily Dickinson, museo de la fantasma solitaria, y oía la misma cantinela, un rumor a densa nada, un extraterrenal silencio nunca interrumpido ni siquiera por el sonido de mis pasos, indiferentes al furor de aquella cornucopia plana del vacío. La imagen viene al caso. Que yo recuerde, hay pocos lugares tan propicios para idealizar la desolación como ese. La vida se fue llenando de instantes extintos y desafiliados. Por qué decimos «¿y?» cuando no le encontramos sentido a algo. Esas horas vespertinas, leyendo y mirando caer la nieve a través de la ventana, estuvieron llenas de «¿y?». «¿Y?» a montones.

Las horas y los «¿y?» del atardecer hacían de las circunstancias una regla de tres simple. El sinsentido se actualizaba a diario, durante horas seguidas en atardeceres grises de viento y blanquísima nieve que invitaban a permanecer dentro, en la lentitud de jornadas que dejaban todo para mañana. Al caer la tarde, cinco días a la semana, me sentaba en un decrépito sofá de la biblioteca de Amherst College, el cual era, según me dijeron los empleados, el mismo en el que Robert Frost solía sentarse a leer y ejercer la comodidad.

La poesía de Frost, que poco incomoda, nunca me gustó. Hay en ella un desinterés por lo universal ilógico, por lo incomprensible atemporal, como si lo único importante que existiera en el universo fuera la realidad natural estadounidense, con sus paisajes y locuciones, con su *fire and ice*, con su gente cuyo yo solo puede ser de ellos. El de Frost es un ego lírico que nunca me interesó, demasiado provinciano en el sentido tan «americano» de solo prestarle atención al mundo contiguo que lo rodea.

Según David Markson, «Wallace Stevens le dijo a Robert Frost que sus poemas eran, demasiado a menudo, sobre cosas». Los poemas de Francis Ponge, contemporáneo de Frost, son también «demasiado a menudo, sobre cosas», pero poseen vida debida al lenguaje que las pronuncia vivas, salvándolas de ser meros objetos inermes cuyas formas no modifican la opinión que tenemos de ellos.

Frost, en castellano, es «hielo» y «escarcha». La exasperante frialdad anglosajona de su poesía, sobre cosas o lo que sea, nunca logró conmoverme, ni siquiera en los días cuando yo estaba pronto y esperaba que las palabras confabuladas hicieran de la realidad un sitio menos inhóspito; sus descripciones concernientes al mundo no inquietan a este, tampoco lo mejoran.

En el mejor de los casos, sin que se notara tanto, la vida se fue llenando de ejemplos personales, de códigos de ampliación de la supervivencia e intentos por salir del perímetro donde dejé de estar por completo. En el limbo de la rememoración, hay cosas que nadie sabe para qué sirve saberlas. Surgen recuerdos que han permanecido hablando, como para cumplir su función en la tenaz reminiscencia. Un día, aunque el avión aterrizó a medianoche, horas antes del inicio del mes más cruel, llegué a tierras texanas sin que estuviera en mis planes. Debería haberlo pensado mejor. Cansado de la grisura, de la nieve, del frío constante, fui hasta donde el sol sale más seguido. Al Sur allá tan lejos. Antes de llegar, Texas era para mí una abstracción. Hasta que vine y vi a un *cowboy* parecido al que interpretó Robert Ryan en *La pandilla salvaje*. Un *cowboy* no es una abstracción. Todo lo contrario.

Quizá sea eso lo inaceptable de esta larguísima temporada en el estado de las vacas de largos cuernos y de las *trocas*[1] de imponente cilindrada que el transcurrir de los años no logró interrumpir, y donde los días impares no son la excluyente justificación de la existencia. ¿Cómo vivir en un territorio carente de abstracciones, donde la metafísica ha sido aniquilada de la misma forma que los búfalos y los comanches, aunque no estoy seguro de si por aquí en las verdes praderas que en verano se ponen amarillas había comanches, apaches acaso?

Para sobrevivir, ardua meta en cualquier escenario, busco y rebusco en las epifanías salvíficas de los libros con sus páginas numeradas, en la vida escrita que sigue estando en alguna parte que es por naturaleza otra, vida a la que no le da lo mismo todo lo que está al alcance, pero igual se anima y lo hace, escribe, escribe. Hasta confiesa: sin Texas no sería aquel en el que me he convertido, la suma de todos los yo que soy. Hay lugares en el universo que recién comienzan a existir cuando uno los visita, y se queda; por un tiempo que puede ser un rato seguido de una cantidad de otros ratos. A fuerza de estar y permanecer, tales sitios residentes en la dispersión se convierten en topografía anímica.

En el mapa Rand McNally que había comprado en Amherst, Massachusetts, a precio de descuento, College Station, Texas, no aparecía por ningún lado. Según indicaba –miope cartografía de la ilusión de territorio– entre Houston y Waco no

---

[1] Modismo de uso frecuente utilizado por los méxico-americanos o tex-mex para referir a las camionetas *pick-up*, siendo Ford, Chevrolet y Dodge sus marcas favoritas.

había nada, solo la Interstate 35 con su extensión de 2 518 km, larguísima ruta que comienza en Laredo, frontera con México, y llega hasta Duluth, Minnesota, donde nació Bob Dylan, cuya canción «West Texas» no es la única que menciona al segundo estado en tamaño de la Unión Americana.

La primera vez que vi la Interstate 35 fue en la película *Five Easy Pieces* (*Mi vida es mi vida*, 1971), obra maestra de Bob Rafelson, en la cual Jack Nicholson trabaja en un pozo de petróleo en las afueras de Waco –ciudad de unos 300 000 habitantes situada a 150 km de distancia de mi casa actual en CS– hasta que Bobby Eroica Dupea (así se llama el personaje) se cansa de la misma agotadora rutina, de tener que hacer todos los días agujeros en la tierra y se va a visitar a..., pero no voy a contar ahora la película entera.

En un principio, la situación referida a la posible inexistencia del pueblo al que debía llegar me preocupó. Había comprado un boleto de avión entre Hartford, Connecticut, y College Station, Texas, que no me había salido gratis.

¿Cómo era posible que una aerolínea con buena reputación como American Airlines volara a un destino carente de existencia en la realidad? Mis dudas duraron hasta que llegué y comprobé que era un pueblo igual a cualquier otro, donde uno encuentra casas, calles con cebras y semáforos, árboles de todos los tamaños, animales domésticos, pájaros que no se han marchado, iglesias, estaciones de servicio (llamadas también gasolineras), y autos yendo de una parte a otra con gente en su interior. Los sitios existen como certeza y demuestran su autenticidad, cuando al llegar –al aeropuerto, estación de trenes o de ómnibus– el visitante puede tomar un taxi, y no bajarse hasta llegar a destino.

Después de que el pequeño avión Beechcraft aterrizara a fines de marzo de 1987 en el miniaeródromo (y a tal vocablo recurro pues los dos o tres pequeños hangares que había estaban llenos de avionetas de un solo motor), lo primero que hice, tras recoger mi valija, fue constatar si en College Station había algún taxi que reconfirmara la existencia empírica del sitio al que llegaban equipajes y viajeros. De ahí que en México a los vehículos que esperan por los pasajeros parados en una esquina y no andan recorriendo la ciudad se les llama «taxis de sitio». Sentí una dicha difícil de describir con palabras al ver a uno detenido fuera del aeropuerto. Aunque el vehículo no sea de color amarillo como el que manejaba Robert De Niro en *Taxi Driver* mirando a cada rato de reojo el espejo retrovisor, los taxis tiene mayor importancia de lo que la gente cree.

El que ahí estaba como esperándome con su toma y daca tenía pintado en las dos puertas delanteras el nombre Airport Taxi. Ya encima del vehículo, el chofer me dijo que era la única compañía de taxis en ese pueblo, que él era el propietario, y que solo tenía un vehículo, el que en ese momento me transportaba, un vetusto Ford Fairlane con hoyos en los asientos, producto del uso y el desgaste. Era como viajar sentado en un campo de golf.

Quien me iba a entrevistar para el puesto vacante en la universidad había dicho que apenas llegara al aeropuerto tomara un taxi y fuera al hotel Best Western. Tenía la dirección apuntada en un pequeño papel blanco que todavía conservo, por si algún día los viajes al pasado son posibles. Consideradas las circunstancias, no era cuestión de tomar un taxi, sino *el taxi*. Por lo visto, porque lo vi, no me lo contaron, había llegado al Lone Star State y a la Lone Taxi City. Rápido aprendí a traducir al idioma de las emociones la intimidad del mundo circundante.

Durante años que fueron unos cuantos todos seguidos, cada vez que regresaba de algún viaje en avión tomaba el mismo taxi pintado de gris y cuyo chofer llevaba siempre puesta una camisa gris, en la cual, en color también gris pero de mayor intensidad, tenía grabado el nombre Airport Taxi, mismas dos palabras que estaban pintadas en las puertas delanteras del vehículo. Para el pasajero era imposible no recordar el nombre de la compañía del taxi que había tomado.

En mi primer viaje, al salir del aeropuerto una voz de mujer se oyó a través del vetusto *walkie talkie* que utilizaba el conductor para comunicarse con la central. La voz hablaba en un estilo mezcla de haiku y telegrama, con un minimalismo informativo que, supuse, era parte del habla texana, cariñosa pero acotada. La voz decía: «Are you alright, honey?». Al oírla, recordé la voz que susurraba, «Play *Misty* for me», en la película homónima de Clint Eastwood. Qué buena película.

Obnubilado, aunque no distraído, y contemplando la opípara forestación a mi alrededor, la cual en diciembre, motosierras mediante, se convierte en árboles de Navidad, pensé que el tal *honey* podía ser yo, y que esa voz susurrante que se oía en el interior del taxi era parte de la bienvenida pagada y preparada por la universidad de Texas A&M, o por el jefe del departamento de Modern and Classical Languages, el gallego Luis Costa, muerto en 2006 a los 63 años de edad de un tumor cerebral, quien me había convencido de que abandonara Massachusetts y me fuera a vivir a Texas. «Le va a hacer bien a tu poesía», me había dicho por teléfono, con la certeza de un cirujano que recomienda darle anestesia al paciente antes de operarlo. Pero enseguida me di cuenta de que el *honey* al cual refería la radio operadora no era yo, el anónimo y recién llegado pasajero, con su fe puesta en el paisaje, sino el chofer con camisa gris, esposo de la mujer que contestaba las llamadas telefónicas de quienes llamaban para pedir un «taxi, please». Puesto que siempre tomaba el mismo taxi por ser el único que había en toda la región denominada *county*, la palabra *honey* se convirtió en sinónimo de College Station: clave no confidencial con algo de acrónimo y de vocablo popular en cualquier cabaret parisino.

Cada vez que llegaba al aeropuerto de CS subía mansamente al auto gris con chofer de camisa de ese color, y esperaba la aparición de la voz femenina hablando siempre con tono de susurro, en el mejor sentido de la palabra. Sin embargo, algo raro había en todo aquello, tan acústico como visual –noté que la cara cansada del hombre cambiaba de gesto apenas la escuchaba–, pues la voz hacía siempre la misma pregunta, como si algo estuviera mal, de veras mal, con la salud física o mental del chofer, quien era también el marido de la cariñosa mujer, la que al parecer no tenía en su repertorio otra pregunta para hacer aparte de esa.

El tiempo pasó, cuánto tiempo ha pasado. El taxista murió, y supongo que ha de haber muerto también la voz que repetía todas las veces lo mismo. Si vive –lo dudo– no tiene ya a su chofer a mano para preguntarle, «Are you alright, honey?». No obstante, aunque el presente aquel dejó de ser el mismo hace muchísimo y difiere en gran manera al de estos días, College Station continúa, y también yo. Escribo para confirmarlo. Tratar de explicar ese pacto sería como poner un adjetivo donde falta el sustantivo. Vivir es registrar los momentos particulares en los cuales lo único que sabemos es que seguimos estando vivos. Hasta ese impreciso y precioso instante llegamos conociéndolo muy bien. El solo hecho de vivir y darse cuenta, de poder separar las nueces del ruido, es algo maravilloso, y aún más cuando uno va en taxi de un sitio al siguiente, queriendo encontrar el presente donde estuvo antes el pasado. A esa dirección no se llega así de fácil.

A principios de la década de 1930, un escritor argentino llamado Ezequiel Martínez Estrada escribió lo siguiente: «El problema fundamental de nuestra vida son las distancias, las cantidades, los tamaños y la soledad». Comparado con el de Texas, el tamaño de la soledad humana es más bien nada: una *sideralidad* a la inversa, un pigmeo chiquito en el apócrifo mapa de las almas sabiendo lo que les pasa. Es tan grande ese enorme estado, con sus vacas cósmicas, sus domicilios camino a donde estamos, sus polvaredas que se esparcen con y sin piedad por la pradera, sus *trocas* de poderosa cilindrada, y sus vaqueras *cowgirls* parecidas a una quimera real, que para no ser víctima de las distancias prefiero quedarme todo el tiempo en mi casa, para estar y permanecer, y pensar que hay ratos en que estoy bien, como feliz por el simple hecho de no prestarle demasiada atención a lo que otros llaman felicidad, y tal vez para ellos lo sea. Al mirarme al espejo, celebro mi anacoretismo. Podría escribir el manual del sedentario perfecto.

En el soneto «Texas», de 1967, J. L. Borges escribe: «Aquí también esa desconocida / y ansiosa y breve cosa que es la vida». Del mismo autor, dice el poema «La fama», de 1981: «Ser ciudadano de Ginebra, de Montevideo, de Austin y (como todos los hombres) de Roma». Yo, Eduardo, que ya no escribo sonetos, soy de Texas, sin haber dejado jamás de ser de Montevideo. Y, «como todos los hombres» (creo), me encanta la pasta de Roma, siendo mis preferidos los *bucatini all'Amatriciana*. En College Station, Texas, que por fin encontró su lugar en los mapas, donde antes había un solo taxi y ahora hay varias compañías diferentes, incluso Uber, he visto la vida cambiar: en mí, en la realidad, y en lo/el que soy cuando escribo. Ni Espina ni yo somos los mismos. He visto: para cumplir con el aprendizaje y poder ahora decirlo. A fin de cuentas, siempre terminamos relatando idénticas historias, aquellas que fueron importantes en el papel para la mirada, la cual, para seguir imaginando y cantando, ha ido aprendiendo a conocerse mejor. La vida es una transformación infinita que recién se acaba cuando termina. Escribir es casi lo más parecido a eso.

––––––––––

Sin darme cuenta, la vida empezó hace poco, un día después mucho tiempo atrás. Uno aprende a bailar en el *Titanic* mientras se hunde. La orquesta no puede parar de tocar. El tiempo de antes se desvanece, y el de ahora mismo llega cada vez menos. Sin embargo, solo sabe estar por encima de uno mismo, sin proponer siquiera un buen plan para llevar a cabo. Con frecuencia me levanto preguntándome hasta qué punto mi vida pos-Uruguay ha dependido de la casualidad y sus raras circunstancias, de esos momentos responsables que no alcanzan para propiciar un método, a lo más un criterio, aunque sin la garantía de que vaya a perdurar o salir bien lo planeado. En esta vida dedicada en exclusividad a la poesía, la búsqueda de la felicidad ha hecho lo que se le antoja, o cualquier otra cosa que sirva para vivir a expensas de ella y de las recompensas que no cesa de prometer. He aprendido a vivir en una blindada invisibilidad que me protege y exime de la idea de que a esta altura todo da lo mismo. No es así. Ya no es tan así. De manera persistente, el pasado renace librado del olvido, por encima de lo oriundo. Además, qué sentido tiene andar preocupándose de la realidad como objetivo, si aquí, en mi hogar del afuera, casi nada ocurre, salvo la nada en cámara lenta.

––––––

La diáspora no es sino el resultado permanente de la vida al sentirse disconforme con lo que tenía cuando las fuerzas del destino se desplazaban hacia uno –o lo que de uno ha quedado tras tanto trasiego– y no había alternativa mejor que guiarlas, que decirles a dónde ir, aunque no se sepa bien dónde ni si tal dónde existe, pues de lo que se trata es de vivir inventando a cada rato destinos, de llevar a cabo la pérdida predilecta del pasado al mismo tiempo que era salvado por la reminiscencia.

En esta fijeza móvil convertida en sinónimo de vida indispensable, en infancia marcha atrás, suelo preguntarme de qué parte vino el lenguaje que expresa todo esto convertido en poesía por voluntad del azar y de la persistencia, cómplices solícitos de las palabras. ¿De dónde, si aquí, College Station, Texas, 77840, la inexistencia prevalece? De vez en cuando el tiempo tiene un problema personal, y afirma ser descendiente directo de la nada. Muy de vez en cuando el silencio levanta la voz. Lo escucho. ¿Será que el lenguaje habla, y que yo vine hasta tan lejos a aprender algo? ¿Será que por eso vine? Situado en el núcleo de un aprendizaje que destaca la vigencia de un pasado que desconoce la manera de repetirse, ese lenguaje, con verdades libradas de la explicitud y que no dependen ya de nada ni de nadie, impide ignorar los apegos. ¿Qué haría la vida ante tal situación? Sin buscarlo, el Sur anterior encontró a este otro, Sur también, con su correspondiente belleza en medio. Hogar, dulce hogar.

La vida, tal parece, le tenía reservado a las palabras este baile norteamericano que no se ha ido con su música a otra parte. Por el momento, solo aspiro a ser algún día una de mis imágenes menos improbables, la que con seguridad marcha rumbo a donde debe, o bien aquella otra, la que no pudo zafar del espejo retrovisor y permanece, estancada sin remordimiento ni haraganería. Mi epitafio podría coincidir con el final de *El gran Gatsby*: «Y así seguimos adelante, botes contra la corriente, empujados incesantemente hacia el pasado». Mientras tanto, estoy obligado a imaginar todo cuanto se mantiene vivo por no estar muerto por completo. Ítaca me dio el viaje, la prolongación de las expectativas. La Odisea ha sido poder continuar.

Ítaca (¿o Ithaca?, sigo sin saber si lleva o no acento, hache en medio o no) siempre está en mi mente, y hay días en que el destino coincide con el lugar geográfico a donde vine a parar. Desde aquí la inmortalidad se divisa más próxima, o al menos su existencia resulta escasamente improbable, muy por completo indemostrable. ¿Será así de tedioso el universo de los adioses y de los dioses, condenados a vivir desterrados en la Tierra? El ágora texana es hallazgo inconfundible de la casualidad, porque, después de todo, ningún destierro es kriptonita. En su altar ambulante, de asiduo nomadismo, muchas cosas son cotejadas y salen a la superficie, porque solo ahí y en tales condiciones, tanto al borde del derroche como de la ruina, comienzan a existir las palabras necesarias.

Palabras rodeadas y cuidadas por las ménades *cowgirls*, las divinas campesinas de pelo largo y pollera corta, las que adaptan su anatomía a las necesidades de las miradas anheladas y recompensadas con ese exhibicionismo puritano que en cierto momento puede cambiar de intenciones. Las zonas privilegiadas del idioma encontraron razones para tener en cuenta la realidad. Vinieron a hibernar muy a la inversa en la nostalgia, en donde, paradoja mediante, nada proveniente del pretérito puede quedar cerrado con llave, lo que no es poco. Allí esperan que llegue algo de mayor importancia que el pasado, con la fe en *topless*, fe que se animó a alterar el decorado y las reglas del juego. Lo que se disipa no desaparece por completo.

———

Por lo tanto (y todo lo ya dicho que nunca terminará de ser tanto), qué importa a esta altura responder o no a las preguntas que el profesor Stephen Hart (University College London) me hizo bastante tiempo atrás: «¿Existe un futuro para la creación literaria en español en los Estados Unidos, USA?». Y: «¿hasta qué punto la manera de escribir de los hispanos está condicionada por las expectativas creadas, realismo mágico, pandillas, barrio, ruralismo de Nuevo México y Texas?». Profesor Hart, no lo sé. Dudo para evitar saberlo, para poder seguir ignorando. Solo me atrevería a decir que la amenaza multicultural y el maldito crisol acechan, por más que este Crusoe con su Robinson que cruzó soledades y personas de sí se niegue a abandonar su constante isla castellana, su yelmo lleno de subjuntivos. Allí morirá antes que la propia muerte: que ella y que el idioma con sus diptongos, diéresis, sinéresis y gerundios por aproximación. Hay esperanza.

Yo no decidí escribir en el castellano de América, pero este idioma (o la sombra anacarada del Arcipreste de Hita entrando por la ventana abierta del cuarto) me ha seguido; como futuridad, anacronismo y voluntad de autenticidad. Lo ha hecho por mí. Manera también de recuperar la infancia marginada, aunque no perdida, y liberar la lengua de su prisión utilitaria, de toda gratificación instantánea. Alejado como estoy del ámbito de la lengua nativa (oyéndola menos), puedo reconstruirla, ayudar a devolverle su originaria privacidad. Eso quiero. Me animo. Agrego prosodias, lapsos continuos de sintaxis. Cuánta altisonancia recíproca. No hay lítotes, pero sí hipotiposis y, por desgracia o fortuna, mucha epímone ignara para oír en ese potaje sonoro la presencia anhelada, el principio de las esferas cósmicas aplicadas a los registros terrenales. Rasgos lingüísticos que mucho me conciernen.

Recuerdo a otros en situación similar. Petrarca se apropió del italiano en Provence, región francesa. Robert Browning, James Joyce y Ezra Pound provocaron cortocircuitos en el idioma inglés viviendo en Italia (Joyce, durante diez años en Trieste, por entonces puerto austro-húngaro, y Pound en Liguria, habiendo sido los ñoquis su plato preferido). Samuel Beckett se fue a vivir a París para escapar del inglés, al que Joyce había puesto patas para arriba, y empezó a escribir en francés, porque era la mejor opción para seguir siendo irlandés. Para no continuar nombrando, menciono a tres más que hicieron algo parecido: José Martí en Nueva York, y William Henry Hudson y Witold Gombrowicz en Argentina, quienes conservaron su lengua natal entremedio de la escucha diaria de otra. Puede entenderse.

El lenguaje se desdobla. Mejor dicho, se encripta. Solo tiene valor literario. Mientras que el nuevo idioma aprendido cumple las tareas de la cotidianeidad, la lengua materna despunta exorcizada, con aspecto de haberse iniciado recién. En el habla descubre guarismos y operativos gramaticales y telúricos de rango universal. En su *quid*, lo inverosímil deja de ser insignificante. En el vocabulario utilizado hay alegría, la que llega tras haber desaparecido la inquietud por el silencio básico y hasta entonces, innombrable. No en vano, la poesía es el sencillo ritual de la búsqueda de objetivo; de la nada brota un tiempo deshabitado, por habitar, tiempo que no es una pérdida de tiempo, que nunca se pierde en el tiempo. Auspiciada por un afán de atemporalidad, la imaginación sale de juerga, derrocha trabajo y requisitos para mantenerse activa.

Al utilizar el inglés como recurso de comunicación y transacción en la vida cotidiana (lo oral tiene horario), el español queda convertido en removedor de trivialidades, de todo aquello que hace a las circunstancias vitales del trotamundos y gitano profesional nacido en Uruguay y que vino a terminar donde jamás había imaginado. Lo hablo, para poder escribirlo. La canción de mi vida, a diferencia de «Feliz Navidad», de José Feliciano, tiene al castellano rioplatense como idioma exclusivo.

He nacido con un alma a la que no le gusta compartir (su monogamia lingüística es admirable). La lengua en la que hablo, por congruente, existe como espejo íntimo de quien a medias anhela reconocerse en su imagen, y en ocasiones lo consigue. En ese roce hacia los bordes expandidos, hacia la aceptación de las impurezas, entro en la cuota castellana de impremeditada manera. Para entender cuánto me ha tocado, y para que el cuerpo tenga algo para decir. Una fila de nombres le sale al paso. Habrá pues que regresar a las fuentes, que son aquellas.

Entre las ruinas incompletas –hay restos de lenguaje por todas partes– se percibe la luminosidad de lo que no ha sido expresado (la luz al final del túnel ¿es la de la salida, o la del tren viniendo en esta dirección?), ni llegó a ser aún la frase posterior a la siguiente, pero permanece al acecho. Se trata de una indecibilidad librada a su suerte y verdad de contras y pros, que hace real la aspiración del idioma por desvincularse de sus restricciones, por llenarse de proporciones expresivas recientes. La época dejó de depender de métricas prepotentes y acotadas extensiones de sílabas. La escritura va incluso a donde no la dejan.

En su interior absuelto de restricciones e impedimentos, buscando justificar los planes de lo imposible, radica la razón de escribir, como también la de no poder dejar de hacerlo. Por eso, la exigencia de las palabras es de numen y borrosidad, de precipicio en ciernes cuya recompensa debe certificar el riesgo acumulado del acto mismo de escribir: *summa* entre líneas de un plan a ser continuado. Todavía tengo algo (que es bastante) por decir, todo aquello que otros me legaron como remanente de una tradición expresada de atrás hacia delante, y que incluso en sus agotadas postrimerías ha sabido ingeniárselas para ataviarse con ropas flamantes. Es donde estoy, y quiero, después de ahora, seguir permaneciendo.

Así pues, en esta universalización de la diferencia y del anonimato, en esta acumulación de la diáspora y la marginalidad, vivo y escribo, lo cual significa decir, no casi, sino lo mismo. La trashumancia en cuarentena no puede ir más allá de esos alrededores con Sur propio y en permanente expansión. De tal manera, en pose de no saber si será en este sitio u otro, demando la conversión definitiva del destierro, sea en gozo a favor de causas sin especificar, o en razones no demasiado racionales que, para las palabras, han de ser las mismas de siempre. Qué otra cosa podría pedírsele a la voluntad de quien nunca ha terminado de irse, ni de llegar, ni de estar aquí por completo.

Es una ciudad, haz lo que quieras*
(Rotterdam regresa de donde antes estuvo el recuerdo)

La memoria empieza a plena luz, con la persona puesta de pie.

El hombre que avanza somos nos, tú, por dejar de ser alguien.

Hay quienes nombran un alumbramiento, a la mente también,

---

* «Para olvidarte de todo esto que ya no da para más [cáncer de pán-creas], deberías visitar una ciudad que tenga nombre largo», me dijo de enigmática manera mi madre la noche anterior a la última vez que la vi.

a unas cuantas (o al menos varias) razones acerca de las cuales
el cuerpo, por si quedan dudas, es la hipótesis venida a menos.
Hasta los domicilios llegan fotos interpretadas, son el busilis de
plegarias para encumbrar como si nada lo sagrado. Los rostros
traicionan a las fisonomías, no dará lo mismo entrar en detalles,
preguntarles a las palabras hasta impedirles hablar. Estamos en la
realidad, pero una respuesta desusada jamás podrá demostrarlo. Por
carecer de apariencias, un sentimiento hacía las paces, como al pasar.
Aunque sea innecesario decirlo, a la salida del cine nada tenía sentido,
el silencio de algunas sílabas era peor por haberlo oído en una pantalla.
«El cielo está sobrevalorado, no hay nada allí», dice Huay en la película
de Apichatpong Weerasethakul manteniendo el secreto de la creación.
En resumen, de aquí en más las almas serán a partir de daguerrotipos,
escenas cuan sombras sueñan saliendo por no morir solas tan seguido.
La intemperie de Heráclito tenía ríos de repente para impedir saberlo,
la de Rotterdam, unos puentes a veces tan vacíos por si fueran varios,
advierten de una belleza distraída que anda con ese talante llamado a
perseverar, porque también la inexistencia tiene causas, adjetivos sanos.

A Montevideo no podía, porque ya estaba ahí. Busqué otras. La primera
que encontré fue Rotterdam. No fue la única. Encontré varias, más de unas
cuantas (el mapa está lleno de ríos, de países, y ciudades; de hidrografías,
metrópolis y naciones incompletas estamos hechos): Paysandú, Teguci-
galpa, Antofagasta, Roncesvalles, Reikiavik, Cochabamba, Bucaramanga,
Filadelfia, Barquisimeto, Antananarivo (pocos saben dónde queda), Puchun-
caví (y esta menos), Katmandú, ¡Ámsterdam!, Jerusalén, Berazategui (donde
reside Léonce W. Lupette), Copenhague, Sólheimasandur, Parderrubias, Kris-
tiansund, Alburquerque, Marienbad no, pues temí terminar en medio de una
escena de la película de Alain Resnais, y no en el balneario checo famoso por
sus baños termales, tampoco Estocolmo (cuyo nombre me hace pensar en las
veces cuando mi padre, refiriéndose al gobierno uruguayo, decía, «Esto es el
colmo»), Fürstenfeldbruck, Bangkok, Lappeenranta, Samarcanda. Y otras que
ya no me acuerdo ni recuerdo. Terminé yendo a Rotterdam. «A Flandes volo ir»,
escribió Juan Ruiz, Arcipreste de Hita, aunque la ciudad portuaria descubierta
al tun tún no pertenece a la región flamenca (lo mismo da si uno la visita por
primera vez y no sabe lo que es Flandes). Así estaba escrito, o por las dudas lo
escribí yo en el libro del destino. Holanda me pareció un país hospitalario. Su
nombre parece estar saludando.

En medio anida cuanto ronda. Con todo eso ha hecho la noche menos,
los habitantes de pasado mañana añaden al número cero la circularidad,
aprendieron a rendir homenaje a los ojos, pudieron ver apenas, después.
Por haber andado entre pitos y flautas donde Flandes adivinara la nada,
la transparencia aprecia al horario (no soy nadie para decir lo contrario),
la muerte viene –sin ser la hora– para que lo incomprensible acontezca.
Qué debería hacer la filología con razones así, ¿dejarlas venir de a una?
¿Y qué significa todo aquello de cuanto depende, si del olvido depende?
¿Qué nombre sería el conveniente para salvarla al menos por otro rato?
Rotterdam, Tenochtitlán, Montevideo, ciudades donde el destino sobra.
Cuando la mente se olvide de visitarlas las ideas imaginarán que ansían
sentarse, descansar, como el hombre lo hacía en el cuento de Quiroga.[1]

[1] «El hombre muerto», cuento publicado en 1920.

La vida existe por separado, cede a la interpretación un modo de mirar.
A los cuadros, los artistas les dan un nombre, y a las fotos, a las de ese
día cuando la voz no supo en cuál idioma, ¿qué predicados agregarles?
Acaso lo hicimos, ya no será necesario olvidar, todo el mundo lo hace.
Rotterdam en 1937, Rotterdam, además de antes, Rotterdam. Es 1509:
Erasmo tiene puesto un sombrero; es lo primero en llamar la atención,
el tamaño, inclinado hacia lo alto por si los alisios quisieran sostenerlo.
Tiene un sombrerillo recíproco donde podría caber otra cabeza o el
Bien, si hace bien las cosas. Mi cabeza y un año por ese sombrero.
(Para no olvidarme) anoto en mi cuaderno de apuntes: «La culpa
otorga voluntad a tantísimas cosas, la belleza, a las auras siguientes».
Todos en su momento hemos pensado en tener una vida disponible,
con el deseo y la memoria yendo a la morada donde ahora será hoy.
Por alguna razón, es siempre una pregunta, solo es otra la velocidad,
la enfermedad al cambiar de manos, la música, con o sin casi Mahler.
En las películas en blanco y negro, el pensamiento espera parado en la
oscuridad, se ha pasado la vida ilusionándose con que también al veloz
zarzagán le pase algo alejado del origen, según algunos lo imaginaron.[2]
Y yo, por haber llegado donde llama la atención, seguía sin poder estar.
También los tulipanes debían esperar para cruzar la calle, en eso hace la
paciencia a las apariencias semejantes a cómo fueron, previas a cada vez,
mostrando cierto parentesco con la manera de mirar a mitad de semana.
Por esos años Erasmo no era menos que Eros en orden ni que él mismo.

---

[2] Gracias al auspicio y apoyo del poeta holandés Bas Kwakman tuve acceso
a varios cortometrajes documentales sobre Rotterdam, filmados antes,
durante, y después de la Segunda Guerra Mundial, y que nunca habían
sido exhibidos. En uno, de 1937, aparece un zepelín. En otro, de 1945, primer documental en ser filmado una vez terminada la guerra, el paisaje es
desolador; Rotterdam está arrasada. Arrasada, pulverizada. Aciberada. La
han convertido en lo que ya nunca volverá a ser. Entre las ruinas humean-
tes aparece un cartel de mediano tamaño que dice: «KLM». Debajo de las
tres letras en mayúsculas hay una flecha indicando dónde queda el aeropuerto. El primer signo que advertía que tras tanta destrucción la normalidad estaba a punto de volver apuntaba a lo alto, al cielo. A lo lejos se veían
los restos de un semáforo a medio caer.

No era la suya la misma cara que Hans Holbein el Joven pintó, 1532, en esta, falta el perfil, como en el retrato de Hans Holbein el Joven en 1532. Mira hacia abajo, tal cual atisban quienes se quedaron además rodeados de ideas que irán a pensar a otra parte repartida por varios lados, o irán, por alguna causa a un vacío partido en dos, a la decisión de alguien más. Erasmo tenía nariz, tan anómala ante la cual solía el lenguaje decir, Oh. Nariz de hazañas, de resfriado enviado desde la gloria (para estornudar). Pero no da lo mismo. En el rostro entrecerrado debió algo ser incluido; con ojos a medio abrir, por si aún lo están, depende, aunque no se sepa de qué, mira para saber, como si ahí, hacia allí, ¿lo veo?, estuviese yendo la época apenas aprenda a darse por enterada, a desatar los cabos sueltos. Sin el eco de los inicios, Erasmo no sabría qué hacer con aquella sigla de

letra breve, KLM, ni qué sinónimo usar para zepelín pues, la filosofía falla.[3]
Una de las tantas cosas apacibles en tener que ver con la inutilidad, las otras,
con el uso del subjuntivo cuando la mente teme oírlo por no saber cómo ni
cuánto amar a quienes han querido primero. ¿Habría que pensarlo mejor?
Pensar es querer contar una historia que a la belleza llegara grata, de rebote.
Ningún vestigio podrá de esa forma convencer al cuerpo humano, ningún
plan posterior tuvo que ver con cualquier ciudad ni con la tierra por error.
Y si vamos, ¿a 1937, a 1509, a Rotterdam aunque sea «recién hace poco»?
No. Al hacer una pausa, la respiración cesa de hacerlo porque, a su vez,
hablar sin tener idea es detenerse donde la duración impidió continuar.
Desde ya o allá, pero pasado mañana, la vida invade las imágenes con
autos, aviones, Jeeps, batiscafos, porque lo único moderno es el alma,
lo restante existe para salvarse poniendo a los diminutivos en remojo,
preguntándole a la capital del agua ordenada mientras lo mismo sea.
¿En sábado, por no querer ser miércoles o viernes una vez al mes?
En algún sitio, vaya uno a saber dónde, se hacía pasar por abril.
Poco queda entre vocablos conociendo que no siempre ni por
separado podrían hacer lo que a los murciélagos les dé la gana,
todo lo cual fue por supuesto, aunque casi a menudo asimismo.
El conocimiento, a fin de cuentas, solo usa causas por la mitad.
Del resto, de cuanto falta por perderse, se ocupan las personas.
En el rostro que Holbein pintó en 1532, la oscuridad encandila.
Una naturaleza muerta, con el tiempo detenido dentro del reloj.
En el retrato posterior a tales acontecimientos, prefacio de una
idolatría póstuma, acomoda la luz sus amoríos a circunstancias,[4]

---

[3] Véase nota 2.

[4] Un nativo de Rotterdam, sobreviviente de los bombardeos alemanes, me
contó que entre los escombros de la casa frente a la suya encontró una estilográfica, la cual, según dijo, debió haber pertenecido a la mujer que vivía en
ese lugar, y que terminó tal cual Génesis 3:19 lo vaticina con voz implacable:
«polvo eres y en polvo te convertirás». En su último acto mundanal la imaginé escribiendo una carta de amor y muerte en la oscuridad previa a la debacle total. De ahí el verso, «acomoda la luz sus amoríos a circunstancias».

sintiéndose sorprendida por lo mismo que les pasa a otros se cansa
de mencionar la situación de la mirada, y hasta pregunta en torno.
¿Por qué no sabe la muerte parecerse un poco menos a la vida, si
al alma lo mismo le da y en Bécquer, sigue habiendo golondrinas?
Recorre valles, rostros prestados, cada fecha a partir del origen, y
sin embargo, las huellas van a donde mayo lleva siglos esperando.
Rotterdam, 1937, Rotterdam, 2011; el cielo, es un desierto aparte.
En las imágenes con tantísimo pasado indeciso por delante, caos y
orden aprenden del día a ser idénticos a los calzoncillos de Goethe,
dueños de un predicado inclinado, obra de la multitud entre varias.
Eran rostros, había niebla, el habla planeó para darles importancia.
«Ahora no nos importa la pronunciación», dijeron, pero quién sabe.
La felicidad no tuvo necesidad de estar entreverada entre preguntas,
al perdón le dio igual todo cuanto jamás hubiese vivido o estuviera
a punto de tocar fondo, tal cual una promesa se acaba al cumplirla.
Algunos ejemplos servían al propósito, muchos no tenían ninguno.
Algo que haya estado instantes antes entendió a los sentimientos a
pesar de haber comenzado hace unas semanas a pensar de más,
tuvo en nombre de cada madre montón de otoños que habrían
servido para arrastrar el recuerdo a la ciudad queriendo ser otra.
¿Creerán de a uno los días en la desidia de las acacias en su afán,
hasta cuándo oír la cuenta regresiva con frases a través de cifras
entre árboles que llevaban adonde Jacob Groot comió arenques?[5]
Responde Erasmo, si es que luego tú o, la ciudad al despabilarse,
¿según sus luces ponían a prueba con los besos métodos nuevos,
y a lo lejos de la lógica los eucaliptos viniendo en esta dirección?[6]
Al fin y al cabo, la verdad de los bajos instintos comienza por la

---

[5]   Jacob Groot (1947-), notable poeta holandés contemporáneo.

[6]   Oí decirle a un profesor de yoga, quien en sus ratos libres pintaba paisajes
y naturalezas muertas, que el beso había sido inventado en Holanda, algo
que no niegan ni confirman los cuadros *El beso* (1859), de Francisco Hayez, y
El beso (1907), de Gustav Klimt.

impaciencia, y de ahí en más emocionada, hasta nacer de nuevo.
Queda al alcance el pasado, un gusto a nada, el pie moribundo
que podría dar el mal paso si la impaciencia se mirara al espejo.
Debió alguien haberlo hallado callando de brazos cruzados, a
medida que las cosas al escuchar dieran caza al azar del deseo
repitiendo el aprendizaje, según la ortografía lo hizo holandés.
Encontraría a continuación al eco dándose cuenta de todo, a la
casa queriendo estar de acuerdo con quien nunca abrió la puerta.
¿Qué casa sería, la de quien dio la vuelta para volver al principio?
Por entonces era posible el pasado, ayer sería ya pasado mañana.
En el trajín de las situaciones sencillas, escuché a mi padre decir:
«Si algún día tengo monedas iré a Rotterdam a repetir la historia».
No hubo vuelta de hoja y los ojos, no saben si tuvo sentido seguir
a donde todo bien sirve al abandono ideal de los instantes en que
la vida se vio durando hacia atrás, queriendo saber qué ave llevó la
verdad donde los vencejos dejaron al siroco tal cual lo encontraron.
A su manera, la memoria mejora imágenes de los ejemplos a seguir.[7]
Escondido como puede en la invisibilidad, un barco cruza la ciudad;
al otro lado perdura aún el tiempo para decirle al día cuánto le queda.

---

[7] Al terminar este verso pensé: «¿Qué más puedo decir del mundo que no haya sido dicho ya?». Sin dar certezas de cómo ni de qué manera, llegué a la conclusión –casi única– de que la realidad es el lugar donde uno está para decir cosas de una forma no del todo póstuma.

Venus, ven a ayudarnos a ver

En vez de llamar a la sección que destaca aquellas notas periodísticas con mayor cantidad de entradas, «Las más leídas», la página web del diario argentino *Perfil* la denomina «Las más vistas». Ver no es leer. Ya no se lee, se mira. El lenguaje es encarado como si fuera una mancha antojadiza en la pared, una salpicadura común en el piso del baño o la cocina. Leer es ver más de lo que los ojos leen; el acceso a las palabras exige una profundidad y complicidad mayores, implica un salto sin condicionamiento al sótano privado del habla. Hoy en día es ver (ni siquiera mirar) la escritura por encima, recorrerla a la ligera, en su alcance de superficie espontánea, antes que depositar el interés y la concentración en todo aquello que está siendo expresado.

A lo largo de la historia, el arte trascendente, abstracto o figurativo –y de esto no se libra ni siquiera el veteado estilo de colores chorreados de Jackson Pollock– ha sido una constante invitación al detenimiento en «aquello que estamos viendo» con el propósito de poder «ver más», pero por dentro, desde el interior de una panorámica de sentidos, desde el núcleo clausular convertido en tipografía. Representa una lección de lentitud acumulada que esculca y opera en base a todo cuanto imaginamos sin poder hacer realidad por completo. De ahí que la adquisición de belleza solo resulte posible mediante el adentramiento en una quietud absoluta, la cual en ningún momento hace el mínimo esfuerzo (ni en palabras ni en imágenes) por abandonar su inmovilidad, una que ni por un segundo permanece fija en el mismo perímetro expresivo.

En el poco conocido o más bien bastante desconocido cuadro de Gerard Dou, *Lesende alte Frau* (*Mujer vieja leyendo*), de 1631, los ojos de la única persona en escena se encuentran cerrados. ¿Realmente lo están? ¿O ejercen de manera intencional un momentáneo Braille del espíritu a oscuras para ganar mayor concentración? La lectura, puede inferirse, es un acto de la percepción mientras imagina. La mujer, madre de Rembrandt, pintor del que Dou fue discípulo, está prestando atención a algo que podría ser, de acuerdo con el cuadro, imagen o tipografía, puesto que no podemos saber con certeza si, en caso de que la mujer tenga los ojos abiertos, está viendo la ilustración situada entre dos párrafos, o bien, lo que estos contienen.

De acuerdo con los diccionarios, el verbo *leer* define el proceso de percibir y comprender la lectura, aunque, tal cual la experiencia lo demuestra, dicho acto no implica leer tan solo palabras en orden sintáctico. También podemos leer números, el rostro de alguien en la multitud o en la intimidad (no es lo mismo), las líneas de la mano (que para los quiromantes es una página con tanta o mayor información que la de un libro o revista), los secretos del azar escondidos en un mazo de naipes, la borra del café (porque también allí el futuro en su vida poslíquida exige ser leído e interpretado), los ojos de alguien mientras está triste o enamorado, la mente del otro aunque no sepamos si está pensando ni en qué, o bien, tal como ocurre en los complejos días actuales, le pedimos a una máquina con teclas y pantalla que lea lo que se halla archivado en el disco duro. La situación evidencia que desconocemos el momento preciso en que terminamos de aprender a leer o si, en caso de estar seguros de haber terminado, hemos llegado a un lugar definitivo presencial, que bien puede ser nuestro propio pensamiento al entrar en actividad.

Leer es un proceso parecido a fijar una posible meta infiltrada en nuestro interés, proceso que se activa mediante un acto cognitivo, en el cual centro y periferia del objeto a ser interpelado por la lectura intercambian posiciones, algo que se radicaliza incluso más al leer las imágenes de un cuadro, sobre todo cuando este presenta un proceso óptico disuasorio de las posibles certezas de la percepción. En ese proceso de permuta y distracción, la secuencialidad del desplazamiento de una imagen a otra desparrama secretos que parecen tratar sobre lo mismo: de una distancia que implica asimismo una manera de ser a partir del acto de sentirse observado. La vida nómada de la mirada enseña una lección primordial; hay que saber prescindir de premisas que no pueden quedar resumidas por el vocabulario. La visión a sí misma se basta para vaciar sus evidencias.

Aquello tan distintivo que vemos es en cierta manera lo que quisiéramos leer, puesto que, lo mismo que las imágenes, las palabras saltan sin desperdicio a la vista, para pasar cuanto antes al momento posterior a la observación; el de la lectura ahondando su alcance en las pausas del pensamiento. Para entrar en materia, recurro a varios cuadros con tema afín y afanes comunicantes, que muestran además cierto parentesco en el procedimiento de figuración y encriptamiento de dicha lógica visual. Son ininteligibilidades sin una sola obligación, fuera de la que ya tienen y que en rigor son más de una, complementándose para influir sobre el método de proceder para dificultar la accesibilidad. La mirada se topa con la tensión del procedimiento. Las sensaciones no se sujetan a una única episteme. Contaminan con la leve impresión de que algo les sucede a las varias dimensiones del entendimiento visual al mismo tiempo. Son, pues, sensaciones que pasan a figurar en la lista de realidades invulnerables que preferimos tener cuanto más lejos mejor.

En *Alegoría de la primavera*, de Sandro Botticelli, pintado en 1480, Cupido desde lo alto, a una distancia de considerable proximidad (podemos suponer que no fallará el tiro), prepara el lanzamiento. Quien resulte impactado por la flecha será quien se case. Las muchachas a disposición, ballet acompañado de movimiento, blanco casi móvil, son tres.

Nada es lo que realmente parece, y todo será más que aquello en que puede llegar a convertirse. Presenciamos una situación de visualidad preponderante que debe ser leída entre líneas para creer en la ilusión del regodeo, en la mirada dominada por una duradera sensación de casualidad.

Advertimos que incluso las cosas menos consideradas por el raciocinio pueden sucederle al pensamiento. En *El triunfo de Galatea*, de Rafael, pintado entre 1512 y 1514, los Cupidos son tres, y hay un cuarto, no en el cuarto sino fuera, mirando detrás de las cúspides nubosas con las flechas prontas, por si acaso. Los tres Cupidos, ninguno junior, ninguno escogido ni escupido por el amor, preparan las flechas para lanzárselas a Galatea, quien caerá, aunque siga de pie, enamorada. Según una de las versiones de la historia de Galatea, Polifemo la conquistó con canciones y el sonido de su amable flauta, arma musical con agujeros. Son canciones las que distorsionaron el proceso de realidad de la cortejada, haciéndolo ameno. La menos alegórica de todas las presencias convocadas ejerce su moderación.

En *Venus durmiente*, 1509-1510, cuadro iniciado por Giorgione y concluido por Tiziano tras la muerte prematura de su maestro, Venus, con su mano izquierda insertada en la vulva depilada, duerme. El sueño es el paisaje de escape, el pasaje a la escapatoria; a Venus solo la rodea Cupido, encaramado sobre sus pies, quien, a diferencia de otras versiones de los mismos personajes, tiene en la mano una flecha. Pero, ¡cuidado!, no es una flecha, sino un pájaro. Estamos obligados a suponer que con su canto flechará a la muchacha para despertarla. La certeza atravesada por la visión entra en zona de interrogantes, creando una formación de imágenes reconocibles –aunque insólitas–, difícilmente localizables en el plano empírico, sea ya por comparación o por relacionamiento. Es algo muy similar a la repetición serializada de espacios advertibles, los que al replicarse trascienden su diferencia, exhibiendo al mismo tiempo un gusto por el libre deambular de presencias, justo en el instante en que están cambiando y son descifradas. «A través» de ellas, *vemos*.

Varios años después, veintiocho para ser precisos, Tiziano pintará casi la misma Venus, la cual, puesto que el tiempo pasó, ha despertado. Pudo. Está en vigilia controlada, pero mantiene la misma mano encima de la que es, ¡eureka!, la misma vulva. El contraste no necesita dar explicaciones. A decir verdad, tampoco la interpretación lo exige; la flecha, o el pájaro («un pájaro que de algún modo es todos los pájaros», si le creemos a «El Aleph»), de Cupido la han despertado, manteniéndola ocupada a pesar de todo a su alrededor, en esa esfera realizable; de *sensitividad* (hay más de cinco sentidos involucrados) antes que de sensibilidad; de placer antes del placer; de falta de necesidad de cualquier idea o sentimiento ajenos a ese momento, el cual es lo único capaz de existir sin necesitar explicarlo. Observa la contención penitente del deseo buscando instalarse en lo real antes de su realización. Las primeras versiones de la reflexión en torno a lo que podríamos suponer no alcanzan a lograr un acuerdo de plena reciprocidad. Todo en la escena está para ser conjeturado o inventado de nuevo, como nuevo, por la figuración. ¿Qué ha pasado, aparte de aquello que estamos viendo? ¿Es que acaso nos hemos perdido algo?

Hay que continuar dentro de la realidad para ser y sentirse mirado. Somos testigos de nuestra propia condición. La visión, por consiguiente, es «continuación de un destino», de algo que incrementa la necesidad de tener mayor información sobre un determinado momento, en el cual, incluso estando ahí como testigos, en plena clave del meollo, desconocemos lo que está pasando o debió ocurrir con anterioridad a ese hiato de presente absoluto, de peregrinación alrededor del ahora mismo visto desde fuera, en el que la mirada consiguió situarse dentro –como sintiéndose incluida– del objeto fisgoneado. La reciprocidad se pacta por simetría.

Consideradas todas las circunstancias, la mirada no confirma ni niega. Su tarea es otra. Toma conciencia de su existencia, dando cuenta de lo que les ha ocurrido a las imágenes antes de ser descubiertas. La antigüedad de ese momento cumbre reciente demuestra la inexistencia veloz del tiempo, la atemporalidad del espacio donde este se encuentra y establece su irredento ritmo.

No en vano, la unificación del presente dispone de una temporalidad opuesta a su condición, la cual, al coincidir, permite la aparición de presencias nuevas originadas a partir de la versión caricaturesca del material visual. El tiempo se olvida de transcurrir, hace a un lado consecuencias asociadas a la forma de actuar y dejarse percibir. En ese impulso en fuga, vértigo propio de un acto sensorial, presenciamos la disolución de una vida simbólica ocurrida en los detalles.

Atento al periplo erótico de Venus, en 1554 Tiziano pintó *Venus y Adonis*, continuación de la vigilia de su mujer favorita. Aquí Venus, que de tan ubicua ha ido por la historia de un cuadro a otro sin perder protagonismo, no tiene la mano izquierda posada en su bella vulva afeitada, la de ella ni en la de nadie, pero con ambas extremidades –el deseo exige tener por lo menos dos manos– abraza cariñosamente a Adonis, quien, por contar con mayor poderío físico que Cupido, porta en su mano derecha una lanza y no una flechita insignificante.

La diosa del amor –personaje principal de un tratado de la apariencia que como sea busca acomodarse a un significado inexistente– teme que su amante sin rival vaya a tener un porvenir fatídico. Por eso le está previniendo que no vaya de cacería, «no salgas de caza, vete a tu casa», parece susurrarle, por más que los perros perdigueros, según hacen constar las imágenes, estén prontos para entrar en acción. El relato, ya entonces con patente de modernidad, aspira a que las ideas expresadas con puntos suspensivos representen la continuación de aquello que las imágenes, por decisión de su autor, dejaron inconcluso, dando cabida a una hospitalaria incoherencia narrativa que trasciende la idea de finitud y finalidad.

Esta vez Cupido, presente también en la escena, no tiene las flechas prontas. Por el contrario, duerme, quizá en el interior del sueño que le prestó Venus tras haber despertado. El mensajero no está involucrado en la acción de los personajes. Se ha dormido tras fracasar en su intento por hacer que Adonis se enamorara de Venus, o bien porque esta se enamoró de aquel en forma accidental, tal como creía Ovidio, y todo, igual que la propia poesía, acontece por un error de imprenta de la casualidad.

El azar, concurrente o no, se encargó de encontrar el reverso de la analogía, de acuerdo con la cual la potencia inaudita de la imagen sirve a fines nada específicos. Verificamos la aparición de una certeza que puede ser conocida de modos diferentes, aunque haya borrado los rastros y se encuentre incapacitada para asociarse a un acto de erudición adaptable a los hechos con mayor facilidad de lo previsto. En ese mutante rigor epistemológico, el deseo alcanza fuera de la cronología una plenitud previa a la culminación.

Como si fueran palabras luego de haber sido escritas, el arco y las flechas descansan sintiéndose posibles. También ellas pueden dormir. Hay un despilfarro lírico convertido en ofrenda. Sus imágenes alevosas llevan lejos. La iconografía predominante, amagando en transformarse en lo próximo a punto de ocurrir, activa un mecanismo. Prueba suerte, aunque más no sea para desobedecer al mundo empírico material. Las imágenes aprendieron a guardar el secreto, sin saber cuál era este, llegando incluso a dudar de que existiera uno. Pero como lo habían guardado durante tanto tiempo, no les quedaba sino creer en lo que quizá no existiera o solo a manera de infundada posibilidad.

Coqueta como solo ella sabe serlo, por esa época Venus también anduvo haciendo de las suyas en el cuadro de Agnolo Bronzino, *Alegoría de Venus y Cupido* (asimismo llamado *Venus, Cupido, Locura, y Tiempo*, o *Un triunfo de Venus*). Fue pintado entre 1540 y 1550. Allí el pintor y poeta florentino representa un escenario visual divertido y repleto de atributos, caracterizado por la expansión y la sobreabundancia.

La sensualidad ha dado un golpe de autoridad. Alegoría del tiempo y del placer saturada de significado, el cuadro impide el desplazamiento de la mirada en una dirección única. El énfasis no está puesto en el mensaje, sino en lo que puede llegar a pensarse una vez que el posible contenido de este haya sido establecido.

Es la plasmación de plenitudes rodeadas de un aura de belleza intelectual y sin clasificar la que ejemplifica una resolución visual alterada por la complejidad del escenario a disposición. En los cuadros mencionados las cosas están presentes por error, casi de manera complementaria; para que la realidad exista de forma menos sólida, mejor dicho, para que sea antídoto contra la realidad del universo material en ciernes.

La mirada acepta el engaño que se tambalea tras quedar exhibida su desilusión, siendo esta la única hegemonía presente hasta en los últimos detalles. Venus tiene una fruta en la mano izquierda. ¿Es una fruta proveniente del árbol de la imberbe vulva, la gran planta carnívora al acecho? Está en pose de sentirse iniciada en el goce previo al ensimismamiento, y para garantizar el éxito de su faena necesita que la mirada la guíe a través de los sucesos de la realidad que están al hacer su aparición justo en ese momento. La digresión óptica y el chiste desvían de la primera y posteriores intenciones de la idea que, por insistente, intensifica el postergado final.

En su introducción al *Diccionario de los símbolos*, Jean Chevalier afirma que «un símbolo escapa a toda definición» y que su interpretación «debe inspirarse no solamente en la figura, sino en su movimiento, en su medio cultural y en su papel particular *hic et nunc*». Por su hermetismo, los simbolismos cancelan *a priori* la efectividad de la interpretación. Todos los sentidos que podamos derivar de ellos resultan del todo incompletos. Venus controla las flechas (tiene el amor en sus manos), al mismo tiempo que la mano de Cupido (los dioses carecen de apellido) palpa la corona de su madre.

Los gestos enmascarados en su ambigüedad expresiva desvían el significado, como también las intenciones ulteriores de las imágenes, auspiciando múltiples interpretaciones de acuerdo con lo que podemos leer en los rostros de las figuras complementarias, no identificadas por completo. Venus incestuosa, Cupido prematuramente activo: y Tiempo, horrorizado por aquello que está viendo. ¿Qué tanto más se ve? En cambio, Engaño sonríe. Hace bien.

Viéndola en su activa proporción, la escena no requiere de imposturas gestuales de ese tipo, las que no están al servicio de una lógica narrativa determinada, por lo que su validez al fin y al cabo es dudosa. A efectos de la interpretación, poco ayuda la aglomeración de personajes sin identificar y la falta de transición que destaca un hierático comportamiento.

Abrazada por Cupido, en permuta incierta y a confirmar, Venus sostiene en su mano derecha una flecha puntiaguda. Viene a cuento el verso de José Lezama Lima: «Una flecha destaca, una espalda se ausenta». Por comparación, la flecha se destaca más que la ausencia de espalda. Una sentencia aforística –no relativa a la obra en cuestión–, de Bernard Noël, ayuda a ilustrar la escena: «Puesto que es a la vez emblema y presencia, el cuadro se comporta más como un cuerpo que como un signo».

Con su cuerpo en pose de posesión, Venus informa de una elección por afinidad, no por imposición. La flecha no le llegó, ni tampoco ella salió a buscarla, quedándose con quien estaba dispuesto a dispararla. Nadie le regaló esa presencia. Esta Venus, moderna sin dejar por ello de ser renacentista, cancela, debido a la superposición de dispositivos anímicos y visuales, la posibilidad de una interpretación monotemática, mostrando su rápido acostumbramiento a las falsas expectativas simbólicas de las circunstancias.

En esos momentos –estreno panorámico en el que se adivina una sensación plano-secuencia–, tan diferentes a como el tiempo los había imaginado, surge un prestablecido desorden lúdico con sus reglas implícitas, que permite ver lo imposible mientras ocurre, aunque para conseguir verlo se necesita haber imaginado primero. En función de un anhelo abstracto, como es dejarse conducir por la pasión cuando los límites de esta han sido transgredidos, ese desorden en varios sentidos habla por los personajes, y otorga convicción a la mirada, haciéndole creer que lo mismo de siempre puede ser verdad. La belleza, en total discordancia con aquello que se entiende por «belleza», no es un grito que se duerme con el canto de las sirenas.

Para acorralar al silencio, Venus tiene sus labios casi pegados a los de Cupido. Este, con la mano derecha frota el pezón de la dama que tiene al destino no en sus manos, sino en sus pechos. Si bien la mano izquierda se encuentra tapada por el cuerpo de Venus, podemos suponer que, con la misma, disimulada más por una cuestión estética que relativa al pudor, está tocándole el culo rozagante a la diosa desnuda o bien, entreteniendo con la superficie de su mano invasora al pene, el gran entrometido, como si este fuera el pájaro mimado que había aparecido en el cuadro de Giorgione. Ambos, Venus y Cupido, son imanes haciendo su trabajo de mutua manera.

Detrás de ellos, en lo previo preferido, un niño los mira sonriente. ¿Quién será? ¿Engaño, como por siglos se ha interpretado? ¿O un Cupido bis, que vino a unirse a la fiesta amorosa monitoreado por la mirada atenta del tiempo, representado en el cuadro por un padre calvo? Quien sea el que ahí se encuentre, no tiene un pelo de tonto. Asistimos al surgimiento de un paisaje minado por simbolismos autóctonos, con más de una versión debida a la conversión de la trama en trampa visual, *trompe-l'œil* de una lealtad carente de dimensión cuantificable. La mente queda a disposición de sus subterfugios, de sus maravillas en vías de desarrollo. La sensación de estar ante un autismo en trance es propiciada por una poliglosia conformada por secuencias intrínsecas, por detalles disparatados y disparados en todas las direcciones.

Lo mismo que en el cuadro de Tiziano de 1554, en 1586 Bartholomeus Spranger vio a Venus y Adonis desde otra perspectiva. Es un relato a partir de presencias que surten a las anatomías. Venus continúa desnuda, a medias y sin medias negras para predisponer y potenciar al deseo (recién con las películas porno se amplió el fetichismo asociado al diseño, tamaño y color de las prendas de vestir). Un pedazo de tela, pañuelo colorido, cubre su vulva. Pero la postura con piernas abiertas indica su disposición a entregar el cuerpo a la necesidad erótica del momento. ¿Momento para hacer qué, además de tanto que podemos suponer?

Con mente nueva para entender nuevamente la disponibilidad y abundancia de los ratos de ocio (como si en esa época el tiempo sobrara), Adonis se prepara para salir de cacería, por más que Venus no quiera. ¿Le puede pasar algo malo a Adonis en el bosque, o lo malo le ocurrirá a Venus si Adonis no llega pronto a complacerla, y por eso parece estar diciéndole en el cenit de su intensidad somática, «olvídate de las bestias, mi amor, sal a apresarlas otro día, hoy, aquí y ahora, soy yo el trofeo de monte a perseguir»? ¿A cuál de las dos miradas debemos creerle? ¿Debemos, o mienten ambas? El abigarramiento incita a preguntar respecto a cómo entrar (y salir) a ese tupido bosque de imágenes que capciosamente entrelazan una multiplicidad de vericuetos buscando garantizar la permanencia en la peregrinación, porque todo en tal dudosa fijeza cambia de posición. También la quietud.

Con el cuerpo desparramado, Venus parece estar preparándose para la derrota, para un cambio de fisonomía. Una *perestroika* estética está en marcha. Adonis, por su parte, morirá en plena cacería, atacado por un jabalí. Venus se transformará en anémona. Estamos ante episodios a ser interrogados por la curiosidad y el raciocinio. ¿Por qué en ambos artistas destaca el interés por la prevención, por el momento en que Venus en vano se prepara para intentar detener al futuro del instante? Si para el caso solo resulta importante la sucesión de hechos, ¿por qué aparecen congregadas disímiles realidades, pues al borde del tan civilizado bosque hay sátiros y ninfas, además de cabras, mariposas, ranas, cisnes, tórtolas? Cupido, mientras tanto, sentado sobre una roca con flecha en mano, está mirándole el culo a Venus con suma atención, como si en televisión estuviesen pasando su programa favorito.

Los ejemplos del juego a contraluz de la fauna y la anatomía humana disfrutan su invitación a la escena, comprometida a fondo con sus protagonistas. Enfatizados aparecen rasgos manieristas (presentes desde el alto Renacimiento hasta entrado el periodo Barroco), en tanto en primerísimo plano destacan figuras en posturas difíciles o embusteras, lujosamente artificiales, con características que trascienden aquello que en verdad representan insinuándolo, exteriorizando un procedimiento sin permitir verificarlo. Los colores se distancian de la naturaleza, manifestando un distanciamiento cómplice con su apoteósico desapego, enfrentados unos con otros, constantes en su transgresión. ¿Estamos ante un tráiler o adelanto de la estética rococó, bastante antes de que esta hiciera su entrada en la historia de las imágenes?

En el cuadro de Spranger, las imágenes tensan el proceso de síntesis del pensamiento, al que le cuesta filtrarse con argumentos en el torbellino de una expresión en desarrollo. Las imágenes se encaminan en directo al alma sin haber pasado por las ideas, en todo caso, la posesión final de estas se da por añadidura, tras haber imaginado realidades periféricas diferentes. Desconocida la historia por anticipado, todo indica que es demasiado tarde para cambiar al destino de lugar, por lo que la poesía del amor disfrazado de deseo acontece en el instante mismo en que la mirada renueva su interés por aquello que no puede verse por completo.

La sobreabundancia de episodios está a punto de quedar transformada, traducida a un nítido sentimiento, en complicidad con la oportuna intervención del ojo en la mente. La mirada pierde la medida real de las imágenes. Estas consiguen resaltar sus atributos mediante la saturación de sentidos superpuestos. En el plan a la vista, repleto de alrededores que no podrían estar en ninguna otra parte más que ahí, coinciden imágenes que no habían sido invitadas a participar, pero igual están. Las invitadas de piedra proceden de una diáspora catatónica sucediendo hacia todas partes, esperando el momento para regresar al lugar de donde han salido.

En el cuadro de Joachim Wtewael, Venus dejó de lado al descartado –aunque no descarado– Adonis y se entrega a un acto amoroso, al parecer ilícito, con Marte. Hasta los dioses se equivocan para bien. En el desaforado espectáculo que presenta *Marte y Venus sorprendidos por Vulcano*, cuadro de 1601, el artista dio cabida a una maraña de testigos involuntarios, cuya presencia evoca ecos de la *Odisea* (Homero) y *Las metamorfosis* (Ovidio). Adapta la realidad literaria a la imaginación, estableciendo una peculiar forma de écfrasis frío, puesto que los referentes aparecen diluidos por estar superpuestos. Venus, casada con Vulcano, es atrapada con Marte con las manos en la masa, por Apolo, el dios que podía verlo todo, dios alcahuete, quien llama al marido de la adúltera para alertarlo sobre lo que estaba haciendo su mujer a sus espaldas. Vulcano no vino a mirar en solitario el zafarrancho amoroso. Está acompañado de curiosos, quienes, de acuerdo con lo acontecido en el cuadro de Wtewael, han encontrado la situación sumamente entretenida. No es para menos.

El acopio de personajes en movimiento –qué quieren hacer, qué pretenden ver– propicia el desvío de la interpretación, mejor dicho, cancela el argumento a favor de una interpretación unívoca y favorable a la síntesis. Junto a los amantes en pos y pose de pre-placer con sus respectivos porcentajes, se encuentra Cupido, apuntando su flecha hacia una altura que ni siquiera la mirada alcanza a tocar. ¿Qué está haciendo ahí, si los adúlteros han logrado lo que ansiaban conseguir? Y no solo por qué, sino, ¿para qué, si ya no necesitan de los beneficios del arma con efectos de mágica pócima? La ración de lo irracional resulta magnificada por un contexto en expansión donde el decorado, tras haber ganado protagonismo, es todo lo elocuente que hasta entonces no había sido: somos testigos cómplices y comprometidos de un estado visual de resistencia y resiliencia, de una zancadilla a las obligaciones del entendimiento.

Cupido apunta a Mercurio, quien, según Homero, pretendía poseer físicamente a Venus. Meros detalles acompañados de la ilusión, en trayectoria hacia una existencia crucial. Pero, ¿para qué podría servir en ese momento la ayuda de Cupido? ¿Para originar un *ménage à trois*, un trío entregado a una dicha impar, o bien para detener a Mercurio, quien en el cuadro de Wtewael se dispone –seguramente tanto o más celoso que el Otelo de Shakespeare– a levantar la cortina para que los adúlteros sin Desdémona ni demoras puedan ser vistos? Cupido planea acribillar a flechazos –con flechas esta vez invisibles– al futuro amante. Se entretiene distrayendo a almas divertidas y libertinas que a partir de ese momento pasaron a ser anatomías en actividad.

En un rincón, pero no del alma, Apolo, encargado de revelar lo ocurrido, mira a un costado tras haber realizado su faena –tal vez el tema central del cuadro sea el cumplimiento de un deseo–, al mismo tiempo que toca gozoso la lira, como dando su aprobación al desorden en desarrollo de ciertas emociones básicas. En el cuadro están presentes, además, Minerva, Diana y Saturno, dios del tiempo, quien con guadaña en mano vino a ver y es lo que hace, ve. Vino a ver y a mirar mejor: el voyerismo moderno empezó con los dioses antiguos. Ha venido a dar su autorización para que el escenario donde ocurren los actos somáticos sea cuanto antes atemporal, que se salga de las horas y del calendario, tal como el furor del deseo lo exige, matizado por partes inconclusas; no por ausencia, sino por presencias excesivas.

Wtewael consigue que la sobreabundancia de cuerpos coincida en un muy reducido espacio, pues la obra, realizada sobre cobre, tiene apenas una dimensión de 21 por 15,5 cm, obligando al ojo a buscar detalles que desafíen el escrutinio ocular. Lo que vemos no puede ser detenido por la mirada. Obliga a ser captado desde una neutra y milimétrica proximidad, como es el caso del regordete pene infantil de Cupido, flan carnal, que en primera instancia parece un detalle insignificante, menor, y que invita a pensar en sus replicantes, los graciosos Cupidos que harán luego su aparición en el cuadro *Rinaldo y Armida*, de Anthony van Dyck, de 1629 –obra basada en *Gerusalemme Liberata*, libro de 1581 del poeta italiano Torquato Tasso–, en el que, tal cual sucederá en el óleo de Jean-Antoine Watteau, *Peregrinación a la isla de Citera*, de 1717 (aunque aquí sean más, como multitud), aparecen cinco Cupidos, uno de ellos de pelo enrulado. En un acto de placer oral sin emisor, y con la mano izquierda metida en su boca, de la misma forma que antes Venus ponía la suya en la vulva, mira a los espectadores

escondidos tras el cuerpo de Armida. ¿Qué mira, qué nos quiere decir? ¿Algo? ¿O es que el *ennui* pre-romántico empezaba a gestarse por adelantado y un acto de afirmación tan trascendente como el del cuadro, cruzada amorosa en acción, a él no le interesa en lo más mínimo?

A lo real se accede por premonición. La incertidumbre ante los hechos de la realidad queda configurada por secuencias sucesivas. El cuadro de Van Dyck presenta un detalle fascinante: en la zona baja, una ninfa de agua, enviada por Armida, canta o lee una partitura musical, la cual, según Patrick de Rynk, podría referir a la ópera perdida de Monteverdi, *Armida*, estrenada en Mantua en 1628, año antes de que el artista holandés pintara el cuadro. Ese detalle auspicia la reconciliación inmediata de la imagen con la palabra, de la visión con el sonido, del habla con el silencio, como asimismo, de la intensidad con la desatención, pues, sin importar lo que la ninfa acuática en cuestión

estuviese haciendo, el Cupido que nos mira a ella no le interesa. Su mirada despunta furtiva por sobre la cabeza de la galante mujer, quien sostiene algo que parece ser una partitura musical. Es y no es, todo lo contrario. No es una pipa, y tal vez, con toda seguridad, tampoco sea una partitura. Poco importa: algo siempre es más que nada.

Las escenas citadas alertan sobre el acto de la representación. Ninguna de las imágenes aparece cancelada o desfigurada. El efecto de distorsión, de no saber lo que realmente pasa, proviene de la recurrencia a la sobreabundancia de motivos sin especificar, de las perspectivas y miradas de los personajes involucrados a las que resulta difícil interpretar. En compañía de Cupido, su hijo, Venus ha sido tema recurrente en pintura, sobre todo en la renacentista. Su realidad con aspecto de presencia embalsamada –narrativa indirecta, guiñada simbólica, paso en falso– llega incluso hasta el siglo XVIII.

En The Tête à Tête, segundo cuadro de la serie de seis llamada Marriage à-la-mode, pintada por Hogarth en 1743 y que anticipa con novel poderío el desencanto amoroso de la vida moderna, aparece un marido agotado, santo y seña de una desesperación muy rococó. Al costado del hombre hay un cuadro de Cupido rodeado de ruinas y tocando un instrumento musical, a quien tenemos ganas de recomendarle, y cuántas ganas nos vienen: «Ahora fléchate a ti mismo». Y todo, porque el relato acepta diversos puntos de vista, como también de innovadores niveles de espesura visual para garantizar su blindada impenetrabilidad.

Los detalles acompañados de la alusión espolean el desmoronamiento de la paciencia. La apariencia resulta insuficiente para originar un contenido definido, definitivo, entre las formas que han venido a superponer presencias de distintas épocas presentes. El barroco, lo mismo que el rococó, se caracteriza por el amontonamiento, por aquello que podría estar ausente pero, en caso de estarlo, puede llegar a ser considerado de muy mal gusto. Estilo detestado por su ilícita frivolidad, el rococó embalsama y ensortija. Es un barroco más de ahora. Su nombre viene de las palabras francesas *rocaille* (piedra) y *coquille* (concha marina). En *El nacimiento de Venus*, 1484, Botticelli sacó la concha del agua, agregándole una definición. Efluvio de una visión decidida a ser la que no está solo en su imagen, Venus sale enflorecida de entre las valvas. De su mirada pende el signo barroco travestido en rococó. Ha sido la concha, la influencia abigarrada y a merced de la superficie plegada por donde debe transcurrir.

Con vehemencia, Voltaire criticó la superficialidad insumisa del rococó, sobre todo la atenta propensión a la superficialidad. Mientras tanto, alrededor de 1760, Jacques-François Blondel desdeñó el rococó por considerar que escenificaba una «increíble mezcla de conchas, dragones, cañas, palmas y plantas». Eso, precisamente, la sobreabundancia unida a la presencia desplazada de formas por deformación que dejaron de ser dominantes, será característica fundacional y motora del arte y la literatura del Romanticismo en adelante, la cual obliga a ver con otros ojos aquello que suponíamos solo podía ser accedido de una forma.

Así pues, en las obras citadas la condición inusual del acto receptivo no proviene directamente de la originalidad de ciertas figuras que se han librado de su condición, Venus y Cupido, entre otros, sino del espacio que habitan como inquilinos de una mirada fisgona, la cual las hace dueñas absolutas de su situación. La adjetivación óptica se convierte en componente detonador de la pregunta principal: ¿qué es lo que estoy viendo cuando veo, qué leen los ojos que, por más que lo intenten, no consiguen descifrar ni dar una respuesta relativa al enigma? Esparciendo consecuencias a lo largo de su exagerado periplo, el mensaje del amor y del deseo que se sienten siameses encuentra desvíos de verticalidad (observación) y de horizontalidad (entendimiento), para situarse en una esfera de posibilidad ilimitada que perturba y agrega contenidos inexpresables a los motivos escenificados.

Las alegorías priorizan un campo metonímico donde se concentran imágenes superpuestas, sin correlación aparente, salvo las de su exigente caudal simbólico. Establecen un itinerario de sortilegios y lecturas ambivalentes. La arbitraria traducción visual de un simbolismo forjado por referentes literarios en torno al misterio que acecha a la mirada otorga a las imágenes disponibles su vida intelectual, haciéndolas menos específicas. Devienen posdata de un balbuceo en el que prospera la inestabilidad de los significados en formación, de todo aquello que desaparece justo cuando estaba a punto de ser expresado. Desconocemos las causas de las dramáticas emociones que invitan a ser consideradas, pero queremos conocer su origen, sus señas de identidad, su razón de ser y de estar, el ámbito de su procedencia: ¿cuándo, por qué, hacia dónde?

Ante la proliferación iconográfica, el pensamiento privilegia un abrupto corte epistémico. La simultaneidad de situaciones visuales tensa las ansias de explicitud del entendimiento al esforzarse por descubrir los posibles motivos, en caso de haberlos. ¿Será ahí, en ese crucial corte epistémico, que el artificio obtiene magnificada su plenitud? Pero, ¿a qué llamamos *artificio*? ¿Al abuso indiscriminado de imágenes que conducen a la inteligibilidad, al dato imprevisto, al menos para ese contexto, que dificulta el rastreo de evidencias?

Sea una cosa, o la otra, el desplazamiento del centro a la periferia, y viceversa, es continuo, incesante su ciclo. En el cuadro se instala la noción de intersticio, no a la manera de dispositivo restrictivo, sino como abolición de la elipse. Todo puede ser sustituido, incluso los contrarios, tal cual aparecen exhibidos, aunque en verdad representan la única cara de la misma moneda. Son el ver que nos mira.

En las varias obras mencionadas, antología de Venus conteniendo la vida simbólica del tiempo y de las emociones antes de emprender el periplo por el cedazo del deseo, todo está interrelacionado. Al espectador/lector le corresponde determinar dónde comienzan y terminan las relaciones; dónde el proceso de la visión hace coincidir al sentido con las piezas faltantes esparcidas en distintas direcciones, lo cual impide completar el rompecabezas.

Librada de anecdotismos, cada historia sucede a medida que va haciendo su desaparición. Para tener acceso a ese

núcleo de acontecimientos reunidos en la dispersión, solapados más que colapsados, se hace necesario recobrar aquello que creímos ver o percibir en el instante mismo en que
dejaba de estar presente. «Creímos»: como creencia, y como
suposición. El arte, cuando involucra a la poesía, cree en
aquello que nos invita a suponer.

A veces pienso que la verdad de todo la llevan los insectos en las patas

SILVIA GUERRA: *¿Dónde empieza un poema para ti?*

EDUARDO ESPINA: Puede empezar de maneras diversas. Depende del día, de la hora, de la semana, de mi estado de ánimo, o del estado de ánimo de las palabras, no tan neuróticas como suponemos. Hay veces en que todos los días de la semana son uno tras otro, en orden de imparable exactitud, lo cual se transforma en algo preocupante. La simetría me da miedo, sobre todo cuando se repite y exhibe su matemática impunidad. Lunes igualitos a otros lunes, martes idénticos a todos los martes anteriores, miércoles que solo saben ser miércoles e insisten con serlo. En esos días, las cosas pueden pasar. Por lo tanto, a veces pasan.

Dadas las circunstancias, acorde con estas, el poema se siente capaz de aceptar un origen a partir de la estructura sintáctica que le corresponde tras haber tenido un inicio impensado, origen que por lo general termina siendo el primer o último verso del poema, aunque en ocasiones surge lo que llamo «verso inicial de transición», puesto que hace su aparición solo en caso de que el poema lo auspicie, y luego puede ser trasladado a otras zonas del poema, el medio –o casi al final, cerca de la última cláusula–, quedando convertido en verso bisagra. Su eclosión, aunque sea difícil concebirlo de esa forma, puede darse en mitad del poema, dando rienda suelta en forma intempestiva a ideas que vienen de antes, aunque estén dispuestas, y predispuestas, a concluir después.

El origen del poema puede ser también un concepto carente de destino, un pensamiento a la marchanta, incluso una imagen que andaba dando vueltas por la mente hasta que dejó de hacerlo. Por ejemplo, días atrás vi una mariposa amarilla de alas gigantes –donde vivo hay muchas-pararse en la punta de la oreja de un caballo. La mariposa quedó extática, también el caballo; ninguno de los dos se movía, como si no les importara, insertos a la perfección en esa quietud a dúo que no parecía ser de solo dos. Por un momento fugaz –fuga a toda velocidad–, la escena fue la de la propia inmovilidad en cámara lenta. La imagen me llevó a escribir un poema sobre el paso del tiempo y la posibilidad de salirse de este, de emprender la huida. Hay quienes pueden. Los he visto en un mismo día.

En otra ocasión vi una mariposa, aunque no tan enorme como la anterior, intentando elevarse hacia lo muy alto del cielo que esa mañana estaba por todas partes. No somos los únicos en creer en el cielo; también las mariposas creen. Y tratan de ir ahí todos los días. La de esa vez se creyó cóndor durante varios instantes seguidos. Hizo lo posible, aunque fue insuficiente. Ahora que lo pienso, de consuelo debería servirle la naturaleza de las *ratites* (pingüino, kiwi, avestruz, emú, causario). Tienen alas, no vuelan, pero tampoco lo intentan. Pero como era una mariposa negra, debe de haberse creído murciélago. O vampiro diurno.

La intermediación de las ideas en su inexacta proporción fue el impulso propiciador de *El cutis patrio*. Un poema de ese libro, «La patria, un objeto reciente», es sobre la pérdida inesperada de la identidad asociada con el sentido de procedencia. El poema salió, fue escrito, luego de una visita matinal al Bar Prado, que estaba ubicado en Benito Blanco y Bulevar España, en el barrio montevideano de Pocitos. En ese lugar ahora hay un banco. Después de pedir una pizza y una Pepsi, tal vez porque enfaticé donde se debe, en la segunda zeta de pizza y en la segunda pe de Pepsi, el mozo me preguntó: «¿De qué país es usted?». Qué cosa extraña; un uruguayo preguntándole a otro de dónde venía.

El comentario me hizo reflexionar sobre lo fácil que resulta perder la identidad originaria, que vendría a ser la natal con su lengua materna, y que ni siquiera cuando uno habla como habla siempre puede ser asociado a determinada identidad. De hecho, el poema refiere al acto de hacerse invisible y, por ende, de *invisibilizar* su propia identidad, poniendo énfasis en ciertos pliegues sonoros del habla cotidiana. De pronto aparecen en la rutina fonética desvíos de la norma. Los poemas de *El cutis patrio* son de cosas por el estilo, en apariencia azarosas, y en las que uno sin habérselo propuesto se juega su destino.

Más allá de lo dicho, el poema, su entidad definitiva, se hace y surge durante la etapa de corrección, en las varias versiones posteriores a la inicial. En esto, para utilizar un referente conocido, trabajo en forma bastante diferente a Neruda (he estudiado su proceso creativo, de ahí que lo mencione), para poner solo un caso, quien durante las tardes, luego de la siesta, se sentaba en su casa en Valparaíso y escribía un poema; lo miraba dos o tres veces, lo corregía, por arriba nomás, y ya, quedaba listo. En este aspecto, me siento más afín al proceso de escritura de Pound y de Eliot, quienes corregían de manera obsesiva, extendiendo y podando, por lo que al final el poema terminaba siendo otro, una versión muy diferente a la que habían empezado a corregir. Es decir, la idea original resultaba transformada, alterada.

Todo es cambio. Todo muta, varía rápido y desaparece. Cada parte expresiva del lenguaje se transforma para poder decir «otras cosas», aparte de las antes enunciadas. Dentro de un poema puede haber varios poemas condensados en uno. Es un hotel de matrioskas. Incluso más, en determinado instante durante el proceso de escritura de las diferentes versiones del poema, hasta yo mismo, supuestamente el autor, dejo de reconocer en qué momento comenzó a ser poema, a aceptar tal denominación. Hemingway escribió 39 finales distintos de *A Farewell to Arms*, y Tolstoi escribió, a mano, ocho versiones de *La guerra y la paz*, cada una diferente debido a los cambios y correcciones introducidos durante el proceso de encontrar la versión definitiva. ¿Es la última la mejor, la definitiva? Para el autor quizá sí, para las posibilidades del lenguaje quién sabe.

S. G.: *¿Siempre hacés mucha corrección?*
E. E.: No siempre la corrección es indispensable. El poema referido, «La patria, un objeto reciente», por ejemplo, y casi todos los poemas de *Valores personales*, tuvieron poca corrección. En el caso de este, mi primer libro, que comencé a escribir en 1979, los poemas surgieron de determinada forma, como les daba la gana, pero con mi ayuda –por cierto, ya no escribo de esa manera–, por lo que traté de preservar la espontaneidad del proceso, que no es otra que la de la mente, el instante del pensamiento entrando en actividad con actitud confesional, como suele ser el proceso de escritura de un diario personal, en el que encontramos entradas hogareñas del tipo «hoy me levanté temprano», «comí pan»,

«estoy deprimido», «sigo leyendo», «pasó otro día». También así, pero con una complejidad implícita, los poemas con mínima corrección buscan representar una determinada instancia del proceso creativo, acontecida en un peculiar momento de la vida, el cual ha sufrido en el poema un proceso de atemporalización.

Entro a la escritura como si estuviera entrando al propio tiempo. Cuando pasa eso, pierdo la noción respecto a si la experiencia la viví un lunes, un miércoles, cualquier otro día, o bien la imaginé y sucedió en un lugar librado del calendario. El pensamiento carece de fechas, impone una atemporalidad sin cronología. Doy cuenta de un suceso, que puede ser mental, anímico, o emotivo, el cual a lo largo del acto de la escritura va desrealizándose. Por tanto, la versión final es precedida por la pérdida de la información respecto a su procedencia.

S. G.: *¿Tenés horario, un método para escribir?*
E. E.: En este aspecto soy una persona intencionalmente monótona. Me levanto, y mientras me voy despertando con la ayuda de una sobredosis de *Lapsang souchong*, un tipo de té negro con alta concentración de cafeína, proveniente de la provincia china de Fujian (es como una dosis intravenosa de mate amargo), anoto en un papel: «a las nueve y veinte voy a hacer tal cosa», «a las once y cinco lo otro», «a las once y cuarto voy a pensar en», etcétera. Designo etapas de productividad a ser seguidas durante las horas matutinas. El plan no siempre se cumple al pie ni al brazo de la letra, si bien la mayoría de las veces sí. Lo que nunca puede ser planeado es el estado de la mente al momento de despertarse. La mente es cómplice de su imprevisibilidad. Hay días en que está lúcida, en otros, no tanto, y sin embargo, también

en tales jornadas, cuando la mente carece de su mayor plenitud productiva, puede salir sin esfuerzo alguno un poema extraordinario. Ese es el gran misterio que espero siga estando presente mientras la poesía mantenga en mi vida condición de esencialidad.

Por lo general, escribo en horas de la mañana, de nueve a doce. La luz matinal viene con noticias de la imaginación. A veces los sábados y domingos sigo hasta las dos de la tarde. Hasta más incluso. En ese lapso (no Lapsang, que es el té), el proceso es riguroso; me siento en el escritorio a trabajar, y no salgo sin haber antes escrito una buena frase y a veces, unas cuantas sublimes. «Normalmente» escribo dos poemas por día; la primera versión de ellos es donde coinciden las aspiraciones con los resultados deseados en la instancia inicial. En ocasiones, cuando la mente alcanza un estado de concentración plena, puedo escribir hasta cuatro poemas en una sola mañana (ayer, por ejemplo). Cuando eso ocurre, me dan ganas de no hacer nada más en lo que resta de la jornada, pues pierdo una energía mental enorme. Quedo agotado. La inversión de intensidad que exige la escritura de un poema es extraordinaria. Es como hacerse ocho pajas seguidas.

S. G.: *¿Te alegra escribir?*
E. E.: No sé si me alegra, pero no poder hacerlo me produce un tremendo efecto negativo. Si me levanto y no puedo escribir por lo menos una línea genial, paso el resto del día deprimido. Cuando pasa eso, las veces en que me levanto con la mente improductiva, a las tres de la tarde tengo que tomarme dos o tres cervezas para compensar por la ocasional debacle de la mente, reacia a la hora de soltar alguna frase maravillosa que rompa con la asimetría entre deseo y realidad. Pero, a decir verdad, eso, por ahora, raras veces

sucede. Las palabras solían salvarme de tener que ingerir una dosis *heavy* de cerveza en forma regular, la cual podía ser seguida de una también caudalosa dosis de whisky, sin agua ni hielo. Iba a un bar de medio pelo ubicado cerca de mi casa, y ahí me encontraba con quienes escabian con despreocupada constancia en la hora pico de la cultura del trabajo, a las tres de la tarde. Con ellos compartía algunas copas, bebidas con la lentitud con que se habla una lengua en peligro de extinción. Conversábamos sobre lo inexistente. Hablo en pasado, pues he dejado de tomar por completo. Quizá tomaba –dije quizá– para olvidarme de las restantes horas del día.

A decir verdad, pasando en limpio las etapas del proceso de la escritura, muchas veces, a eso de las siete de la tarde, aparece algo importante proveniente del vocabulario –de dónde si no–, cazo algún verso imprevisto y lo dejo en lista de espera, pronto para ser trabajado temprano, la jornada siguiente. O pasa también que a veces me voy a acostar y no puedo dormirme, porque a la cabeza me viene una estructura que sin haberlo planeado complementa a otras, para expandirlas a continuación, y aparecen luego unas cuantas más, como si fueran niños invitados al cumpleaños de su mejor amigo. Y vienen una cantidad, frases y palabras en pandilla, no paran de venir y ¡cómo vienen! Ahí comienzo a sentir el maravilloso presentimiento de que un poema está a punto de estrenarse, de pasar por su cuenta y propia voluntad de la mente a la realidad, a lo real o no escrito en una página.

S. G.: *¿Qué necesitás para escribir?*
E. E.: Carezco de una respuesta específica para tu pregunta. No obstante, puedo decir que me ayuda mucho la naturaleza, el hecho de estar rodeado de un ambiente con

abundancia de árboles, insectos, mariposas, pájaros y otros animales, aunque no vuelen. El paisaje sirve para darle inicio mental –y hasta sonoro diría– al poema. Luego me abstraigo, entro al mundo inmediato de mis manos, porque primero escribo a mano, por lo que siempre tengo que tener papel blanco a disposición. Debe de ser blanco, sin líneas. No puedo escribir en papel amarillo lineado, como ahora está de moda hacerlo en oficinas de Estados Unidos, pues dicen que el trazo resalta más al escribir con lápiz o lapicera negra sobre papel amarillo. Si el papel es de ese color, no me puedo concentrar.

Tampoco puedo escribir con lapiceras color negro; deben ser de color verde. Siempre escribo con ese color, desde que tengo quince años lo vengo haciendo. Quizá tenga que ver con la relación entrañable que de manera diaria mantengo con la naturaleza, y con el color verde tan porno de los loros, ave que me encanta por la desafiante falta de buena educación que exhibe. Mediante los ruidos que emite cuando el mundo menos se lo ha pedido, el loro es maestro a la hora de interrogar con barullo a la realidad. Soy una persona que podría pasar el resto de sus días en el campo profundo, tierra adentro, viendo y oyendo animales, alejado lo más posible de los seres humanos, incluso de aquellos que me leen.

S. G.: *¿Escribís al lado de una ventana?*
E. E.: A través de una ventana miro, y a veces encuentro cosas increíbles. O son tal vez ellas las que me encuentran a mí. Es el don del mutuo descubrimiento. En semanas recientes he tenido un gran compañero de realidad: un pichón de ruiseñor se cayó del nido que tenía en lo alto del nogal del fondo de mi casa, pudo sobrevivir, y sigue por ahí, aprendiendo a volar, adaptándose al lar donde le tocó estar,

en lo descampado del universo natural; con su actividad vital representa un homenaje inquieto a la vida en plenitud. La naturaleza es un extraordinario espectáculo moral, una ética que se arma en cuestión de minutos.

Como digo, me gustan mucho los animales, la lucha estética y ética que llevan a cabo, casi siempre de desesperada manera, sin sosiego, yendo incluso contra su propio destino, las batallas que a diario emprenden a favor de la vida, y cómo luego las cuentan cantando. No sé, quizá tengo algo de budista, de contemplador innato de desempeños ajenos. Con inaudita frecuencia, más de lo que vos podés imaginarte, pienso que la verdad de todo la llevan los insectos en las patas. Por eso me acerco a verlos, y ver si al menos puedo oírla, a esa verdad con aspiración de absoluto, en caso de que ellos me dejen.

S. G.: *¿Qué dirías de la musa?*
E. E.: Que existe. Es una de las cosas que más me preocupa de mis días actuales, con su hoy, su ahora de este momento, y su ya mismo. Lo digo por esto. Un poeta americano, Donald Hall (1928-2018), dijo que cuando llegó a los ochenta años de edad se dio cuenta de que ya no podía escribir más poesía. Un día se levantó, y no pudo. No le salía nada. Ni una palabra. Se le habían ido las ganas, también la inspiración. El lenguaje lo había abandonado. Le tengo terror a eso, es mi pánico principal. Si algo así llegara a pasarme... Desde los quince años escribo poesía, que no es poco, ya voy para medio siglo, cada vez más y, creo, escribo cada vez mejor. Doy fe.

La musa existe, algunos días es bioquímica, otras, anímica, está en el aire, en lo que comí o no la noche anterior. Hay días en que me despierto y la mente anda como correcaminos enardecido a mil por hora, fascinada con su velocidad. En otros, en cambio, me cuesta traerla a la realidad de las palabras. Por eso es que todos los días me siento ante la página en blanco, y trabajo durante horas seguidas sin parar. Cumplo mi papel, con el papel. Si la musa viene, que me encuentre donde debe encontrarme. Aunque a veces también viene en otros ratos, que son aquellos en que trato de ganarle la partida al tiempo.

S. G.: *¿Hay algo que te acerque, que te induzca a escribir?*
E. E.: Puede ocurrir, en ocasiones pasa. En la madrugada de un día para mí inolvidable por razones que no vienen al caso, el 11 de marzo de 2011, estaba en Nueva York tomando una copa en un bar del Upper West Side, de esos que nunca cierran, después de haber cenado en forma opípara en la casa de Susan Bee y Charles Bernstein. Afuera diluviaba. Llovía a mares y debí refugiarme en donde los seres humanos nunca se sienten infelices. En el bar había un televisor, y de pronto empiezo a ver imágenes de autos y camiones siendo arrastrados por el agua. Pensé que estaban pasando una película de las varias que se han hecho sobre catástrofes. Rápido me di cuenta de que no era ficción, sino un tsunami, y que todo estaba sucediendo en Japón, justo mientras yo lo veía. Cosa extraña; en el momento en que yo me tomaba otro Glenlivet (a los efectos del ánimo, mucho mejor y más sano que el Rivotril, Zoloft o Prozac), había gente que estaba muriendo arrastrada por el agua en una parte del mundo a mucha distancia, tanta, que aquello era Lejano Oriente. Sin haberlo llamado –algo que me ocurre a menudo– me vino a la cabeza un verso, que a partir de ese momento decidió quedarse conmigo: «la nieve cae en la noche y en la lluvia». Lo escribí, y enseguida escribí otro, como once versos seguidos, la primera parte de un poema, y después pedí

otro whisky. Afuera no paraba de llover. En mi mente había empezado a nevar.

Fue extraño –de tal forma lo sentí en ese momento y en los posteriores– que frente al televisor de un bar, una noche de lluvia, la mente, llena de alcohol, se me llenara también de versos. Digo extraño, pues en las mañanas, cuando escribo, en estado de clarividencia, no puedo tener el televisor prendido. Tampoco la radio; no puedo tener nada que me distraiga y me haga perder el ritmo. La mente se me perturba de tal manera, que empiezo mal el día y lo termino peor. Me molestan los ruidos, el de los teléfonos sobre todo, por eso no tengo celular, tampoco Twitter, Instagram, WhatsApp, WeChat, o Snapchat, no tengo nada, ni siquiera Facebook, lo cual puede ser una desventaja a efectos de promocionar la obra entre nuevos posibles lectores.

Hoy en día, no tener presencia en las redes sociales es como vivir en la nada. Pero igual así, prefiero continuar autoexcluido. Por consiguiente, tal como la realidad en la que sobrevivo lo evidencia, celebro a diario la nada. Al prescindir de esa parafernalia de redes «comunicativas» gano espacios inesperados en la actualidad del tiempo. En mi caso, la carencia tecnológica representa una ganancia emocional. Puedo empezar el día librado de distracciones, sabiendo que el tiempo disponible es mío, solo para mí. La mayor responsabilidad que tengo con mi propia vida es prepararme para que en los ratos de plenitud, en los cuales la poesía surge y me necesita, la mente pueda adentrarse en su territorio con mi ayuda. Estar y ser a como dé lugar.

S. G.: *¿Hay temas para la poesía?*
E. E.: Si te refieres a determinados temas que se imponen sobre otros, sí, los hay. Aunque, tal vez llegue algún día a la

conclusión de que todo no ha sido más que una fenomenal ilusión, y que el único asunto constante de mi vida ha sido el lenguaje hablando por y de sí mismo. Hoy puedo decir, casi convencido, que desde mi primer libro hasta el más reciente aparecen temas que se reiteran, por ejemplo, el tiempo, el deseo, la memoria, la utilidad funcional o no de las palabras, la muerte, la soledad, que está relacionada con la muerte, aunque la soledad reside de manera simultánea entre la vida y la muerte; como que en medio de ambas. Quien se siente solo, desolado, y desearía morirse, pero es cobarde para pegarse un tiro o tomarse un frasco de Valium, encuentra en ese espacio situado entre el padecimiento y las ansias de ya no querer padecer un anhelo preocupado en subsistir.

En mi poesía, el deseo ha sido usina modificadora de estructuras. Tuvo gran preponderancia durante la escritura de *La caza nupcial*, libro en el que la sexualidad se encuentra presente a *full* desde todo punto de vista. Fue una época extraña de mi vida. A veces se hace más fácil de lo imaginado pasar de los años de formación a los años de fornicación. Alcancé por casualidad la complacencia promedio. Es la misma historia de siempre; al final, todos acabamos acostumbrándonos a lo poco o mucho que somos.

En aquellos tiempos pude perfeccionar la *autoversión* de mí mismo a través de la sexualidad. Iba por las calles, y en el aire todo olía a sexo. Iba a la biblioteca, al supermercado, a la tintorería, y lo mismo. Entraba a un restaurante, y las milanesas, los ravioles con tuco, los choripanes y las morcillas, el flan con dulce leche, ¡las papas fritas!, olían a sexo. Hasta el pan olía a eso. Todo tenía olor a sexo, a vulva constante. Aparecían mujeres aunque no las llamara, mejor dicho, escapaba de ellas, pero por doquier aparecían cada vez más. Era rarísimo. La vida se había transformado en una especie de milagro somático, superlativo y con superlatidos. Del sexo insinuándose con atuendos diferentes resultaba imposible escapar. Cada noche o tarde amanecía algo diferente. Vaya ironía: el sexo me acosaba sexualmente. Son etapas de la vida; uno no las impone, vienen solas, y se quedan por un tiempo, que puede ser corto o largo.

Por una cuestión biológica, si se quiere obvia, la presencia del sexo no tiene hoy en mi vida igual omnipotencia, lo cual, en verdad, poco me inquieta, pues ahora me resulta más interesante tener diálogos regulares con la muerte y verla de cerca desde todo punto de vista, seguramente a raíz del problema que tengo en la espalda, y que dentro de un tiempo puede llevarme al acabose total o a una parálisis irreversible.

Para salvarme de ese panorama –sobre el cual trato de pensar lo menos posible– tengo por delante un periodo de cinco años de *pre-cirugía* en los cuales la tecnología médica puede avanzar, aunque también el problema avanza. Eso, sin embargo, no me ha llevado a escribir una poesía de queja, de pánico, de miedo en relación directa a todo aquello que pueda venir. Detesto la literatura de lamentación. Reflexiono sobre el momento en que estoy reflexionando.

Dejaron de interesarme cosas que antes me interesaban, por ejemplo, las películas de dibujitos animados (vi *La sirenita* y *La bella y la bestia* infinidad de veces) y las películas porno, a las cuales solía ver más que nada por curiosidad antropológica, para intentar conocer lo que le falta a la condición humana para poder librarse del puritanismo y de los prejuicios respecto a las posibilidades del cuerpo en su búsqueda de placer y contentamiento físico. Como todo lo que hago en la vida, también eso lo tomaba en serio. Por acicateo mío, una tarde de mayo de 1990, estando ambos en

París por razones diferentes y viviendo en el mismo barrio de Montparnasse (yo en Rue Vavin), fuimos con el poeta y antropólogo Néstor Perlongher a ver una película que resultó ser porno, tal como los afiches la promocionaban.

Al salir del maloliente cine, pues los franchutes son muy de masturbarse sentados cómodamente en las butacas, Perlongher comentó, con cierto dejo de admiración y sorpresa: «¡Pero vos conocés hasta el nombre de las actrices de reparto!». Le dije: «No, pero vi tres películas seguidas con esta misma mujer», una actriz francesa de la cual olvidé su nombre. Recuerdo que fumaba mucho, era una mezcla de Barbara Stanwyck y Jeanne Moreau sin ropas y con humo saliéndole de la boca. En la película, la mujer se iba de vacaciones a Jamaica con su marido, un francesito blanco y bien educado, un burguesito con plata. Cuando este salía a pescar en alta mar (le encantaba pescar tiburones), la mujer se aburría, y para combatir el tedio –tarea ardua para cualquier ser humano, en especial para aquellos pertenecientes a la burguesía– terminaba encamada con cuatro negros jamaiquinos fornidos, gigantescos, quienes competían a ver cuál tenía la pija más larga. Eran unas orgías divertidísimas. El buen cine porno no es pornografía, tal como lo entienden los cultores de la censura, sino cine de humor hierático, al estilo Buster Keaton, pero con gente desnuda que conversa muy poco.

Aquella fue una época totalmente diferente de mi vida, una época coprotagonista del mundo en el que yo vivía en St. Louis, Missouri, rodeado de gente de apariencia dudosa que eran mis vecinos. Vivía en un barrio de negros pobres, un barrio con problemas de todo tipo, entre otros, la violencia nocturna. Sin embargo, fueron los años más felices y despreocupados de mi vida. Mirá lo que son las cosas; no tenía un peso, dormía en un colchón usado que estaba tirado en el piso por falta de cama, en invierno me moría de frío, y en verano de calor por no poder pagar la cuenta de la electricidad (carecía de calefacción y aire acondicionado), pero igual, todo estaba bien, realmente bien.

Me hice afín a esa normalidad entre comillas, llegando incluso a acostumbrarme a las cucarachas, enormes, no sé por qué, que andaban por todas partes sintiéndose coinquilinas. Llegué a pensar que en mi diminuto apartamento se sentían agasajadas, caminando felices por las paredes y por el piso mientras yo leía y escribía hasta altas horas de la noche. Era, por tanto, imposible sentirme solo, pues no lo estaba. Una tarde encontré unas cinco cucarachas dando vueltas entre los poemas que había escrito en días previos, una cantidad, y que se encontraban amontonados en el piso, pues entre otras cosas carecía de estantes. Eran cucarachas lectoras. ¿Poetas? No sé.

Como te digo, vivía en un barrio de alta peligrosidad, pero sentía que todos eran amigos míos, incluso aquellos que tenían cara de asesino, porque seguramente lo eran. Hay una canción de Tom Waits, «Hold On», que parece haber sido escrita para mí. Dice en una parte: «St. Louis got the best of me». He llegado a creer que la vida me ha puesto en lugares extraños, para motivarme así a escribir fuera de la norma y de lo habitual para un escritor sudamericano y uruguayo, y para que de la experiencia diferente surgieran frases nuevas, poemas de otro modo, con sus propias ventajas, incluso una sintaxis original, que atestigua el estado de la mente en ese crucial momento de la existencia.

La vida es intricada. Ahora estamos hablando en este lugar que me encanta [la entrevista tuvo lugar en el local original del café Tribunales], ubicado en mi lugar preferido en Montevideo, la Plaza Cagancha. Hoy estamos acá, pero treinta años atrás yo vivía en un barrio donde se escuchaban balazos y monstruosos alaridos de mujeres fornicando, y veía gente drogándose con pegamento en el balcón de los sucuchos mínimos llamados apartamentos, y todo eso lo veía con la misma naturalidad con que hoy en día te estoy viendo a vos, en esta mañana fría y luminosa de invierno, o veo a la vuelta de la esquina el fin o la muerte, como realidades ya no tan lejanas. La propia vida es la que escribe, no uno.

S. G.: *Bueno, cómo seguiremos acá...*

E. E.: Eso mismo me pregunto. Cuando el neurocirujano me dijo «tiene un agujero grande en la médula ósea que puede llevarlo a la parálisis», sentí como que mi vida había cambiado de una manera antes jamás imaginada. Tuve que dejar de jugar al fútbol, de andar en bicicleta *cross country*. Sentí con gran certeza que mi mundo era más accidental que occidental. Pero no quedé agobiado, de lo contrario, me hubiera venido abajo. Pensé: «Y ahora, ¿qué cosas nuevas puedo hacer?». Y lo único nuevo que podía hacer era seguir escribiendo. Me di cuenta de la cantidad de frases nuevas, de cláusulas y versos, que nadie había escrito, y que podía traer a la realidad recurriendo a las palabras que se me han dado. Por eso, el tiempo que antes dedicaba a andar en bicicleta y a correr maratones cortas, ahora lo dedico a leer y escribir, más que antes.

S. G.: *Esa idea del tiempo que se acorta: ahí se abre como un pliegue, muchas veces en la poesía el tiempo cobra diferentes aspectos, hay una cuestión de aceleración y de velocidad, como de cuerpo vivo, como la intensidad de la respiración...*

E. E.: Pensar en eso, en la aterradora fugacidad de lo real existente, hace a cada ser humano menos imprescindible, y a la vez, más necesaria la búsqueda de trascendencia. Hoy estamos en un día de junio de 2015, hablando del descalabro físico. Treinta años atrás, como si fuera ayer, me sentía un tigre de Bengala y a medianoche salía a caminar por las calles de mi querido y peligroso barrio, cuna de lascivias y lealtades, con la misma energía y tranquilidad con que otros van a pasear con sus hijos al Parque Rodó de Montevideo o al Central Park de Nueva York, un domingo de tarde. ¿Cómo fue que todo pasó tan rápido, sin darme siquiera tiempo para darme cuenta? ¿Dónde estaba yo cuando el tiempo se estaba yendo a tal velocidad?

Claro está, pensar hacia delante puede ser más peligroso y deprimente que mirar la vida en el espejo retrovisor, pues, si me pongo a pensar, y no sé si quiero hacerlo, en treinta años voy a tener noventa, o estaré muerto, o inmovilizado. Sin embargo, imaginar el tiempo que está delante, considerarlo posible, ayuda a ver de forma menos trágica los años que han quedado atrás, de manera menos irreparable. Intentar vislumbrar los días de pasado mañana es una forma de entrar al túnel del tiempo sin saber lo que vendrá, ni si realmente vendrá algo. Me horroriza pensar en todo el tiempo que pasó mientras yo no dejaba de ser el mismo, pero aún más me horrorizan los vacuos intentos por querer adivinar el pasado mañana, y cualquier mañana del pasado.

S. G.: *Esa materialidad del tiempo se torna tema para tu escritura...*
E. E.: Así es. En el libro que estoy escribiendo, con poemas sobre realidades inmediatas que vendrían a ser «las cosas de la casa», la naturaleza aparece convertida en tiempo. Podría haber sido muy buen guardabosque, vivir para admirar los episodios de la naturaleza cuando invierten los papeles y

dejan resaltar lo intrínseco. Me decía Desmond Egan, poeta irlandés, cuando vino a visitarme a Texas años atrás: «Ahora entiendo por qué hay pájaros y árboles en tu poesía, ¡porque es lo único que hay en este lugar perdido en medio de la nada donde vivís!». A raíz de esa realidad que se filtra por la ventana, incluso cuando la cortina está baja, es que mi poesía actual reflexiona, no tanto sobre lo efímero de todo y nada, sino sobre lo instantáneo de cada segundo y minuto de la existencia; sobre la inconfundible velocidad de lo cotidiano. Tal como ocurre ahora mismo en nuestra conversación, también en la realidad empírica pasan cosas de las cuales uno no se da cuenta de que están pasando, hasta que ya pasaron.

S. G.: *Respecto a la idea del presente dentro de la poesía, del ahora, de «este ahora», ¿qué tendría que abordar la poesía para que realmente sea una poesía del presente?*
E. E.: El presente que pervive está en el lenguaje, no en los temas. El primer poema moderno en lengua inglesa es «The Love Song of J. Alfred Prufrock», de 1915. Uno de sus posibles temas es el del nacimiento continuo, es decir, el tiempo como estado irrepetible, en fase de permanente inicio. Días atrás, en la presentación de mi libro *La imaginación invisible*, publicado por Seix Barral, un muchacho, muy buen lector por lo que pude observar, me hizo un comentario sobre la forma en que leo mis poemas en público. Según él, a las frases les agrego velocidad sintáctica, aunque en otras ocasiones son ellas las que imponen el tono en son de vorágine del tiempo de la lectura. El poema debe ser un estado de iniciación continua.

S. G.: *Las velocidades, que son muchas dentro de una misma voz...*
E. E.: La velocidad puede ser diferente, incluso cuando uno se encuentra callado. Siento eso cada vez que en la mesa

de trabajo surge sin anunciarse la noción de la muerte, por lo que no me queda más remedio que dialogar con ella. En esos momentos debo hablar despacio. En cambio, cuando se trata de la aparición del deseo o de la naturaleza, del momento recíproco de un pájaro con su entorno, por ejemplo, persigo una velocidad distinta, con su propio canon y causa. La velocidad sale sola, sin que yo la obligue, según le toca y corresponde.

S. G.: *Claro, porque es inherente a lo que estás diciendo, a cómo respira cada cual, en alguna medida, ¿no?*

E. E.: Todo se aprende, incluso a respirar de otra manera; no hay que estancarse en aquel que somos de nacimiento. Para poder leer bien en público, tuve que aprender a respirar mejor, en forma menos «conservadora», digamos. Te cuento cómo fue, para dar una idea aproximada. Era 1986, y me invitaron a enseñar en Middlebury College. Yo tenía 32 años, y solo un libro publicado, *Valores personales*. En Uruguay no había salido ni una sola reseña, bueno, sí, una, escrita por el novelista Enrique Estrázulas, y publicada en el suplemento literario del diario *El Día*, que por esos tiempos era el más leído. La reseña, muy buena, salió publicada, cosa insólita, año y pico después de publicado el libro. Yo ya me había marchado del país. Un día le regalé un ejemplar de *Valores personales* a Randolph Pope, profesor, amigo y notable lector de poesía, quien al poco tiempo me contrató para enseñar, ahí, en el programa universitario de verano más prestigioso de Estados Unidos. Quedé sorprendido. Pasé de la nada casi absoluta, de estar prácticamente en situación de calle, durmiendo en el piso, a vivir como en un hotel cinco estrellas, no sé, ¡el Four Seasons de New York!, donde, por cierto, años después, pasé dos noches ¡gratis!

Estando en Middlebury, me dice Pope un día: «Quiero que participes en la lectura que organicé, en la que van a leer Fernando Savater, Antonio Skármeta y José Emilio Pacheco». La lectura fue espectacular, como de instantánea estelaridad llegada de pronto. Nunca antes la poesía me había hecho sentir tanta responsabilidad ante las inesperadas circunstancias. Se llenó el anfiteatro, y eso que era bastante grande. Savater leyó un ensayo corto; Skármeta, un cuento; Pacheco, varios de sus poemas más conocidos; y yo, unos poemas de *Valores personales*, además de dos inéditos. Al finalizar la lectura, uno de los asistentes, que resultó ser gran lector de poesía, me comentó: «Lo suyo es como las guitarras de un grupo de heavy rock, con un tono inconfundible logrado mediante la velocidad que le impone a la ejecución de las notas». Escribo para lectores así, que entienden con su mente cuando oye.

Lo mío, entre otras cosas, es un diálogo a máxima velocidad con la sintaxis (algo, por cierto, dificilísimo de lograr), con el arrebato rítmico y enrevesado que de esta sale. Recuerdo que esa noche Pacheco leyó su poema «Alta traición» con una lentitud que acalambraba, monótona. Cuando yo leí el poema que tiene que ver con el *Titanic*, con su hundimiento –un poema que a Pope le gusta mucho–, lo leí rápido, porque de esa manera, a ritmo de bólido, me había salido cuando lo escribí, porque solo de esa manera puede existir, ya que el naufragio fue rapidísimo, para los estándares de la marina mercante.

La segunda lectura que hice, dos años después, en 1988, fue con Marosa di Giorgio en St. Louis, Missouri, durante el primer viaje que ella hizo por Estados Unidos, y que yo le organicé. Yo leí primero, como telonero. Al terminar, Di Giorgio me dijo: «Te salió fabulosa». Quedé sorprendido por el comentario. Yo creía que había sido un desastre, que me había apurado demasiado. Di Giorgio leía con una velocidad diferente a la mía, por lo que esa tarde (algo de lo que vengo a darme cuenta recién ahora que te lo cuento), tuvimos una complementación sincrónica perfecta.

Cuando empecé a escribir poesía, escuchaba con frecuencia a The Who, a Led Zeppelin, a Jimi Hendrix. Y si vos le prestaste atención a esa música, recordarás a qué apabullante e imparable velocidad sonaban las guitarras. En la canción que es tal vez la mejor de la historia del rock and roll, «Baba O'Riley», la velocidad no es unívoca ni sistemática; avanza y se para, se detiene y progresa. Va a saltos de milimétrica sincronización. Alcanza su cumbre en el carácter impredecible del ritmo que va esparciendo por todas las zonas del poema. La poesía moderna no es otra cosa que eso: un estudio del aceleramiento y de la detención, de la gama de velocidades con las que está hecha la vida. La vida, nada menos.

S. G.: *Tu atención está puesta en la sintaxis, esa apuesta mallarmeana.*

E. E.: La afirmación, «apuesta mallarmeana», me suena a cliché. Mallarmé no fue el primero ni el único en prestar atención a la sintaxis. A decir verdad, Mallarmé no es un poeta que me llame mucho la atención. Cuestión de gustos y afinidades. No vengo de esa modernidad. Me parecen más interesantes las ideas de Mallarmé sobre poesía, que su propia poesía. Además, por encima de Mallarmé, en registro, tono y originalidad de procedimientos, están Rimbaud y Lautréamont, quienes fueron usinas de imágenes autorreferentes y prosodias imprevistas, habiendo sido además fundadores de la alucinada corrosión visual que caracteriza a la literatura moderna, como lo fueron asimismo Saint Pol-Roux y Jules Laforgue.

S. G.: *De pronto, lo que pasa con Mallarmé es que es como un gozne en el pensamiento poético para después, ¿no?*

E. E.: No lo veo tan así. Creo que hay una fetichización exagerada de la figura de Mallarmé. No le veo ni gozne ni goce. Los franceses han sido muy buenos haciendo *marketing* con sus escritores, incluso con aquellos que dan para poco. En sus compatriotas saben encontrar siempre una huella deslumbrante, tanto para promocionarlos como para intentar garantizarles una posteridad muy francesa, o una buena recompensa monetaria, como es el caso de Sully Prudhomme, poeta mediocre a quien le concedieron el primer premio Nobel de Literatura en 1901. En muchos aspectos, la poesía inglesa del siglo XIX enseña y distribuye tonos nuevos mucho más que la francesa y que la alemana. De Robert Browning y de «Sordello», poema dificilísimo, no se habla todo lo que se debería. Sin embargo, ha sido el trampolín para la configuración de varias poéticas modernas posteriores. Cuántas sintaxis vienen de ahí. Algún día me gustaría traducir «Sordello» por completo. Ahora que lo pienso, voy a hacerlo, aunque quién sabe si el tiempo que me queda por vivir me lo permite.

Volviendo a tu pregunta, creo que la poesía de Mallarmé ha sido sobrevalorada, debido seguramente a la estima que se le tiene a su pensamiento poético. Pero, si uno indaga a fondo, lo más innovador de la modernidad poética no salió de esa fábrica lírica, sino de la de Rimbaud, con su arsenal de imágenes avasallantes, las que saltan luego con proporciones diferentes a la obra de Pound, a la de Eliot, a la de Stevens, a la de Hart Crane, hasta llegar a John Ashbery (traductor de Rimbaud al inglés), sin olvidar a Montale (el de *Ossi di seppia*) y a los surrealistas. Tal vez la sintaxis de la poesía surrealista no sea tan elaborada (no sé hasta qué punto las repeticiones de imágenes y palabras son descuido, o apuesta intencional al estilo que busca enaltecer la espontaneidad del inconsciente), pero ha dado varios libros notables, como *Nadja* y *El amor loco*, de André Breton, uno de los grandes escritores del siglo XX.

S. G.: *Los estudios que has hecho sobre Julio Herrera y Reissig –que tiene adentro una máquina musical, esa idea de la masa sonora, que sopesa internamente el ritmo interno de cada verso–, ¿han influenciado tu poesía?*

E. E.: A Herrera y Reissig empecé a leerlo recién luego de publicar mi primer libro, *Valores personales*, en 1982. En Uruguay estaba tan mal enseñado en liceo y preparatorio, que no se le había prestado atención. En otras palabras, los uruguayos lo desconocían muy bien. Si leíste bien mi poesía, y leíste bien la de Herrera, verás que tenemos poco en común, salvo la idea, compartida también por otros poetas, no muchos, de que cuando se escribe un poema hay que meter dentro todo. La «masa sonora» a la que supongo refieres es consecuencia directa de un riguroso trabajo a nivel fónico y combinatorio, que es la esencia de la gran poesía de todos los tiempos. Se trata de algo que ya encontramos en Jorge Manrique, y de manera radicalizada en Góngora, Lope de Vega, Sor Juana, y de ahí en adelante. Leo muchos libros de gramática, porque me parece más interesante la gramática que la narrativa. Y mucho más que la política. Prefiero hablar del imperfecto de subjuntivo que de la labor del presidente del país.

La gramática, el pentagrama mental anterior a la proyección de un verso, es todo. Con la experiencia que da el trabajo constante a lo largo de años de oficio, el músico sabe que cambiando un dedo de posición consigue sacarle a la guitarra una nota diferente, y lo mismo pasa con los poetas que estudian y se toman en serio la construcción detallada del poema, la materialidad sonora de este, las maneras de provocar un desborde de musicalidad.

Cuando los estudiantes de mi clase de escritura creativa me preguntan, «¿qué debo hacer para mejorar?», les digo que lean y reescriban hasta que la tensión alcance un punto de saturación, pues de ahí proviene el resultado final; la gloria o el desastre. El intento o el logro. No hay punto medio. Por eso discrepo con Oscar Wilde respecto a que «el genio es uno por ciento inspiración y un noventa y nueve por ciento transpiración». Es cincuenta y cincuenta. Mitad y mitad, porcentajes iguales. Y eso se constata incluso en escritores que son bestias indoctas en cuanto respeto de las reglas gramaticales, como Roberto Arlt, por ejemplo, quienes logran generar innovación donde no la había, escritores que no manejan a la perfección las reglas gramaticales, pero saben operar con intuitiva originalidad los mecanismos intrínsecos del lenguaje.

S. G.: *¿Cómo es eso de no manejar muy bien la lengua?*
E. E.: Hay quienes escriben por intuición, y no con preciso conocimiento de causa del material gramatical y lingüístico a disposición. Aunque no soy del signo de Leo, leo narrativa no con la intención de que me brinde un placer diferente al que me dan la poesía o el ensayo, sino para encontrar estructuras gramaticales que desconocía o había pasado por alto. Lo único que me interesa como lector son las literaturas que presentan estructuras profundas del idioma en una dimensión irreconocible, esas que ayudan a descubrir perspectivas hasta entonces no consideradas, del mundo y de lo que somos cuando el pensamiento nos visita.

Hay poetas, caso de Rimbaud, por ejemplo, que son energía retórica pura, que nacieron con un diccionario incluido en su ADN. Me interesan poetas que además de conocer al dedillo su lengua materna, han agregado al imaginario productivo de la poesía moderna una combinatoria inesperada de palabras disponibles, que hacen saltar las frases por los aires, otorgándoles un aspecto y fulgor interno incandescentes. La poesía no se hace en base a corrección gramatical normativa.

En este aspecto cabe mencionar asimismo a Wallace Stevens y a William Carlos Williams, quienes, en gesto muy anglosajón, se pasaron la vida entera buscando apuntalar una voz propia, una forma de habla lírica reconocible. No en vano, lo último que escribieron puede considerarse extraordinario, porque, además, lo escribieron con la serenidad nada senil que otorga oír a la muerte decirles al oído: «Te estoy esperando». Los últimos poemas del doctor Williams, médico, por los cuales ganó el único premio importante de su vida, el Pulitzer y de manera póstuma, dan cuenta de un maestro del idioma de la cotidianeidad, del repertorio de voces condensadas en su escritura, de alguien que renovó el idioma inglés, la forma de utilizarlo y de añadirle giros y renuevos combinatorios propios, como también el modo de proceder para que la sintaxis al ser exigida tuviera efecto de implosión.

A los poetas estadounidenses los comparo con un cirujano notable o un experimentado capitán de avión, los que, cuando enfrentan un problema imprevisto durante una cirugía o vuelo, deben resolverlo de inmediato, aplicando al instante y sin margen de error su bagaje de conocimientos técnicos. El poeta que sabe cómo tratar a la naturaleza de lo inesperado es aquel que convierte a la escritura en acto de innovación.

S. G.: *¿Qué podés decir de ese término, «el barrococó»?*
E. E.: «Barrococó» es la definición menos inexacta que encuentro para referir a la poesía de innovación que se escribe a

partir de la década de 1980, y en la que el énfasis está puesto en la renovación de las posibilidades combinatorias y de dicción de la sintaxis. Ha habido mucha confusión y simplificación a la hora de etiquetar estéticas que coincidieron en determinada época, habiéndose utilizado el término «neobarroco» de manera indiscriminada para señalar un posible árbol genealógico conectado con la figura de José Lezama Lima. A decir verdad, Lezama nunca me interesó demasiado. No es una poesía que en su totalidad tenga un efecto acústico removedor, que auspicie un cambio profundo a nivel sintáctico y establezca estructuras prosódicas fuera de lo ordinario. La proliferación de imágenes en un campo visual sobrepoblado resulta por momentos interesante, pero pronto se hace monótona. Como que nunca sale de lo mismo. Su último libro, *Fragmentos a su imán*, es sin duda el que más me gusta. Es un poeta del barroco clásico adaptado a las modalidades sonoras del castellano de América, pero hasta ahí nomás.

En mi opinión, y destaco esto pues no es más que una manifestación de mis preferencias, a la poesía de Lezama le falta locura sintáctica, desmesura prosódica, embate contra la melodía del habla pronosticable. Escribió desde zonas confortables a las que la lectura ya estaba en cierta y verificable forma acostumbrada. Su aporte principal fue a nivel de la imagen, pero tampoco hay ahí un quiebre radical, como lo hay de manera sistemática en la poética de Oliverio Girondo. Lezama Lima se salteó al surrealismo, nunca lo entendió, ni siquiera hizo el intento por comprender la poética de fondo del fenómeno, pues el surrealismo fue eso, un «fenómeno», más que un «movimiento». Lezama lo subestimó, al mismo tiempo que celebró con aduladora complacencia a dos literatos conformistas sin novedad alguna, como Juan Ramón Jiménez y María Zambrano.

En el momento histórico en que poetas de gran calibre, como Paul Éluard, Philippe Soupault, Robert Desnos y Antonin Artaud, escribían una poesía notable, innovadora, que abría surcos en el campo minado de las imágenes, Lezama elogiaba los versos muy a ras del piso de Jiménez, uno de los poetas más elementales y sobrevalorados de la historia en cualquier idioma. Con más jotas que cante jondo, Jiménez quiere pasar por inteligente y *connoisseur* de los intríngulis de la modernidad (sus comentarios sobre poesía moderna parecen chistes de gallegos), pero en verdad es un himno desafinado a la obviedad extrema. Y en poesía, lo mismo que en cualquier disciplina artística, eso resulta imperdonable. Esos dos elementos clave de la lírica contemporánea, locura sintáctica y desmesura prosódica, sobran en la obra de Girondo, para mí, el mejor de todos ellos, ellos que son Neruda, Huidobro, Vallejo, José Gorostiza, Lezama Lima.

Por otra parte, me siento más cercano a la estética rococó que a la barroca. El rococó anticipó pautas formales que hicieron viable el paso casi inmediato de lo figurativo a lo abstracto, y la entrada a ese intersticio móvil al borde de lo inaudito y sublime, donde lo figurativo y lo abstracto dialogan superpuestos. La entrada no es otra que a un espacio expresivo acrisolado que llamo «barrococó», y que representa lo espurio de la historia en actividad, la versión contrastada de lo inútil, el iterativo desecho audiovisual de la realidad, en síntesis, una estética de hechos intangibles a los cuales hay que buscarles un lugar entre las cláusulas.

S.G: *¿Reconocés filiaciones, influencias, te mantenés en diálogo con otros poetas o con otras disciplinas?*
E. E.: En mi casa, cuando escribo, soy un viajero perfecto. Pero cuando viajo, soy un turista pésimo. Los únicos lugares

que visito son cementerios y museos. O me quedo en el hotel leyendo el día entero. Solo salgo de la habitación para comer. Hace tiempo que vivo de manera casi autista. Hay una película, obra maestra, *El arca rusa*, en la cual el protagonista viaja en el tiempo a través de la historia y de las etapas del museo Hermitage de San Petersburgo. En determinado momento le preguntan si quiere continuar, y responde en forma negativa. Lo que viene luego, a donde no quiere entrar, es la época moderna. A mí me pasa algo parecido con el Renacimiento; veo a Tiziano y me deslumbra, quisiera quedarme a vivir en los días fastuosos en que los cuadros fueron pintados, fijar ahí mi residencia permanente.

Busco que mi poesía esté a la altura de una estética señorial, de bellezas sublimes de ese rango, y para intentar lograrlo vivo casi de espaldas a la realidad, exento de redes sociales, y sin ningunas ganas de usarlas. Tampoco tengo teléfono celular. Antes que reconocer filiaciones, rescato mi diálogo con otros poetas situados fuera del radar, pues, si bien escribo en el castellano de América, no me siento por completo procedente directo de la tradición poética hispana, sino en muchos aspectos más bien de la anglosajona.

Cuando en la adolescencia leí a Andrew Marvell, a John Donne, a Alexander Pope, pensé como de inmediato: «Este es el mismo inglés que estoy intentando aprender, pero está escrito de manera diferente, como nunca voy a poder escribirlo». Por consiguiente, me di cuenta de que solo puedo escribir en español, y a contracorriente de cierta «normalidad» y corrección gramatical reguladora de las intenciones de la imaginación, poniendo comas, puntos, adverbios y adjetivos donde no deberían ir, quizá porque en mi mente hubiera querido escribir en inglés, aunque las palabras me salgan en castellano de América, cada vez más diferente al de España. Por cierto, la mayoría de las películas españolas de hoy en día debo verlas con subtítulos, de lo contrario no entiendo nada. Hasta con el «vosotros» tengo problemas. No sé si te contesto, no sé, pero es lo único que en este momento tengo para decir a raíz de tu pregunta.

S. G.: *¿Con muchos elementos, quiero decir con esa idea de la simultaneidad? Porque parecería que Tiziano pone en órbita muchas cosas a la vez, o Brueghel, en el que un pedacito de la pintura es un friso de todo...*
E. E.: Tiziano, Lorenzo Lotto, Brueghel, ponen en la tela –y en tela de juicio– todo lo que tenían *para ver* porque podían, pero asimismo, todo aquello que creyeron imaginar para hacerlo posible en la materialidad de formas y colores. Son narrativas visuales en las que se presenta algo, y ese algo que despunta en medio de los detalles se convierte súbitamente en la totalidad alcanzada. De ahí que el detalle *per se*, en solitario, no pueda ser descubierto con facilidad. Está, y no está a la vista. Los tres mencionados representan al artista que salió en búsqueda de un absoluto y lo encontró, entre las esquirlas de un plan mayor, en las porciones desperdigadas del relato personal cromático que podrían no haber figurado o bien dejado fuera, y sin embargo, resaltan en primera fila, pidiendo que les presten atención, exigiendo una respuesta a base de asombros, porque menos, sería quedarse corto.

S. G.: *¿No te reconocés en una tradición poética en español?*
E. E.: Por la lengua en la que escribo, debo competir –aunque no quiera– con Cervantes y Quevedo, con Martí y Darío, con todo el archivo poético del que procedo por el simple hecho de compartir el mismo idioma, aunque este, en más de un aspecto, nunca sea el mismo. Solo puedo escribir bien en una

lengua, el castellano americano, por más que también me sienta perteneciente a otras tradiciones lingüísticas, idiomáticas, estéticas y hasta gramaticales, que en mis comienzos fueron parte de mí, y en cierta manera lo siguen siendo, porque ya es muy tarde como para andar dando marcha atrás.

S. G.: *¿Y la gauchesca cómo opera para ti?*
E. E.: Cómo opera, me preguntas. Opera con acento es ópera, y yo canto. Soy a mi modo un gaucho cantor urbano, un criollo de boulevard –Sarmiento no lo hubiera entendido–, es decir, soy un criollo incompleto. Crecí escuchando Radio Clarín, tango y folclore. Me siento completamente uruguayo (oriental prefiero decir) cuando veo jugar a la selección de fútbol. En ese momento, de epifanía auténtica para la identidad de las emociones, me viene el recuerdo de las idas al estadio con mi finado padre, los goles que grité cuando lo único importante en la vida era el fútbol y la camiseta de Peñarol. Sigo siendo parte del que fui, para no olvidarme del que seré.

Recuerdo que de chico –tendría cinco años– estaba escuchando a Aníbal Sampayo cantar esa notable composición que dice «garzas viajeras, novias leves del azul», y me pareció rarísimo que alguien se llamara Sampayo. Si venía del campo y cantaba folclore, ¿por qué se llamaba Sampayo y no Zapallo? Algo parecido me pasó con Osiris Rodríguez Castillo. Con ese nombre, Osiris, debería haber sido río, arroyo, constelación, meteorito, antes que compositor.

Esa es una de las cosas que más me agrada de Uruguay; es un país con habitantes que tienen nombres de naturaleza, de río, de arroyo, de colina, en fin, de realidad vernácula, de cosmos local, los cuales, además, cantan y son poetas. El comentario viene al caso por lo siguiente. Puesto que mi apellido es Espina, y en mi casa había rosales, tenía solo dos opciones: ser poeta o jardinero. Puesto que no sé mucho de botánica ni de andar haciendo pozos en la tierra para plantar algo, una papa o coliflor, elegí ser poeta. Es la forma en que ejercito (sin ejército que me lo impida) el sentimiento de querencia, de apego a eso sin especificar por completo y que suele denominarse «terruño», región más mental que territorial. Mencionás lo gauchesco, y debo decirte que no es lo gauchesco en sí lo que realmente me interesa, ni el colorido folclorismo en torno a lo criollo oriundo, sino que es el campo de la patria con su fauna humana y animal, con su vida mineral, primaria y no tan relativa. Mi relación con lo gauchesco surge mucho antes de que supiese lo que era la literatura gauchesca. Emerge a partir del habla campestre, que estaba ahí, entre la gente compatriota que me rodeaba, producto además de la visualidad asociada al modo de apropiarse del ritmo de aquellas palabras que considero *autóctonas*, como si me pertenecieran por derecho de nacimiento, por venir de donde vengo y no de otra parte.

Cada vez que voy a Salto, a Durazno, a Tacuarembó, a otras zonas del interior uruguayo, y escucho hablar a la gente del lugar, digo «caray, este es el tono de la poesía que escuchaba cuando era chico». No necesité saber quiénes eran Bartolomé Hidalgo, José Hernández, Antonio Lussich o Elías Regules (cuyos *Versos criollos* merecen ser estudiados por estar olvidados), para poder escribir como yo mismo y ocupar el habla de un decir aquerenciado, propio de un «entenado» que nació con una procedencia que lo persigue a cualquier parte, incluso dentro de su propio país.

La literatura gauchesca llegó mucho tiempo después a mi vida, como asunto de interpretación literaria, pero no te puedo decir si realmente me interesa, más allá de los ritmos y tonos que auspicia la sintaxis cuando es gramaticalmente incorrecta. Todo el asunto generado en torno al supuesto valor y contenido político y social de la literatura gauchesca me aburre de manera supina. Quienes a eso se dedican lo hacen más bien por interés paraliterario, no por amor auténtico a la inteligencia estética de la poesía, la cual, en verdad, no entienden, eso me parece.

En otras palabras, y para no irme por las ramas (algo probable, pues estamos hablando del campo y de árboles nativos), lo gauchesco me interesa como habla telúrica, como prosodia que ha estado en mí desde el nacimiento, como manera de habitar una escucha reconocible a las primeras de cambio.

Me ha llevado la vida entera, y parte de la del más allá, hacer que el ritmo, en función del tono, funcione librado de desajustes un máximo de sílabas en un mínimo de segundos sin que ninguna quede fuera, porque en ese abigarramiento acústico, de superposición orquestada, no de saturación, las palabras no piensan tanto en qué versión de la realidad están relatando, ni si les interesa hacerlo, sino en el caudal de sonidos al que le llevan el apunte, porque ahí el aura bajo estricta libertad prosódica quiere decir algo, hasta que lo dice.

Por cierto, y relativo a esto, de la poeta y crítica argentina Delfina Muschietti recibí uno de los mejores comentarios que me han hecho y que tomé como elogio. Después de la lectura de mi poesía que hice en el ciclo El Erizo, en el Centro Cultural Rojas en Buenos Aires, principios de la década de 1990, Muschietti me dijo: «Escribís y leés tu poesía como uruguayo». Más que elogio, fue una dosis de alivio, pues estoy cansado de que cuando salgo al exterior me confundan con argentino.

S. G.: *¿El asunto sería volver escritura ese tono?*

E. E.: Eso es lo que hago cuando escribo poesía; expreso lo que soy, todo aquello que oí y que ahora puede escucharse en el poema.

S. G.: *También quería que me hablaras de cómo usás la puntuación.*

E. E.: Cuando los correctores de las editoriales me dicen que puse mal una coma, me río y les digo que no, que está perfectamente bien donde está, que para poder poner la coma en el lugar donde quiero que vaya ¡me pasé la vida aprendiendo variaciones sobre el uso de la pausa y la cancelación de esta! Si cambiara de lugar una coma, cambiaría también la respiración, el tono, incluso la forma como el silencio se expresa en los recesos. Ravel escribió el *Bolero* en cinco minutos, pero le llevó años encontrar el lugar preciso donde iban los silencios. A mí me llevó la vida entera aprender al detalle el sistema de pausas, recesos, y cesura. Por lo tanto, no creo que pueda explicarlo a manera de síntesis en este momento, Silvia.

S. G.: *Marosa [di Giorgio] decía, uno puede escribir en un ratito, pero ese ratito lleva la vida que se tuvo hasta ahí... y me estabas diciendo esa idea de la emisión, la pausa, el silencio, la respiración.*

E. E.: Soy consciente de eso. Luego de escribir un poema lo releo varias veces en voz alta; mis perros, sentados a mi alrededor, me oyen, me miran, piensan que estoy hablando con ellos, no entienden, aunque disfrutan (supongo, pues me miran, pero no ladran). La poesía es el acto de hablar con uno, con alguien (cualquier animal lo es) o con algo. Los indígenas de Norte América hablaban con las estrellas del cielo; los beduinos y bereberes, con la luna. Cuando hablo conmigo, me digo en voz alta: «Aquí va la coma, más allá no»; si la pongo antes, cambia la respiración. Si la coloco luego, apresuro el ritmo de las cláusulas, por lo tanto, hay veces en que dudo sobre la decisión a tomar, porque una coma y un punto, dependiendo de su aparición en la sintaxis, pueden cambiar por completo el sentido. ¿Debe este, y la prefiguración de un significado, tener prioridad? ¿O tienen que prevalecer el tono, la prosodia, las intermediaciones que posibilitan la variada gama acústica y la proliferación de cadencias? La respuesta debe ser según lo ameriten las circunstancias intrínsecas de cada poema. La pausa se impone de acuerdo con lo que llamo «pentagrama mental del poema», en tanto este quiere decir lo que dice, y en el tono elegido para decirlo.

S. G.: *Respecto a esa idea de la influencia o del diálogo, ¿qué relación encontrás con el surrealismo y hasta qué punto ha incidido para tu invención?*

E. E.: Ningún poeta que no haya sabido comprender la lección ética del surrealismo puede ser considerado moderno y con capacidad suficiente como para emitir novedades literarias. Uruguay es un país que vivió de espaldas al surrealismo, por eso ha dado tan pocos poetas originales. La libertad del surrealismo es la libertad moderna, la de nuestra era. Hasta Freud aprendió mucho del surrealismo, aunque nunca llegó a entenderlo.

Yo trabajo con ahínco la estructura interna y externa de mis poemas, por consiguiente, en lo estrictamente formal, mi relación con el surrealismo, cultor de la escritura del inconsciente, es casi nula. No obstante, la libertad mental que pongo en práctica cada vez que escribo un poe-

ma o ensayo se encuadra dentro de los cánones de la poética moderna, sobre la que el surrealismo ejerció tremenda influencia.

En Uruguay, país bastante elemental en cosas relati-
vas a la práctica de la imaginación, el surrealismo tuvo
nula influencia. En Argentina y Chile, en cambio, la historia fue diferente, habiendo sido los dos países de habla hispana en donde tuvo mayor y más productiva y prolongada
acogida, algo que puede constatarse en la obra de Neruda,
de Eduardo Anguita, de Nicanor Parra, de Gonzalo Rojas, de
Enrique Lihn, de Enrique Molina, de Olga Orozco, de José
Viñals, de Francisco Madariaga, de Perlongher, de Emete-
rio Cerro, de unos cuantos más de antes y de hoy, como Car-
men Berenguer, Silvio Mattoni y Mario Arteca, que son de
los mejores entre los vivos. El surrealismo fue una prope-
déutica de vida y escritura, de respiración y renacimiento, y
me ayudó a entrenarme para ver allende lo que vemos, a ser
parte de una experiencia al otro lado del lenguaje, según la
cual, lo más admirable de lo maravilloso es que lo maravilloso no existe, todo es real, y es todo ahora mismo.

S. G.: *¿Cómo entra esa compleja noción de patria*
en tus poemas? Viviendo en otra lengua además...
E. E.: Tal como ya dije, en la década de 1990, por una extraña
situación burocrática, estuve sin poder salir de Estados Unidos por casi tres años, tiempo en el que no pude viajar a
Uruguay. Cuando finalmente pude volver, apenas bajé del
avión tomé un taxi y fui al Prado, bar donde solía pasar las
tardes en una época muy anterior. Pedí una pizza y una
Pepsi. Por algo relativo a mi forma de pronunciar las conso-
nantes, el mozo, un hombre joven y educado, me preguntó
con curiosidad: «¿De qué país viene?». La pregunta me

descoloco. Me sentí extranjero en mi propio terruño. Cuando le dije que era «de Uruguay», se sorprendió. Me dijo que le había parecido muy peculiar mi forma de hablar, «porque acá nadie dice pizza ni Pepsi». La circunstancia lingüística auspició una larga reflexión sobre la conflictiva noción de patria, asunto sobre el cual yo había pensado poco, más bien muy poco. No sé si me gustaría ser «más uruguayo» de lo que ya soy, pero estoy seguro que no me gustaría ser «menos uruguayo».

La noción de patria, y es algo que pude comprobar tras vivir fuera por tantos años, no implica exacerbar un vago sentimiento, mezcla de nostalgia y melancolía, porque tarde o temprano uno se acostumbra a lo nuevo y desconocido del lugar a donde ha ido a parar. Significa algo de mucha mayor profundidad que las simples ganas de tomar mate o comer dulce de leche con las alpargatas puestas y salir a la vereda de su casa a saludar a los vecinos. De hecho, nunca tomo mate ni como dulce de leche, lo cual no impide que algún día pueda llegar a hacerlo, incluso a comprarme una buena bombilla de plata, un par de alpargatas azules para lucir acorde con las circunstancias. Todavía estoy a tiempo de ser completamente uruguayo. Aunque si obedeciera a la nostalgia cuando me acecha, me volvería loco. La otra tarde me pareció ver un jacarandá en el jardín de mi casa. Pero si aquí no los hay, ¿cómo era posible? Aquí no hay ibirapitás, tampoco jacarandás, pero yo cada tanto podía verlos mientras crecían. ¿Dónde aprendió la naturaleza a crear espejismos hogareños relativos al *karma* patrio reflejados en la naturaleza? ¿Fui yo, al rato de haberlo visto, o creído ver, quien cantó para sus fueros íntimos: «Yo adivino el parpadeo / de las luces que a lo lejos / van marcando mi retorno...»?

S. G.: *Hay un minuto privilegiado en el que todo está a la vez, esa instancia donde el tiempo propio está ahí como resumen en un presente extremo.*

E. E.: Esa idea respecto al «presente extremo» es muy cierta. Voy a tenerla en cuenta a partir de ahora. Estando en Montevideo de paso, por unos días, como ahora estoy, los olores, la sombra y el verdor invernal de los árboles, ciertos ruidos de la calle, y determinadas visualidades a la vuelta de la esquina, me han llevado de regreso a mi infancia, a los años de la escuela, los de la merienda a las cinco de la tarde. Veo el rostro de mis maestras –de algunas, recuerdo incluso sus nombres, el blanco sin registro de sus guardapolvos–, veo las frases que acabo de escribir recién en el pizarrón, cincuenta años atrás. Son imágenes y sensaciones que me transportaron a un tiempo que nunca caducará, aunque aparezca en la memoria cada vez menos. Igual que las luces en el teatro, se va apagando de a poco. ¿Será que cuando comienzan a morir determinados recuerdos, uno empieza a morir también con ellos, a desintegrarse a partir de lo irrecuperable?

Todo esto que te cuento está impregnado de una forma de melancolía a la que parece no hacerle mella el paso del tiempo, quizá porque es un tiempo muy distante, de hace mucho, ocurrido en otra época, irrecuperable incluso para la memoria. Entrar en esa fuga extrema de lo temporal es como querer encontrar utilidad vigente en lo inútil carente de posteridad. A fin de cuentas, el tiempo es una mecánica innecesaria, sobre todo a los efectos del entendimiento acicateado por un proceso racional que integra la reminiscencia a los hechos que van sumándose para redondear el exterior de uno visto desde dentro. Mirá lo que son las cosas al respecto.

En la caminata nocturna que di la otra noche por zonas de Montevideo –hoy consideradas peligrosas y que antes eran los barrios donde la gente salía de noche en chancletas a tomar mate en la vereda– pude reconocer todo eso que es lo indefinible y profundo del Uruguay, y que surge en mi poesía a manera de sortilegio inexplicable, constante. Cuando escribo, eso es lo que me sale. Cuando digo, «soy mi poeta favorito», lo digo porque al decirlo me siento el uruguayo que siempre seré, «oriental» a mi manera, y cuya imagen quizá no coincida con la del uruguayo «típico». Siento que algo imposible de evitar debe ser expresado, y que soy el único capaz de decirlo de determinada manera, una muy natural, tal cual me sale, que es la forma como soy cuando soy yo.

Orugas que han dejado de serlo

En el sueño que anoche soñé, anoche o el otro día, había mariposas. A diferencia del sueño chino de Chuang Tzu, en el mío, yo seguía siendo yo. Incluso al despertar lo era. Al mirarme al espejo, al cepillarme los dientes, al lavarme la cara, al ponerme las medias y los zapatos, varios minutos después, al untar manteca y mermelada en la tostada de pan integral, lo seguía siendo. Por un largo rato, mi yo fue mío en exclusividad. En la realidad soñada –no por ideal, sino por ocurrir en el interior del sueño– me pareció oír a una de las mariposas recién soñadas, no sé cuál, decir mientras aleteaba moviéndose ansiosa entre terraplenes de aire: «No soy Tzu ni tú». Esa mariposa sabía bien quién era. Fue al día siguiente del sueño de la noche anterior.

La vigilia inquietante sirvió para confirmar dispares certezas situadas entre el idioma y el silencio. Tampoco en los sueños las mariposas hablan mucho. Vuelan sin decir. El viento las arrastra, calladas, envueltas para regalo. Sin que hubiera nada en medio, la actividad del sueño acontecía mientras yo dormía. No soy de andar soñando despierto. Estaba demasiado oscuro, dentro y fuera de los ojos. Hasta en la noche del próximo día había noche. Son, por lo visto, animales nocturnos las mariposas. Aunque reinaba la oscuridad (vi su corona), las que había y volaban alto eran mariposas, similares a la que aparece en la canción: tecnicolores incluso en la resplandeciente cerrazón de un sueño con las luces apagadas.

Pocos animales con tanta fluidez incluida como la mariposa. «La mariposa, posándose en todas las flores, es la mecanógrafa del jardín», dice una greguería de Gómez de la Serna. Las mariposas tienen algo propio que las hace animales de proximidad, como muy parecidas a nuestra condición de cercanía. Ha de ser su inmediata fragilidad, su elegante forma de deletrear la existencia. Comparada con la edad del universo, con los millones de años que separan la extinción de los pterodáctilos de la realidad actual, nuestra vida es nada. Y tampoco a la nada la salva la edad.

La literatura presenta ejemplos diversos sobre esa «nada», entusiasmada con aquello a lo que le tocó en suerte acceder (deberíamos estar felices solo de estar, pues el verbo «estar» es sinónimo de vivir y poder respirar). Quiero decir, decía en la frase anterior, entusiasmada con la vida humana. Cuando alguien muere, la gente dice: «No somos nada», que no es lo mismo que afirmar, «nada somos». Si así fuera, seríamos eternos: la nada carece de principio y de fin.

Nosotros, en cambio, hemos tenido un principio, incluso quienes carecen de principios. Y demasiado fin inminente. En esto somos idénticos a las mariposas, salvo que hay quienes tienen algunos meses o años más de vida. Ellas vuelan, y a nosotros, la vida se nos va volando. Desprotegidas las vemos desplegar sus alas, elevarse por el aire con gimnástica dinámica, y al encontrarlas posadas en el rocío de la mañana siguiente pensamos en su efímera condición. Las consideramos un homenaje completo a la finitud.

Las tortugas, algunas de las cuales pueden vivir siglos, han de pensar lo mismo de nosotros. Y pensamos: qué vida tan breve tienen las mariposas. Cuestión de días, como esos amores eternos que duran cuatro semanas y a la quinta, se olvidan. Ellas, en cambio, las orondas y tan aéreas de la naturaleza, las superiores en elegancia y suficiencia, andan por la altura declarando su pertenencia al instante, diciendo que las vean bien o un poco mejor, que no pierdan la oportunidad de mirarlas, pues quizá mañana no estarán, ni menos, cuando es hoy pasado mañana. Y si dejan de estar, será porque se fueron para no volver.

Vida de mariposas tenemos: ellas, nosotros, cada uno. Por una elemental cuestión relativa al alma según sea, hemos creado la belleza de las artes –para eso nació la estética y por eso Immanuel Kant se hizo filósofo–; ellas, la traen de nacimiento. Con su gama múltiple de colores ocupando una anatomía, con sus sutiles movimientos alados en medio del paréntesis de lo invisible, las mariposas completan la belleza del cosmos que toda la fauna junta o por separado no ha podido hasta ahora completar. Ni siquiera los leones con su bigardo pelo de cantante de rock and roll luego del peróxido, tampoco los tigres con su apariencia bicolor que ruge y atemoriza, sobre todo si están cerca para que el asombro los ame de menos a más. La vida homenajea a las mariposas recorriendo galaxias terrestres, cada vez que las contempla en su campamento de mayor favorabilidad: en el aire pero bien alto, con toda la invisibilidad a disposición.

Cuando tenía quince años, era popular una canción de música tropical. La gente la bailaba en bodas y cumpleaños. Algunas canciones sirven para eso. Decía la letra: «mariposas amarillas Mauricio Babilonia». Fueron las primeras mariposas sonoras que conocí. Mariposas con ritmo de cumbia que no cambia, a las que me era imposible contemplar, aunque a cada rato las oía en la radio. Mariposas tarareables, dignas del karaoke del espíritu. Suaves Boeing sin turbinas llevando la transparencia del cielo de una parte a otra, volviendo luego para que la prisa no las extrañara demasiado. Y la canción continuaba: «mariposas amarillas que vuelan liberadas». Nunca vi una mariposa enjaulada. Entonces, ¿cómo son las que «vuelan liberadas»? ¿De qué sexo son, a qué signo zodiacal pertenecen? Por andar en el aire, ¿son todas de Aries? Y a la vida, ¿qué le exigen?

«Obsession», una de las mejores canciones bailables de la década de 1980, dice en un pasaje de su letra: «I will find a way and I will have you / Like a butterfly / A wild butterfly». Cuando en una canción o en un poema una mujer queda transformada por comparación en mariposa, corre el riesgo de cambiar de estatus o terminar con un proxeneta al lado, tal como sucede en el título del tercer álbum de Kendrick Lamar, *To Pimp a Butterfly*, que literalmente sería «proxenetear [verbo inexistente en español] a una mariposa». Aunque quieran, ya no podrán volar «liberadas». Canta Dolly Parton en «Love is Like a Butterfly», canción incluida en el álbum homónimo *Whenever I am with you I think of butterflies*. ¿Será tan así, que el amor haga pensar en insectos por bellos que sean?

Fue en esos tiempos de hace muchísimo, cuando me dijo alguien que «el amor es sentir mariposas en el estómago». A los pocos días comenzó a dolerme el mío, como si tuviera un animal aleteando en esa zona interior de mi organismo. Pensé que era «el amor». ¡Ah, el amor! Me preocupé, pues no conocía a nadie joven de sexo femenino que me atrajera tanto como para enamorarme, ni tampoco estaba enamorado de mí mismo, pues ya lo estaba. Supuse que las mariposas se habían equivocado de estómago. Supuse bien.

En la sala de emergencia, entre medio de enfermeras que corrían de un lugar a otro tratando de salvar a un paciente al que le había pasado algo peor que a mí, el médico de la mutualista dictaminó, luego de ver los rayos equis, que lo que me había llevado hasta allí esa noche no era amor, sino un cólico producto de la ingesta de demasiados embutidos y sabrosas achuras provenientes de animales muertos.

Lo mismo que en las entretenidas películas que terminan con el homicidio violento de alguien, de buenos y malos, a esas en cambio, mariposas de la vida al aire libre, quiero suponerlas volando vivas, rumbo a alguna parte, y a las otras, desafiando la caída, librándose de tener un destino similar al de Ícaro en el cuadro de Brueghel. De niñas aprendieron a imitar lo menos posible a los kamikazes, tan japoneses incluso a la hora de caer.

Por el mundo andan compartiendo alturas nada borrascosas con moscas, abejas y colibríes, acarreando en sus pequeñas antenas un viento tartamudo, ¿por causa o casualidad? Ni siquiera las más autistas han de saberlo. En un poema de hace mucho escribí: «La mariposa doméstica, como todo / lo que viene a existir acompañado». ¿Qué características tiene la mariposa doméstica que no puedan tener las demás? No lo sé, por eso pedí ayuda a la poesía con sus sinécdoques e hipérboles, acto universal de la mente humana que permite al desconocimiento sentirse feliz.

Porque pueden (porque sí), aprendieron a ir y huir solas, habiendo hecho del aprendizaje un arte por contigüidad. En la parte más invisible del aire, que la hay, donde insisten en el temperamento de su calma repartiendo un más allá sin mucho más acá, se han visto obligadas a inventar la velocidad que las acompaña. En su caso, rapidez y lentitud sintetizan una exacta sinonimia. Con el beneficio de la porción añadida a su itinerante hermosura, caminan con todos sus nombres y apellidos por las zonas expandidas de la brisa, donde resulta posible respirar a solas o dejar de hacerlo.

Por vivir en un presente temporal incesante, de anhelos acotados e instantes de infinito cotidiano, de futuro a corto plazo y de hasta aquí llegamos, a cada minuto sienten que la eternidad es para ellas la utopía menos confiable. La vida se los demuestra en el ahora de ya mismo, o en el de dentro de un rato. Magnifican la belleza que a su paso hacen parecer simple como la naturaleza cuando está en su sitio. Caléndula, lantana, lavanda, agapanto, áster, penstemon, girasol, sedum, azalea, penta, agastache, flor de la pasión. Plantas que las atraen al jardín, aunque no consigan hacerlas quedar. «¡Qué es poesía! ¿Y tú me lo preguntas? / Poesía... eres tú». Poesía serán hasta ellas que quieran.

Seamos objetivos: ellas no inventaron los colores, las anatomías, los gestos y designios, tampoco los tamaños o longitudes, pero algo han tenido que ver con el secreto visual que las prestigia haciéndolas presagio de sí mismas.

Mariposas amarillas, violetas, azules, anaranjadas, rojas, negras, o blancas para no ser como la nieve que no puede regresar al aire una vez que cae. El piso pasa a ser su hogar, su almohada horizontal. De tal forma relatan, y a mucha honra, su personal historia en el libro inmenso y confidente de la existencia. En otoño, durante el fugaz periodo en que las hojas caen, estas las imitan. Y tan bien lo hacen, que el aterrizaje es perfecto.

Con pizcas de veneros han hecho del vuelo a ninguna parte un viaje de bodas. Son la vida que nos cuentan, la verdad hallada en varios parajes del aire donde se les hace fácil malgastar su eternidad en cuotas, entrar a la cancha en desventaja. Acto seguido, practican la imparcialidad sin exhibir su erudición, para qué, si a nadie le importa. Saetas de presencia que no se mide por su módica condición, solo creen en alguna debida teología, en lo que no puede ser más porque si no, sería un oxímoron.

En expresiones del tipo «tiene cuerda para rato», «la procesión va por dentro», «no hay que perder los estribos», que escuchan mientras andan por donde les toque, encuentran la forma de dejar a un lado la amplísima monotonía que hizo del mundo su autorretrato. Sin distinción de colores, procedencia ni onomástica, así sus nombres se encuentren escritos en latín, las mariposas salen al mundo en auxilio de la naturaleza y las intemperies. Nacieron con esa tremenda responsabilidad.

No obstante, su tan solidaria forma de socorrer a la realidad es solo de la piel para fuera. Por una razón elemental (la realidad de los seres vivos las tiene entre sus favoritas), dejan que el mayor esfuerzo lo hagan las abejas, inquilinas del panal, las laboriosas de la fábula, aunque Esopo no las hubiera querido en la sopa por más que fuese de letras.

¿A quién podría apetecerle un consomé de falenas azules, con sedosas alas flotando en el caldo? Además, a la hora de producir algo dulce y efectivo para las alergias, las abejas pueden más que las mariposas. Se necesitarían millones de estas para fabricar un solo tarro de miel orgánica. Animales del hiato, acostumbradas a existir entre loros y avispas (para cuando llegan las luciérnagas ya están dormidas), no necesitan que el tiempo las abrevie para sentirse iguales a lo que ya son por derecho de conquista.

Juan Gelman, poeta cuyo apellido podría ser untado en pan sándwich –apellido que invita al colesterol–, se equivocó al afirmar: «Nombrar la mariposa no la hace volar». Al nombrarlas, las mariposas vuelan. Al menos en los labios. Se esmeran para llevar las palabras a destino. Una antología de cuentos del egregio escritor colombiano Armando Romero se llama *Una mariposa en la escalera* (1993). ¿Cómo son las mariposas en una escalera, aunque no sea mecánica? ¿Qué hacen ahí? ¿Suben, bajan? ¿Habrá mariposas que sepan usar el ascensor y apretar el botón indicado? ¿A qué piso van? De ellas, se puede esperar cualquier cosa. Hacen posible lo más probable.

Impresionante a partir de cómo puede serlo con tan escueto tamaño –representación viva de una nomenclatura venida desde lejos para lucimiento personal–, la mariposa es –presente y presencia– un animal poético. Sin ella no habría literatura, campeonatos de belleza, nocturnidad a plena luz del día. Su destino se anticipa al viaje, su felicidad viene después de haberlo sabido. Para la estética de las palabras literarias (que son las primeras en imaginarlo), es de mayor utilidad que la mosca y que la abeja; que la avispa y el moscardón. Estas especies viven y tratan de hacer su trabajo lo mejor posible; la mariposa, en cambio, juega al ajedrez con el esparcimiento (raras veces pierde). Es la moraleja de su fábula. Cada antología de poesía china es un álbum repleto de ellas, mariposas incluso aquellas que menos lo parecen. Como ahí, dimensión impresa del idioma, ya han sido cazadas, no tienen miedo de que las vuelvan a atrapar.

En un libro hoy de culto y cada vez más oculto, pues no lo han vuelto a reeditar, *Antología de la literatura fantástica* (1965), Adolfo Bioy Casares, Silvina Ocampo y Jorge Luis Borges incluyen la historia que dice: «Chuang Tzu soñó que era una mariposa. Al despertar ignoraba si era Tzu que había soñado que era una mariposa o si era una mariposa y estaba soñando que era Tzu». Hasta ahora nadie ha podido demostrar que las mariposas desconozcan la poesía, pues varias son las maneras para hacer que la poesía exista, no solo palabras y papel mediante. Papel principal tiene la mariposa en muchos poemas escritos en China a lo largo de los siglos. Menos conocido que Chuang Tzu, su compatriota Chen Xianfa (1967) tiene un poema, 以前的輪迴 («Reencarnación previa»), referido a una mariposa que llora desconsolada en la oscuridad. Su contenido hace alusión a la obra de teatro 梁祝 («Los amantes mariposas»), sobre dos amantes condenados, quienes tras la muerte resucitan convertidos en mariposas. No es la primera vez que el bello insecto aparece relacionado a una instancia de mortalidad y cesación de la existencia. En el poema de Victor Hugo, «Rosas y mariposas», están cerca del sepulcro, donde también suele haber flores y jarrones de granito donde depositarlas.

Contrario a lo que podría suponerse, en poesía las mariposas no abundan. Hay mayor número de poemas escritos sobre caballos, que sobre mariposas. En el poema equino «Soneto a Orfeo 1:20», Rainer Maria Rilke se pregunta: «¿Qué te puedo dedicar a ti, Señor?». Y llega a la conclusión, trece versos después, de que solo hay un único obsequio posible: «Su imagen te la dedico». Esa imagen es la de un caballo galopando en la pradera. En las praderas, al menos en algunas que conozco por haberlas recorrido, he visto mariposas posadas en el lomo de caballos que pastaban. ¿Podrían haber estado incluidas en el poema de Rilke? Sería difícil. Apenas el animal comenzara a cabalgar volarían despavoridas, salvo aquellas con genes de amazonas que se animasen a emprender la travesía encima del equino, sintiéndose partícipes comprometidas de una doma sin montura, a la cual los estadounidenses llaman *rodeo*, acentuando la primera o. Así como el poema de T. S. Eliot «mezcla recuerdos y anhelos», y el de Rilke caballos y Dios, en el de William Wordsworth, «To a Butterfly», lo sagrado aparece relacionado con una mariposa: «But she, God love her, feared to brush / The dust from off its wings».

Una poeta que ya nadie lee, muy desleída, Gertrudis Gómez de Avellaneda, tiene un poema llamado igual al de Wordsworth, aunque en español, «A una mariposa», en el cual resaltan sus dos versos finales: «Edad de la inocencia en la que un día / duraba tanto como veinte ahora». La inocencia no cumple años, pero para la mariposa, veinte días llenos de ahora y de hazlo ya mismo pueden representar la edad completa de su universo. Gómez de Avellaneda encuentra en la mariposa una certeza, y Alexander Pope una pregunta: «¿Quién aplasta a una mariposa con una rueda?». Hay carreteras muy transitadas que son para ellas un cadalso de asfalto.

Despiertísimas en el corto circuito del tiempo posterior a la sorpresa, son palabras aladas como pájaros ajenos. Con la paciencia de un bacalao en el plato, reparten quietud en el movimiento, más de su hoy del que nunca se sabrá.

Intermediarias de una vasta literatura escrita durante diferentes épocas, las mariposas fascinaron a dos autores que lo fueron incluso cuando soñaron que tal vez también ellos eran mariposas con manos y vocabulario a raudales. Virginia Woolf y Vladimir Nabokov podrán haber tenido dudas sobre dónde poner un punto y una coma, un adverbio o un diptongo, el próximo verbo en subjuntivo, la perífrasis durativa de gerundio, una metonimia con hipérboles en medio, pero no sobre el árbol genealógico del cual procedían.

El pasatiempo preferido de Woolf durante su infancia era competir con su hermana Vanessa y su hermanastro George, a ver cuál de los tres podía cazar mayor cantidad de mariposas, lid que terminó de la peor manera y para siempre la tarde cuando George violó a la futura escritora, cuya vida fue desde entonces un crisol de penumbra y oscuridad atravesado por mariposas, a las cuales coleccionó en cajas que, para ellas, las coleccionadas, se convirtieron en ataúdes demasiado reales como para quedar fuera de la literatura.

«Nada ocurre realmente hasta que no se escribe», dijo por escrito Woolf, quien vio proyectada en la vida corta de las mariposas la concisión autoimpuesta que tuvo la suya. En su primera novela, *Fin del viaje* (1915), hay un pasaje brillante:

Por algún tiempo ella observó una gran mariposa amarilla, que abría y cerraba sus alas muy lentamente sobre una pequeña piedra plana. «¿Qué es estar enamorado?», ella exigió, tras un extenso silencio; cada palabra que surgió parecía empujarse a un mar desconocido. Hipnotizada por las alas de la mariposa, y maravillada por el descubrimiento de una terrible posibilidad en la vida, se sentó un rato más. Cuando la mariposa se alejó volando, se levantó, y en el interior, sus dos libros bajo el brazo volvieron, al igual que un soldado se prepara para la batalla.

A diferencia de Mambrú, Nabokov nunca fue a la guerra. A ninguna. No fue soldado raso, tampoco coronel, sino lepidopterólogo (aunque sea difícil de creer, hay quienes lo son). Por consiguiente, no resulta exagerado afirmar que invirtió tanto tiempo en las variadas mariposas como en la variedad de palabras, negros insectos del diccionario, que utilizó. Al estudio y clasificación de las mariposas dedicó jornadas enteras que además de aprendizaje y aplicación de conocimiento, fueron asimismo de investigación literaria, ya que en los genitales de los lepidópteros encontró inspiración para sus cuentos y novelas. Profesor en la universidad de Cornell entre 1949 y 1958, sin haber llegado nunca a dirigir una tesis doctoral (por decisión propia), Nabokov publicó dieciocho ensayos académicos sobre mariposas, en los cuales presentó innovadoras hipótesis, confirmadas por investigaciones posteriores realizadas por otros expertos.

Para realizar el trabajo de campo que fue la base de sus estudios, recorrió parte del vasto territorio estadounidense, en viajes en los cuales arte y ciencia coincidieron. Esa diáspora voluntaria, motivada por una razón específica, produjo extraordinarios beneficios para la literatura. La escena final de *Lolita* (1955) sucede en Telluride, estado de Colorado, donde Nabokov descubrió la primera hembra conocida del tipo *Lycaeides sublivens*. En su decimotercera novela, *Pnin* (1957), aparecen mariposas Karner azul (*Plebejus melissa samuelis*), pequeñas y de ese color, subespecie en peligro de extinción, tan frágiles como el personaje que da nombre al libro. Igual que Woolf, el interés de Nabokov por las mariposas comenzó en su niñez, etapa de la vida en la que lo desconocido genera ansiedad y esta, urgencia por conocer cuanto antes el resto de la historia, aunque aquello a ser conocido pudiera dar la idea de ser una total inutilidad.

Nabokov las cazaba tal cual atrapaba a las palabras; cuando estaban distraídas mirando hacia su interior.

Su amor incondicional a las mariposas, las que para él no eran solo una idea en el aire, puede verse en una situación que podría ser parte de la historia general de la literatura fantástica. Cuando le plantearon que se mudara a Hollywood, California, para trabajar en la adaptación cinematográfica de *Lolita* (Stanley Kubrick le dijo: «Todavía creo que eres el único que puede escribir este guion»), Nabokov respondió de manera enfática que no. La negativa se mantuvo por un tiempo. Después cambió de opinión. El propio escritor explicó la razón: «Ofrecían unos honorarios considerables, pero la idea de manosear mi propia novela me producía rechazo. No obstante, cierta reducción en la actividad de los lepidópteros locales nos persuadió de que no sería grave desplazarnos hacia la Costa Oeste».

Nabokov, quien pasó siete años en el Museo de Zoología Comparada de Harvard, amaba desplazarse en carruajes antiguos, por lo tanto, no habría sido de su agrado irse del siglo XXI en un taxxi pues, además, odiaba el ruido de los automóviles porque perturbaba el silencio que invertía durante horas –hasta más de seis por día– cazando mariposas. En *Habla, memoria* lo relata de esta manera: «los quejumbrosos sonidos nos llegaban a mí y a mi verde cazamariposas hasta el sendero fresco y tembloroso».

La edición de Anagrama del mencionado libro tiene en portada una ilustración de Henn Kin del rostro de Nabokov. Tiene los ojos cubiertos de mariposas, como si estas hubieran sido las únicas imágenes que entraban y salían de su mirada. En el prólogo del libro encontramos un pasaje que destaca el lugar recurrente, primordial por su constancia, que en la vida del escritor tuvieron las mariposas: «Durante el verano de 1953, en un rancho cercano a Portal, Arizona, en una casa que alquilé en Ashland, Oregon, y en varios moteles del Oeste y del Medio Oeste, conseguí, en los ratos libres que me dejaba la caza de mariposas y la redacción de Lolita y de Pnin, traducir, con la ayuda de mi esposa, *Speak, Memory* al ruso». En la conclusión de ese párrafo escribe: «obtuve cierto consuelo pensando que esta múltiple metamorfosis, tan familiar para las mariposas, no había sido intentada anteriormente por ningún ser humano». Más adelante, a modo de aclaración, recalca una fecha clave: «a comienzos del verano de 1906 –el verano en que empecé a coleccionar mariposas– tenía siete años y no seis».

Quizá la muerte no sea más que una mariposa, heraldo policromo que llega de sopetón a donde nadie la llamó, proveniente de alguna noche anterior, para quedar presa de su asombro por haber podido. Por una imagen de menciones visuales parecidas pasan los versos de Mahmud Darwix (1941-2008): «Nada me lleva de las mariposas de mi sueño / a mi realidad: ni el polvo ni el fuego» («Sin exilio, ¿quién soy?»). Invitada que viene a comer a la mano de quien la escribe y la eleva a la categoría de literatura, la mariposa, incapaz de dejar de volar para ponerse a escuchar una canción –deja a mujeres y hombres esos menesteres–, es la silenciosa voz de una astronomía extraplanetaria, de una *saudade*: algo empieza a existir en su anatomía cuando el tiempo de añorar lo que no ha ocurrido queda concluso.

Hecha de exilios y estribillos, la mariposa es un animal que tuvo poder de encanto sobre Darwix, un Charles Darwin convertido en trovador del lepidóptero del tipo holometábolos. Lo cito, pues en sus poemas la mariposa se da cita en infinidad de maneras, y esta, ideal para la ocasión: «La mariposa es lo que no dice el poema». Si algo falta en este ensayo, o fue sin intención omitido, habrá que buscar en el movedizo insecto responsabilidades.

Nacido en una aldea palestina en donde lo que más vuela es la arena del desierto, a Darwix le fascinó dicho animal sea ya en su vuelo o quietud, tanto como al autor de este libro, oriundo de la República Oriental del Uruguay, país donde residen unas 2 000 especies de mariposas, suma mínima en comparación con las más de 165 000 especies existentes en el planeta, sin incluir a los varios cientos o miles que faltan por catalogar. Hay una muy consignada por el ojo colectivo, que la hizo suya como estandarte de una idea alada asociada a un mundo aldeano, situado en la periferia donde el mundo termina.

Conocida como «mariposa monarca del Sur», embajadora de aires y cielos cono sureños, la *Danaus erippus* es un lepidóptero ditrisio perteneciente a la familia *Nymphalidae*. Con pedigrí envuelto en bautismal lirismo, de no haber sido lo que es con sus dos alas en partes proporcionalmente iguales, bien podría haber sido metonimia en una metáfora neobarroca, o también: elipsis, proliferación, anacoluto. Dejo que Darwix concluya este párrafo, dejando hablar a la edad de las cosas duraderas, tal como lo hizo las veces anteriores: «Le dimos nuestra infancia a la mariposa». Yo, cada vez que veo una, siento regresar a varias o a unas cuantas de mis infancias, hasta las menos fáciles, todas muy del pretérito, todas, para quedarse de visita muy poco.

En las repisas de su casa mansión en Isla Negra (ni es isla ni es negra), Pablo Neruda exageró su afán coleccionista. Coleccionaba de todo (lo que le interesaba): caracoles, lapiceras verdes, mascarones de proa, máscaras de madera, fotos de poetas entre los cuales siempre estaban Charles Baudelaire y Walt Whitman, mesas, botellas, y mariposas provenientes de todos los continentes, aunque el poeta tenía un marcado interés por las africanas de origen selvático, con amplia gama de colores, sobre todo esos que por sus nombres seducen tanto a los ojos como al lenguaje: fucsia, esmeralda, cian, magenta, ámbar, chartreuse, grana. Informar «en mi casa tengo embalsamada una *Danaus erippus ditrisio Nymphalidae* color chartreuse pálido», era lo mismo que decir «en mi colección privada tengo un auto Packard con ocho cilindros dorados y tapizado con piel de tigre».

Para Neruda, las mariposas fueron algo similar a fugas de aire pintado que iban a cierta parte para terminar convertidas en inmovilidad coleccionable. Nada tan triste como ver una mariposa de aristocrático aspecto, que sin autorización de la naturaleza había pasado de la agilidad en pleno vuelo a detentar una pose inmóvil, de taxidermia más que de taxi, yendo sin GPS a un destino específico, y cuyo final, propio de un alma embalsamada, solo da para pensar o sentir compasión porque jamás imaginó terminar así.

Emisarias de quién sabe qué, a las mariposas no las cansa ni en causa las convierte tener como imposible misión llevarle las cartas al Espíritu. Nunca se les nota el esfuerzo por acarrear la finitud a donde menos se espera. De sí mismas aprendieron a vivir tan poco. En el camino que han hecho al andar intercambian huellas con su imagen propicia, que es la del tiempo cuando quiere quedarse, pero no mucho. Por ellas podrían haber sido escritos, aunque no haya ninguno que las mencione, los versos de Antonio Machado. Caminantes, porque el camino va con ellas.

Maravillas de frágil teflón absueltas por el paisaje –que sin mariposas sería un panorama incompleto–, van dejando para la hora siguiente la eternidad de cada instante hecho de posteridades a medias cumplidas en pleno destello, en lo mínimo obligado a ser mucho, y que al mundo dejó de interesarle. En el irreverente y movedizo acto de ir a donde nadie las ha llamado, reparten influencias y simetrías sobre las bellezas de lo real muy cercano. Si se lo piden, son incluso capaces de complacer al universo que las imagina como parte de un enigma amable, sin resolver. «Cucurrucucú, paloma», canta Pedro Infante. ¿Con qué onomatopeya cantar a una mariposa?

Otro que se cansó de ver a la naturaleza en acción, Henry David Thoreau, escribió: «La felicidad es como una mariposa: mientras más la persigues, más se escapará de ti, pero, si vuelves tu atención hacia otras cosas, entonces vendrá y se posará delicadamente sobre tu hombro». Apenas comienza a soplar el primer viento que las pone a prueba, aprenden rápido a sobrevivir en la prolongación de lo prematuro. Por igual se acostumbran al siroco que al garbí. Al pampero, en cambio, prefieren tenerlo lejos. Lo mismo que las palmeras y los cocoteros, y tal como le pasó a Cristóbal Colón en su primer viaje americano, son súbditas del primer viento amoroso que las invite a exagerar su quietud en pleno movimiento. En esa ráfaga peligran, se animan a pensar. Pueden.

Como si fueran antecedentes de una conclusión que se ha venido postergando, demuestran su acendrado activismo dando vueltas por la invisibilidad que abarca el orden natural. Sin necesidad de aplicar método alguno, desparraman argumentos óptimos en el aire proclive al esparcimiento. Parecen haber escapado de una maratón cósmica en la que resulta ganador aquel que llegue último a la meta. Con su crisol de iniciativas, la mariposa no es insecto de estadísticas; reparte coreografías carentes de orden preciso, dando a entender que es solo –sola o acompañada– una fragilidad de paso, en tránsito, una anomalía de la inmediatez. En el caos de la normalidad, sabe cómo salirse con la suya; en la era diurna triunfa invicta, descansada. Parece que hubiera despertado recién de la siesta.

Promisoria gramática en la que han pedido permanecer, las mariposas no necesitan prismáticos para descubrir el viento mientras se acerca. ¿A quién agradecerle por ese radar? Son por naturaleza la anatomía que al elevar confirman, generoso entrevero para ver al derecho y al revés. Detenerse en la flor de un ciruelo todo el tiempo que quieran no les baja el promedio de belleza asignada. Las zonas de tolerancia que ocupan en el aire universal les dice si vale o no la pena volar en cualquier dirección, ¿esta o la otra? Mejor esta. Hay lugares laicos que les impiden perder la paciencia, aquerenciarse en un vaivén de último momento. Ese esfuerzo no requiere exageraciones. A los ojos de alguien, llegó la hora de hablar de ellas.

En un día de mi infancia anterior vi una mariposa parada donde había varias. También ellas hacen simposios y congresos. Algunas se quedaban, no les costaba. Me pareció oírla decir «¿sabes qué?». En ese momento de monólogo y escucha pude verificar la artificialidad de un lenguaje que para explicarlo devino parte de las circunstancias, luego, ya no. De ellas salieron los ejemplos restantes. Supe que, como imagen propia a punto de dudar, persisten en el tiempo, sin dar a conocer las respuestas que han dejado a quienes puedan venir. Con la elegancia de un guante lanzado al aire, llegan hasta lo que quieren decir, pero por llegar demasiado pronto, jamás alcanzan a decirlo. Dijo el músico argentino Luis Alberto Spinetta: «La música se parece más a un animal que al hombre. Es como si la música fuera una medusa o una mariposa». Con hermosura que aprendió a vivir en frases entrecortadas, en mitad de un idioma que avanza a pasos nada agigantados, van camino a sí mismas, rumbo al pasado que dejó recién de pasar, aunque no de estar presente. La ausencia de brisa convierte a sus alas en aquello mismo que el viento quiere oír: el silencio de la nada, por dentro.

Mariposa no es solo un «insecto de boca chupadora, con dos pares de alas cubiertas de escamas y generalmente de colores brillantes, que constituye la fase adulta de los lepidópteros» (RAE). Es asimismo, aunque no sea un insecto experto en sobrevivir en el agua, un «estilo de natación en que los brazos ejecutan simultáneamente una especie de rotación hacia delante, mientras las piernas se mueven juntas arriba y abajo» (ibíd.). Y es, si bien la RAE no lo incluye entre las catorce acepciones de la palabra «mariposa», una raza de perro (*epagneul papillón*), famoso por su lealtad al amo y su mansedumbre a la hora de ser adiestrado; y también, una forma de cocinar los chorizos en el Río de la Plata (a la parrilla, abiertos al medio para que con el calor de la brasa se consuma la grasa).

Por consiguiente, soñar con mariposas puede implicar varias cosas que de aéreas no tienen nada: alguien nadando para intentar ganar una medalla; un can moviendo la cola de tan amigable que es; o un delicioso embutido preparándose con docilidad para terminar sus días entre dos rebanadas de pan o en un plato acompañado de un bife.

———

Por como posa al detener su vuelo, la mariposa es un pájaro que terminó convertido en insecto por haberse negado a gorjear, a tener nido, a temerles a los gatos y a las comadrejas. Con su destino a la inversa, de hija pródiga enemiga del regreso total al punto de partida, de progenie a la que dieron en llamar al amparo de las nomenclaturas, va rumbo a un hecho sin especificar del que no se ha visto ni la mitad. Vino tal vez a verse en la imagen del Espíritu Santo, a decirle a nadie lo que desconoce por salirle de lo tan profundo. Ganapán con protocolo de reina muda, solo un loco o un enfermo de atrabilis podría recriminarle por el tiempo que a nadie ha de legar. Qué pretenden que hiciera. A su debido momento, transcurre ilesa del achaque y el arrebato al sentido de apropiación en el que aprendió a sobrevivir. De su motín en el acatamiento, provienen las imágenes que vinieron a ser eso mismo que estábamos viendo.

«Ninguna persona es una isla», dice el verso de un poeta isleño, el londinense John Donne. Las mariposas son islas moviéndose a cada rato en la transparencia, y cuando suman unas cuantas hacen de la luz un archipiélago de visualidad con moraleja, invitando a convertir la sensación en afecto y conocimiento. Según Marisol Redondo Rodríguez, bióloga conservadora de los montes de Valsaín, España, las mariposas, especialmente las diurnas, pertenecen a «uno de los grupos de invertebrados de los que más información se dispone». ¿Será tan así? ¿Cuánto conocemos de su amor a las cosas quietas, de sus gustos estéticos, de cuando están tristes o están en otra parte a donde solo el alma alcanza a llegar? ¿Tienen una? Cada especie es poesía.

Si están cerca, la música de seguro se alegra de verlas. Pagaría una fortuna por poder escuchar su curiosidad. Y la poesía envidia los nombres que les han dado: vanessa americana, niña del nácar, duende mayor, medioluto Inés, taladro del geranio, zigenas, tornasoladas, relictas antiopas, montañesa vacilante, podalirio, endrino.

Con su ganadería léxica, escrita en la transparencia para que el tiempo no la vea ni la mirada las atrape, dejan a la invisibilidad del viento convertida en talismán, sobre todo en situaciones actuales o próximas, cuando mejor sería imposible. En los momentos que de ellas no sabemos el resto de la historia, le preguntamos a la vista. Son, según ese diagnóstico, el anverso de la quietud, más que nada al ir en reverso hacia al mundo que han dejado a medio recorrer.

Sentencia un proverbio chino: «El batir de las alas de una mariposa puede provocar un huracán en otra parte del mundo». Infinidad de veces he visto a varias moviendo con ímpetu sus alas y, sin embargo, nada se movía a su alrededor: ni siquiera el aire intentando saberlo. Los días en que veía alguna batir sus alas, miraba al rato las noticias para ver si en otra parte había llegado un huracán, un tifón, algún buen ciclón, pero nunca nada, nada. ¿Hasta cuándo van a seguir urbanizando el aire con su displicente andar por la invisible pasarela que tarde o temprano las termina llevando a la próxima mirada?

La depredación natural, la propagación de agentes químicos convertidos en *mariposicidas*, está acabando con la población del más amable de los insectos (aunque nada tengo para reprocharles a las laboriosas hormigas). Las ninfas del bosque continuarán acompañando la realidad, mientras las últimas en decir adiós y hasta siempre sigan haciéndose presentes, despidiéndose a su manera de las contaminadas alturas.

En la industria de la vestimenta hay marcas que tienen de logo a un animal, ninguno de ellos de los llamados «domésticos»: un cocodrilo (Lacoste), un pingüino (Penguin), un alce (Abercrombie & Fitch), una gaviota (Hollister), una ballena (Vineyard Vines), un águila (American Eagle), un gallo (Le Coq Sportif) y un caballo con un hombre encima (Ralph Lauren). Ninguna ha recurrido a la mariposa, carente de valor simbólico a la hora de vestirse. En el universo de los deportes profesionales pasa algo parecido. Hay clubes bautizados con nombres de animales (osos, carneros, tigres, pumas, cardenales, orioles, halcón de mar, panteras, cebras –el MSV Duisburg de Alemania–, delfines, abejas –el Brentford FC londinense–, murciélagos, falcones, búfalos, cuervos, avispas, peces espadas, pelícanos, caballos cimarrones, gamos), pero solo uno homenajeaba al insecto lepidóptero de acumulada belleza: Monarcas de Morelia, club mexicano de fútbol, el cual en junio de 2020 dejó de operar por decisión de sus propietarios. No más mariposas en el balompié. Tampoco en el mundo de los seres y las cosas se caracterizan las mariposas por su abundancia. Por el contrario, hay cada vez menos. Los bioindicadores lo evidencian.

Su creciente escasez acompaña al de otras especies que antes de terminar este siglo XXI existirán solo en libros y en la memoria de quienes sobrevivan para poder contarlo. Los ecosistemas del planeta están arruinados. Había una vez un hábitat, y había un ave –varias– que ahora está extinta. Dice el poema «La alondra y los alacranes», de Giovanni Quessep: «El tiempo colecciona mariposas». Antonio Machado le dedica el poema «Mariposa de la sierra» a otro poeta: «A Juan Ramón Jiménez, por su libro *Platero y yo*». No es un libro sobre una mariposa de colección, sino sobre un burro desalado (aunque no es, tal como algunos podrían suponer, una autobiografía o un cuento del tipo «Borges y yo»), el anélido más famoso de la literatura.

Dice al comienzo el poema de Machado: «¿No eres tú, mariposa, / el alma de estas sierras solitarias, / de sus barrancos hondos / y de sus cumbres agrias?». En uno de sus mejores poemas, «Oda a Federico García Lorca», Pablo Neruda le canta al poeta andaluz de Fuente Vaqueros: «Ven a que te corone, joven de la salud / y de la mariposa». Alma de tantísimas cosas, sobre todo la de su propia anatomía, la mariposa es mezcla de lo posible cuasi perfecto y del sueño de un mucho antes bastante inmemorial. Alas, color, donaire, y un inofensivo temperamento les otorgó su bien ganada reputación.

Un estudio reciente documenta más de 4 000 ataques de animales a trabajadores: casi la mitad corresponde a arañas, abejas, avispas y fauna marina. Entre las enemigas, no hubo mariposas. Lo de ellas no es el combate ni el embate contra la piel ajena, sino la celebración del solipsismo en el sentido más lírico y menos bélico: «sálvese quien pueda» (aunque ellas no se salvan por mucho tiempo).

Una noche helada a mediados de febrero de 1984, en ocasión del estreno en el cine Tivoli del documental sobre su vida, *Burroughs: The Movie*, conocí en St. Louis, Missouri, su ciudad natal, a William S. Burroughs, quien días antes había cumplido 70 años de edad, aunque parecía bastante mayor. Su palidez impactaba. Tras un breve diálogo posterior a la exhibición de la película, y antes de la firma de libros –la fila era interminable y todos habían llegado con más de un ejemplar para ser autografiado–, por una cuestión de afinidades instantáneas, quiero creer, o por haberle dicho que yo venía de la República Oriental del Uruguay (lo cual para el escritor fue como si hubiese llegado de otra galaxia o constelación), propuso almorzar juntos al día siguiente, después de otra sesión de autógrafos, esa vez en la librería *Left Bank Books*, de la calle Euclid, que aún continúa abierta, aunque ya no es tan selecta como lo era cuando la vida también lo era. Dejo la historia completa de ese encuentro entre fantástico y demasiado posible para un libro próximo. Burroughs era un libro escrito por la mirada de los demás.

El día siguiente amaneció tan frío como el anterior. Clima rimaba a la perfección con inclemencia. Fuimos a un restaurante ubicado a media cuadra de la librería. Pedí el plato especial del día que, tal cual me informó la cajera al momento de pagar, era todos los días el mismo. Lo único especial era que de especial no tenía nada. Como Burroughs, acompañado de su asistente, un hombre fornido con aspecto de personaje de novela policial, casi no hablaba y emulaba la estolidez de una estatua vestida con saco, corbata y chambergo de asesino a sueldo, comencé a comer en silencio un trozo del sándwich de pollo que tenía delante, con sus respectivas papas fritas a un costado del plato. Cada tanto, el escritor observaba con mirada de forense distraído su cada vez más intacto sándwich, en el cual sobresalía sin esfuerzo una tímida lechuga, que tenía más de intrusa que de sabrosa. Tuve la leve impresión, muy leve, de que el escritor no tenía entre sus planes comerlo, sino seguir contemplándolo. Un mantra de pan y ave.

Había nevado mucho durante la noche y la calle estaba blanquísima. La mirada del viejo escritor atravesaba el grueso ventanal empañado por la humedad, como si estuviera mirando fuera lo mismo que pasaba ese mediodía, pero cincuenta años atrás. El ventanal era en verdad un espejo retrovisor. De pronto, cuando yo ya había aceptado que la muda conversación contaba con la aprobación de ambos y que valía la silenciosa plenitud del momento, Burroughs me preguntó en tono balbuceante si Perú tenía frontera con Uruguay. Para mayor especificidad, acotó que Allen Ginsberg le había recomendado que visitara algún día el país andino, pero que nunca había querido ir porque le parecía que quedaba lejísimo. Después de mi respuesta, que nada tuvo de complicada, la charla –por razones fuera del libreto– derivó hacia un tema inesperado y aéreo que nos puso en sintonía inmediata: los insectos y los arácnidos. Hablamos de arañas y mariposas, las primeras por ser su obsesión, las segundas por ser la mía.

Sin recurrir al ubicuo «había una vez», me contó que en su casa de Lawrence, Kansas, a cuatro horas en auto de St. Louis, tenía de mascota una araña diminuta, cuyo veneno era letal. Al parecer el animalito era una máquina de matar seres humanos. Era implacable con las distracciones de quienes estaban presentes, justo cuando ella también lo estaba. Ni tiempo de buscar un antídoto daba una vez que introducía su ponzoña en la piel ajena. Yo le dije que no conocía ninguna mariposa venenosa y que dudaba de que pudiera haber alguna con tales características. Como si mis palabras hubiesen demostrado que la Tierra es todavía plana y carece de explicación, Burroughs me miró fijo. El visaje de su cara cambió. Su gesto fue al instante otro muy distinto. Sin tener que esforzarme sentí que éramos amigos inseparables de toda la vida. Al principio no comprendí su reacción entusiasta, hasta que comentó: «sería fabuloso que una araña con veneno mortal pudiese tener alas y volar». Imaginé algo parecido a una mariposa venenosa, con algo de mosca-cóndor dañina, de abeja africana, de vampiro enano que en lugar de chupar inyectaba mortíferas pociones.

Cuando estaba imaginando las dimensiones reales exactas del animal en cuestión, Burroughs interrumpió (casi digo «subrepticiamente») para preguntarme: «qué te parece, un animal así, ¿qué color debería tener?». Respondí que la maravilla alada solo aceptaría ser negra, oscura retinta, a lo que él acotó: «ese precisamente es el color de mi araña». De lo que más hablamos fue de eso. A los animalitos que con su mortífera picadura matan sin hacer distinción de personas les dedicamos varios minutos de la conversación que aún no terminaba. Aproveché la ocasión para decirle que el poeta inglés Rupert Brooke había muerto picado por un mosquito; y que a Alban Berg lo mató la picadura de una avispa, y al filósofo alemán Max Stirner la de una mosca venenosa, que de «rauda» y «divertida» (como la del poema de Antonio Machado) nada debió haber tenido. Burroughs abrió más los ojos. Pareció preocuparle que su araña asesina pudiera tener competencia donde menos se lo esperaba. Al rato cambiamos de tema.

Sin necesitar telarañas que las sostengan en el aire blando, ni tampoco tener que andar por los aledaños del planeta nuestro envenenando a plantas, flores y humanos similares a los demás, las mariposas, incluso las oscurísimas *swallowtail* pertenecientes a la familia de los papiliónidos, son como –y a veces idénticas a– escarabajos decentes que hacen todo por lo más alto, jamás por lo bajo, aunque las he visto haciendo lo suyo en los bajos fondos de las ciudades, zarandeando las alas entre el hollín y las multitudes que cruzan a prisa las calles justo cuando están cambiando de color las luces del semáforo. Han aprendido a vivir en contaminadas urbes superpobladas con rascacielos que se quedan cortos. Los errores en las alturas los cometen siempre en el capítulo siguiente. La falta de sinonimia de sus nombres sintetiza un volumen antológico del entusiasmo, organizado en orden alfabético. Al movimiento de poder ir a donde el azar las acarrea (y si el destino final es la taxidermia, en taxi propio llegan), le agregan una dimensión con su inconfundible parsimonia de seres librados de la casualidad. Con ellas, la belleza juega a la ruleta rusa con cinco balas en el tambor. Por ellas, el aire anda en la montaña rusa.

A diferencia de las luciérnagas –luz de bengala vengándose de la oscuridad–, a las mariposas las guía la claridad de lo descampado, aquello que de un momento a otro puede hacer su aparición en la realidad. El sentimentalismo les dio una inmortalidad que no depende de los buenos modales del destino. La imaginación que las guía puede más que la resignación. El universo e infinidad de versos se hicieron aficionados a su visibilidad, y en el movimiento encontraron razones para resaltar prosapia semejante. En el área chica de una jornada cualquiera se salen con las suyas, cargan las tintas en una anatomía desinformada que las hace superiores a partir de todo lo que prefieren evitar decir de ellas mismas.

Cuando se lo proponen, el silencio les hace caso, las oye elevarse despacio, con la lentitud que han inventado solo para uso personal. Así como se aclimatan a las miradas de quien anda cerca, relucen con el talento de lo desconocido, pasan en limpio las promesas que no llegarán a cumplir, ni a medias, ni por completo. En días calmos, que los hay, con el clima a disposición convertido en guardaespaldas, es cuando consiguen trasladar la liviana transparencia de una región a la siguiente, de aquí, hasta un poco o bastante más allá. Y del presente, a una dimensión carente de geografías. Marchan hacia la próxima vez de todo, a un tiempo exiliado de la cronología, que no está en sus cabales.

«El amor es eterno mientras dura», dijo Vinicius de Moraes. Las mariposas pierden su eternidad apenas la duración las abandona. El empecinado anhelo que las motiva las hace sentir nimbadas, sabias en piruetas hacia arriba y hacia abajo; como montaña rusa que no se cansa de ser al unísono altura y descenso, desplome y ascenso. Las acrobacias les salen gratis. Deambulan hasta hallar en sus revoloteos un hogar que las cobije y les dé tregua. ¿Será temor o recato la causa de la morosidad que las presiente? En lo torcido sin distinción, podría estar agazapado el primer adversario. Acto seguido, postergan la responsabilidad de su continuo debut. Están cada día de estreno, tienen eso de hacerle creer a la realidad que cuando alguien las ve, se convierte de inmediato en la primera vez de ellas. Son un nacimiento a continuación atrapado *in fraganti*.

Indiferentes a la zozobra de la luz (no son de respetar los semáforos), al primer viento en darles la última oportunidad, las mariposas hacen planes a ser cumplidos en una fecha previa. Hay en ellas un mecanismo de fotogenia por extensión, por antonomasia, al que únicamente la exclusividad de la vida tiene acceso. Representan la fortuita apariencia de una belleza natural que solo puede serlo de manera única, corta e intensa, sin sobrepasar en un ápice la posdata: haciéndonos cómplices de su mortalidad, nos obligan a sentirnos responsables de la nuestra.

La vida de ellas, su yo de viajeras solitarias, encubre las pautas de un complejo mecanismo subjetivo al que las palabras pronto se sienten invitadas. Las tienta el apego al país que sea, aunque bastante les falte para salvarse en la diáspora, y nada por perder apenas la finitud las arrecie. Para humanizarlas y hacerles saber. A pesar de haberlo pensado, en la ruta inmensa de la intemperie van dejando archivadas las pistas que habrán de borrar. Las mariposas: hacedoras de sus mensajes.

Al intento por definirlas vienen al pelo los versos de José Asunción Silva: «Y allí están las azules / Hijas del aire, / Fijas ya para siempre». Habitan el hogar portátil que les ha correspondido: el aire, donde tanto les da tener o no influencia sobre las causas perdidas. Para demostrar su disconformidad con la armonía, terminan siempre emulándola, haciéndole ese homenaje. No nacieron para la vida masiva, para el aplauso fácil de las multitudes, para ser perdonadas por anticipado. Son su única penitencia, el viento, los días nublados. También la nieve impía de los cementerios y los minutos de vida que resisten antes de encontrar su conclusión en uno de ellos. Escribe Irène Némirovsky, en *La vida de Chéjov*, biografía del escritor ruso: «Una mariposa nocturna, enorme y negra, entró en la habitación en ese instante. Volaba de una pared a otra, se lanzaba sobre las lámparas encendidas, caía dolorosamente, con las alas quemadas, y retomaba su vuelo ciego y fatal. Luego, encontró la ventana abierta hacia la cálida y oscura noche y desapareció. Chéjov, entretanto, había dejado de hablar, de respirar, de vivir».

Por el no tan simple hecho de poder estar donde el sigilo cesó de hacer preguntas, viven en la intensidad de su aquí en pequeñas porciones, lo mismo que el desconocimiento al prescindir de semanas. Es tal la perfección de su incompleta sabiduría, que pueden hacer suyas las imágenes abandonadas que no han podido llegar a ser las anteriores. ¿Qué sentido tiene insistir en los errores de la verosimilitud? Al menor descuido se encuentran buscando almas que no se fueron a ninguna parte, almas flamantes o epistolares a las que todo les parece bien.

Con risa desdentada que declara sus propósitos de manera cristiana, con transparente caligrafía capaz de transportar olas del mar en las alas, con su *cameo appearance* en la realidad donde los días existen por separado, cada jueves con su viernes, cada viernes con todos los viernes previos, las mariposas, a diferencia de los vampiros, pueden vivir sin morder a nadie, sin andar robándoles sangre a los hijos de cualquier buen vecino. A diferencia de las abejas, su sosegada actividad no es rentable. Pero son políglotas: capaces de volar en cualquier idioma. Solo les falta cantar. No temen dejar de existir si alguien las mira demasiado. En el sigilo encuentran la manera de descansar de unas cuantas cosas que permanecen calladas, y que así seguirán.

En su edición de bolsillo (y que nadie que yo conozca carga en el bolsillo de su pantalón), el diccionario Espasa Calpe informa que 'mariposa' es también «hombre afeminado u homosexual». En el apaisado campo uruguayo, donde caballos, carpinchos y mariposas comparten el derecho a la igualdad territorial y de género, me dijo alguien alguna vez, señalando con el dedo índice al referido ejemplar, vestido con botas y chiripá y a punto de montarse a su potro zaino: «Ese gaucho que ve ahí es mariposón».

¿Un lepidóptero humano gay? ¿Por qué, a efectos de marcar las preferencias sexuales de un individuo, se utiliza a la mariposa y no a la rana o a la jirafa, animales también aéreos, una por sus saltos y la otra por su cuello alto? ¿Se recurre a la mariposa por ser femenina, incluso aunque el sujeto en cuestión sea masculino? En Argentina, país del gaucho en sus varias versiones (no solo las que Sarmiento determina en *Facundo*), hay un centro de ayuda para chicas trans llamado Mariposas Libres. La mariposa: emblema de lo que también somos cuando la libertad dignifica y el derecho a existir resiste.

Un libro convertido en *best-seller* a fines de la década de 1960 tiene por nombre *Papillon*. Es mariposa en francés. En todos los idiomas es un animal lingüísticamente hermoso, vuelo acústico en estéreo: *farfalla* (italiano), *borboleta* (portugués), *pinpilinpauxa* y *tximeleta* (euskera), *papilio* (latín), *papallona* (catalán), *borboleta* (portugués), πεταλούδα (griego), *drugys* (lituano), *flutur* (albanés), *leptir* (croata, y parece nombre de reptil nocturno o de ansiolítico para casos de bi y tripolaridad), *butterfly* (inglés, nombre también de la conocida ópera de Giacomo Puccini, *Madama Butterfly*, estrenada el 17 de febrero de 1904), *kapalak* (uzbeko), *pillangó* (húngaro), *baboqka* (ruso), *bolboreta* (gallego), *panambi* (guaraní). En alemán, *Schmetterling*, suena a animal de suma importancia, poderoso. El führer máximo de su categoría. Parece un lenguaje dando órdenes.

Visita a la catedral de Santiago de Compostela sin varios de los muertos que no pudieron venir*
(Descripción de las almas al alcanzar su realidad plena)

Abro el libro en cada página principal. Aun a los
nombres librados del polvo olvidaron escribirlos.
Quisieran haber aludido sin volver la vista atrás,

---

* Mis padres habían planeado un viaje familiar para conocer Galicia, en
especial la ciudad de Santiago de Compostela. Ese viaje, primero por falta
de dinero, y luego por la muerte de ambos, nunca se realizó. Este poema

mirar como más de uno a la madre en su drama.
Pude ver también que habría eternidad para rato.
¿A cuál de los predicados le tocó existir antes de
traer al lenguaje más imágenes según el ejemplo?
Entro por entrometido al significado, y lo único
que veo es, tiempo tal cual en ascuas lo dejaron.
Una extensión positiva avisando a quien viene
otorga a la invisibilidad razones imposibles de
resolver de una vez sola. O como Dios manda
hacer el santo esfuerzo de buenas a primeras
sirve para evitar la verdad sin bajar la guardia.
Vivir es ver como ahora, a partir de cualquier
momento cuando la mente entiende para qué.
Vicios y virtudes avisan al pensamiento por si
creer se tratara de entrar a la vida a sabiendas.
Vale todo una cantidad, la figura diferente al
quedar ordenada de la mejor manera posible
bastará para dejar la duración lejos del reloj,
a las horas con sus pertenencias interpretadas.
La cercanía de las quincenas transcurridas en
orden alfabético es la del lar a seguir de largo.
Tan pronto como sea, se aprende a perderle
la pista a la vida del hallazgo, por aquello de
callar (aunque llegue el silencio en ayunas).
Nada lo explica, cambia el clima de plan,
cómo puede ser que todo sea según algo
muy lejano al caer la lluvia en los valles
que, vaya uno a saber, no están tan allá.

---

alude de principio a fin a lo que el fin convirtió en imposibilidad. Fue escrito
en mi segundo viaje a la Santa Apostólica y Metropolitana Iglesia Catedral
de Santiago de Compostela, el Obradoiro, imponente monumento a la fe,
hecho con piedra y plegarias, con roca y vocabulario.

La continuidad, más bien cuanto se dio
a conocer de tal manera, tiene derecho a
ciertos hallazgos sin otra finalidad que
ser afín a un eco recóndito, en el buen
sentido de las palabras: una compasión
empezando despacio pone a prueba al
responsable de nombrar a su albedrío,
a la suerte en igualdad de condiciones.
Naturaleza y sentido sabrán si lo son.
Son, existencias en estado recíproco.

El espacio atraviesa latitudes fáciles
al cambiar de parecer desapercibido.
Conocer qué tanto pudo ser salvable
es una manera de esperar cuando las
palabras escuchan a quien las escribe,
breves, estridentes entre campanadas.
Habla al alba la edad, podrá por eso
hacer que el cielo salga a la realidad.
Arena, piedra, drama para empezar.
La arena, llegada de orillas como la
espera de una causa a continuación.
Lo esencial será el hecho mismo de
ir donde el día llega, de separar a la
visibilidad del bien, aunque esté en
cuantos vengan a pedir un milagro,
la duda disponible se hace entender.
Por algo la plegaria impide explicar,
en la ausencia cede cansina la huella
sabiendo que la lentitud tiene prisa,
parada en un balcón al cual el canto
del cardenal vendrá a ser escuchado.

¿Estarían –por afinidad– pensando
quienes dan cuenta de la oscuridad
en la sombra temida de antemano?
Son cómplices, la simpleza, el céfiro
fallido, la fe vista dando vueltas por
el quinqué, no se olvida el brillo que
radiaría, descuida, la indiferencia del
infinito por carecer de una única cima.
Es lo que uno quisiera en caso de estar
muy por delante de las almas animadas,
a las que les diera la duración una mano.
En ese rito de pausas puestas de rodillas,
convendría saber cómo las cosas se dieron
para ceder su aspecto a quien jamás lo vio.
Dice el ánima, húmeda a mitad de camino,
la mirada dándose por inusitada no impide
que otro, el rostro al verse atrapado, venga.
Al contrario entrando nunca lo evita, se une
a la anunciación de inocencia hará mil años,
a días, cada cual con los minutos por contar
en la era cualquiera, o será demasiado pedir
al individuo unas ideas a su debido momento,
dejar al lenguaje elegir como cuando la mente
arenga en infinitivo para saber, ¡qué se siente!

Escribo por vez primera la palabra sanctasanctórum.
Escribo por penúltima vez la palabra sanctasanctórum.

Son ochocientos años de hordas y aerolitos animándose
a coincidir con su aniversario. Canta entre la tal catedral
la tranquilidad de vivir sin nada previo, como cualquier
simetría usada de excusa para explicar la contemplación

a las palabras que no habían planeado quedarse a decirlo.
Mérito será del tiempo, de la arena a cambiar de objetivos.

Por hacerse conocer, la canción echa mano de una lengua
hecha incluso claridad. En 1088, la historia se acomodaba
al ordo de la consagración agradecida de donde salía agua
bendita a dar cuenta de las buenas intenciones: sic cruce
signeris et templum Dei eris (haz la señal de la cruz y serás
templo de Dios); Ecclesia retro et ante oculata (la Iglesia
que mira para atrás y hacia delante, lo dijo San Bernardo).

Miramos hacia atrás, para llegar mucho después al núcleo de
su historia, al intervalo que muy bien podría valer la pena. ¿O
sería diferente si contáramos con guarismos de 'armas tomar'?
Tiempo que trajo, ranuras amigables, escena dedicada, sepultura
de apóstol por lo alto y lo bajo viniendo en ancas a tocar clarines

al son de la Berenguela. Y si fuera la fe libre de hacerlo, ¿qué decir si sucede? Hay un reloj con millones de ratos, hay un oro anónimo para cuando el moro embista y del brillo caiga a llamar la atención. Por haber ido de aquí para allá (debe por algo la iglesia comenzar), la sintaxis con la cual han escrito la noche boca arriba roba la voz a los diptongos para que haya más ayer anterior al de antier, qué duda cabe, en la iluminación del fantasma disponible en la niebla. O bien sin hablar con nadie la muerte pasa, una aun entre varias.[1] Rara manera de dar la cara (volveremos algún día sobre el tema).

La catedral anima a mirar donde amanece
para explicar cuándo la plenitud completa,
por qué de par en par el Espíritu despunta.
¿Cuánto fervor tuvo al ponerse de acuerdo
con la oda a la verdad venida a menos por
conocer al tiempo, también, al de las cosas
en otra época cansada de cantar canciones
que muy poco servirán al recordar en qué
fecha han sido hechas, la luz y la paciencia
de haber vivido las últimas consecuencias?

Apenas lo dispone un sapo de otro pozo,
los monolitos ponen a prueba al perdón,
nadie se anima a preguntar por el pecado.
La carne traviesa es traducida al arameo,
hubo antes una visión para avisar cómo
la imagen a punto de estar viva de veras

---

[1] Con el propósito de insistir en el improbable desciframiento de lo desconocido (que no es sino lo conocido cuando todavía no se sabe), muchos años después de haber escrito este poema leí el verso de Gerald Manley Hopkins: «O unteachably after evil, but uttering truth», y me di cuenta.

vino a dar por indebida a la misión para
poder decirlo, más seguido, al menos las
veces al hacer del incienso una hipótesis.
Vale para dar sentido a quien no pueda
dejar de alejarse, pero primero, de vivir.
La costumbre simple de ser para seguir
queda condenada al adiós, serena en el
santiamén del adiós al pensar, así pasó.
¿Pensar, como si fuera posible hacerlo,
pensar varias veces al perderse de vista?
La mirada apuntando hacia lo santo no
será lo primero en sentirse ocasionado
por los nombres dejándose alcanzar al
azar, adivinada en algo anterior al aire.
Quiere para sí, un pensamiento pasivo.

El descanso ancestral se cansa de ser
concebido por obra y gracia del cielo.
La luz en este momento parece haber
desaparecido hace tiempo, de repente.
Habrá venido el lucero que será como
decir, alumbra a sombras por encima.
¿Quién dijo que 'sobreviven abismos'
por haber desanimado a la visibilidad?
Hacen las causas caso omiso al perder
la infancia aparte de esto por una idea
determinada a medrar sin hacer drama.
Antes de pensar supuse algo tal cual el
cuerpo lo vivió, con el pensamiento en
persona, alerta para empezar a evitarlo.
Debieron pasar, ratos, ahoras hasta ser

diciembre, domingo, agosto, miércoles
apenas vinieran los inviernos a evitarlo,
todo, con las horas a pesar de pasar, la
Rúa do Franco, la fuente con poderíos,
al final, dependen de donde empiecen.

Vine hace años a donde estoy, otra vez hoy,
a leer una carta antes de escribirla por huir
del hado, aquello que vi ha venido a olvidar.
Qué debió pasar más, ¿los meses, la época,
un imperio de oportunidades y portugueses,
la edad al querer recordar todo hacia atrás?
A las palabras, les ha dado por ser dóciles
cuando solo les sirve aclararlo en silencio.
Nada propio acierta a sentirse inexistente
por entero al pasar, de la certeza a la falta
de almas para entrar a la trampa del lampo.
Las imágenes mejoran el registro angelical
elegido por la lógica añadida a la voluntad.
Es la misma, a modo de identidad dividida
por una ventana a punto de quedar abierta.
Una brisa corre al traer la virazón de fuera.

Le pongo unos céntimos al o mago da sorte,
en el cacharro de lata suena el futuro (una
de las pesetas debe a la limosna su rango).
Pasa el padre Manuel, pasa la misericordia
por haber alguien al cual el amor rareface.
Pasa, va con prisa, José Luis, el librero de
Folhas Novas (ayer estuve para decírselo),
hay una estatua como parte del promedio.
Una confusión de azoros y acceso celeste.

El mundo será lo que pudo estar cerca, un
milagro a medias es cuánto han traído los
ojos al hacerlo cumplir; la tarde puede con
el orden, la memoria, con cada vez menos.

El ruido a último momento, la promesa de
una escena con sol no irán más lejos que el
tamaño anual de un anacardo al acordarse,
porque así debieron verlos acostumbrados
para que los indicios dándose por vencidos
siguieran de pie. ¿Cuántos llegaron a entrar
a la eternidad cuyas horas serían incluso ya?

Libra, Virgo, Leo, Géminis. Han venido a orar
con vocablos mirando para aprender a ver más.
Cómo decirle ¿a una súplica gratis que la gloria
se azora de ver a la fe rodeada de seres y sores?
Otras hay a punto de comenzar su cante jondo.
El aire al estar en desacuerdo recuerda, nada le
parece resuelto, haya tal vez creído que sería la
semana previa, que la paz de los pensamientos
postergada porque nevaba pudo ser hace tanto.
A lo lejos, las noctilucas dan de luto el ejemplo,
hay una hora para irse con el tiempo, hay otras
para distraer al instante que ha quedado dentro.

¡Hace tanto que fue recién la última vez de nada!
En 1988, mis padres iban como cuantos van por
el universo con una cantidad de pasos, los lunes
los libraban de tener que vivir tanto en semanas,
porque el pasado solo sirve para hacer todo muy
corto, breve la hora de apurarse, la puesta de sol.

Cada lábaro por voluntad propia es símbolo
de, un eco por separado no tiene idea de qué.
Salvarlos con mi voz mientras hablaran bajo
sería pedir demasiado, será ¿pedir un deseo?
Ninguna consonante lo sabrá al pedir perdón.
Entonces, ¿en qué dormido dominio confiar?
Nada inhabitado sabrá llegar aquí en menos
tormentos dejados a un lado según los ritos
se han ido, tal como vinieron sin entender la
verdad por dar al corazón razones en secreto.
La vida será el viaje de los vivos a donde van,
como la nieve irá al verse en la blancura sola.
A través de sentimientos que debieron ser de
incertidumbre, el rostro de Cristo describe en
tercera persona su interpretación del prodigio.
Nada tuvieron que ver las oraciones con haber
olvidado la lección, cuál, ni con dejar al lenguaje
seguir, empezando por la gramática a sangre fría.
¿Cómo podría pensarse en lo uno o en lo otro sin
conocer aquello que al llegar será lauro, oro, aura?
Causas y asombros unidos por algún día principal,
a continuación, el silencio: para impedir explicarlo.
Los labios lisonjean a la vida entre ellos, enseñan a
perdurar como los ojos han explicado de aquí en más
a quien primero aprenda a salvarse por su cuenta:
rezar no es más que darle al resultado un susurro.

La piedra, su recorrido, ningún alrededor
incierto, y esta oración será, ¿para quién?
En la inmovilidad avanza una idea buena
para saber cómo dijo ser a deshora la era.
La respuesta dio para dar un paso en falso,

al modo de hablar le toca vivir en términos
generales, corre poco el riesgo de aparecer
para siempre ante el presente, nadie acaba
librando a la pérdida del peor pensamiento.
Vuelto de un mundo con lugar en otra parte,
el tiempo a tientas se ajusta a los momentos.
Le toca por corazonada ser canción de cuna,
responso para pasar por la casa del pasado al
cuidado de alguna consecuencia considerada.
La inclinación ha hecho posible el encuentro
con el templo del cual, la oscuridad da cuenta.
Al invierno se lo lleva la vejez, pero en la edad
del adiós los días no dicen si tienen, frío o calor.
Algo hay para permanecer enseguida cerca de lo
real donde el hado al dejar oír callara de repente.
¿Qué habrá en la superficie capaz de disponerlo?
Lo primero será la piedra apenas responda «no».
Igual, empieza a moverse; fe a mano desarmada.

Sursum corda, per aspera ad astra (repetir tres veces).

Las anatemas se libran al final del peligro, nada
nunca acaba para siempre y a cambio, pregunta,
cómo sería pasar la inmortalidad entre comillas.
Tal cual la endecha ha dicho, virtudes y ataúdes.
El error, ha sido querer que el infinito ocurra a
cada rato, que la mente demuestre lo contrario.
Porque pueden, porque les cuesta estar quedas,
las palabras al descuidarse pierden 'eternidad'.
Fueron abandonadas por un presentimiento o
presagio del cual, ya nadie habla bien ni mal y
el viento entra al rostro del ser apenas respira.

¿Cuál semana del mes cabe en la imaginación,
cabe contar el tiempo para que pase despacio
pensando en cuántas cosas existen al hacerlo?
Tan aprisa se han ido los días sin decirle a las
horas, que no todos son sino uno una vez sola.

No hay más que plan alguno y personas vivas.
La vida, es lo único que siempre debería estar.

Todo lo que olvidamos saber sobre el desconocimiento

En Irlanda, la gente lo cuenta como si fuera un chiste: «Un conductor detiene el automóvil y le pregunta a un transeúnte cómo se llega a Dublín; el preguntado responde: "Mi estimado, si yo quisiera ir a Dublín ¡no empezaría desde aquí! Pero bueno, no tenemos otro lugar y al final hay que ir a este Dublín..."». Y todo esto, ¿a cuento de qué? Los cuentos solo pueden ser explicados con otros cuentos contados por otros. Cuando alguien inicia un viaje habiendo tomado el camino equivocado, corre el riesgo de llegar a destino más tarde de lo previsto o, probablemente, de no llegar nunca.

El periplo se convierte en la narración que está siendo contada mientras una y otra vez el final –del relato y del viaje– es postergado. Aunque puede pasar que el final llegue mucho antes de lo esperado, cuando la vida no terminó todavía de contar su historia, si bien jamás sea una en singular, sino varias relatadas de manera coincidente en un hipotético ahora mismo, en simultaneidad de acontecimientos que se entrecruzan y superponen sin escisión, como senderos que no saben a dónde van o no llevan a ningún lado, porque están llevando a todas partes.

¿Cómo entonces, de qué manera, hablar de la «verdad» de una situación acontecida si no hemos sido parte de ella? Creerle a la Historia es aceptar lo que otros han contado; es continuar escuchando el relato ajeno. Al fin y al cabo, la vida no es sino una serie interminable de historias que hemos leído o nos relatan los demás. Tal vez no sea más que siempre la misma única historia, con idénticos protagonistas y acontecimientos, y solo las versiones difieren. Antes que ríos que van a dar a la mar, nuestras vidas son historias secas contadas o vividas de acuerdo con cómo las circunstancias las ordenaron y las han ordenado. Somos parte de un relato infinito, porque siempre habrá alguien interesado en saber cómo seguirá sin nosotros la historia después.

En la tan antigua historia del universo, hay miles de millones de historias, la mayoría de autoría anónima, por ejemplo, los chistes y refranes que la gente cuenta como si hubieran venido de la nada, permitiendo a quien los repite sentirse autor instantáneo de los mismos. La historia que a continuación se relata ha sido librada de su anonimato por intermediación del lenguaje, aunque para proteger la identidad de los involucrados fueron obviados y olvidados los nombres y apellidos que, para el caso, dejaron a esta altura de importar. Tampoco importa la fecha cuando los hechos sucedieron y cedieron su historia ocurrida hace mucho sin que fuera bastante, en un paraje apartado de Uruguay que es parte del paisaje, en la zona noreste, como quien va para Rivera, frontera con Brasil, pero aun no llega.

Era pleno invierno. A la semana le restaba un día para cumplir con el calendario. Fue, para decirlo antes de la próxima frase, una larga jornada de equivocaciones involuntarias. Primero, la del meteorólogo, quien vaticinó humedad en porcentaje normal para la época y cielo nublado, aunque sin presencia de lluvias torrenciales ni vientos huracanados, los que al unísono llegaron recién al final de la tarde, cuando la parte principal de la historia inesperada tuvo lugar en ese lugar y no en otro, del territorio uruguayo.

Para cerciorarse de que el viaje que se disponían a realizar durante el día no sería en vano, X y Z, quienes podrían ser también xx y zz (es preferible referirse a ellos con letras en lugar de falsos apodos, los cuales van mejor con criminales y estos no lo eran), tuvieron en cuenta el comportamiento del tan cambiante clima uruguayo. Temprano escucharon por la radio el pronóstico del tiempo. Para todo el territorio nacional anunciaban temperaturas frías, cielo nublado, en la mañana, y tormentas y lluvias, para el final de la tarde. Nada del otro mundo como para impedir que fuera una buena jornada para cazar en el monte profundo. En síntesis, otro día normal entre el viernes y el domingo, planeado desde hacía tiempo.

En un país emocionalmente organizado en torno a ellas, las nubes raras veces representan un inconveniente a la hora de disfrutar de un pasatiempo propicio para aliviar, con la matanza de animales indefensos, tensiones acumuladas por haber tenido que convivir con seres humanos durante la semana laboral y sus largas horas diarias. La puntería estaba pronta. A los dos implicados en la historia que terminó siendo únicamente la de ellos no les temblaba el pulso. Tenían un tino capaz de matar cualquier bicho en movimiento a varios metros de distancia. Podían por consiguiente poner la bala donde el ojo avizor quisiera.

En medio de aquel suspenso porfiado y montaraz, la primera parte del día con final incierto transcurrió mejor de lo previsto. Las presas se fueron acumulando, por lo que, de cumplirse el plan, podrían pasar semanas enteras comiendo perdices, por más que el destino, en ocasiones mostrando su lado vegetariano, no quiso esa vez que los hombres fueran a terminar siendo felices.

> La actual Ruta 5 fue hecha prácticamente sobre el viejo Camino Nacional, delineado, por tropas y carretas, cuando no existía el alambrado y los mayorales se guiaban por las estrellas, por las huellas o por otros puntos de referencia como cerros, arroyos, casas y ombúes.
>
> (Historia –concisa– de la carretera Brigadier General Fructuoso Rivera, una de las más importantes de Uruguay, cuya longitud es de aproximadamente 500 km.)

A Bob Dylan, cuya voz cuando canta parece estar pidiendo auxilio en medio de la nada, le encantan las carreteras. «Es el único sitio donde puedes ser lo que quieres ser», dijo. Como en esos *road movies* o películas en las cuales tiene protagonismo una extensa carretera llena de destinos finales, también en esta historia con principio y conclusión una carretera lo tuvo.

A la hora en que en el poema de García Lorca muere corneado un torero, a eso de las cinco y dos minutos de la tarde, algo que no había estado antes presente hizo su aparición. Tal vez hubiera sido el momento propicio para preguntarse, ¿por qué la gente tiene la necesidad de viajar cientos de kilómetros para poner el dedo índice en un gatillo y disparar con un rifle a un animal desarmado en movimiento?

Si el par hubiese respondido a la pregunta de antemano, antes de salir de sus hogares, seguramente nada de lo ocurrido, y menos el imprevisto desenlace, habría tenido lugar. Sin que lo supieran, las ganas de acabar con la vida de otros seres vivos los había puesto en un *cul-de-sac*, en una carretera sin salida, pero de ese destino fatídico vinieron a enterarse horas después, cuando ya no tenía sentido enterarse de nada. La nada a sí misma se borra.

A eso de las cinco y dos minutos de la tarde, justo cuando el atardecer empezaba a cansarse de esperar, porque había estado esperando desde el atardecer del día anterior, comenzaron a escucharse fuertes truenos. El cielo se ennegreció, y ¡zas!, hizo trizas su renombre. En cuestión de un pestañeo quedó casi por completo oscuro. Meteorología había acertado con su pronóstico. El paisaje dejó de ser una evidencia al alcance de la mirada.

Las nubes, cargadas de agua a raudales, no traían buenas noticias. En una región que amagaba a cada rato con hacerse desconocida, aquel era el paisaje atmosférico al que alguna vez el grupo musical uruguayo Los Iracundos le había cantado: «el cielo se está nublando / hasta ponerse a llorar / y la lluvia caerá... / luego vendrá el sereno». Pero, para que «el sereno» viniese, aún faltaba. En el estruendo con ruido de misil hubo un anuncio que los protagonistas no llegaron a entender. Con las bolsas llenas de carne muerta, X y Z decidieron iniciar el regreso –era lo más propicio–, no fuese a ser que un rayo sin otras razones los alcanzara con el mismo tino con que ellos habían arrasado parte de la fauna voladora de los alrededores.

Apenas entraron a la camioneta empezó a llover. A cántaros. Caían baldazos de agua. Tanta, que el temor de ambos comenzó a hacerse realidad a la misma velocidad con que el camino se anegaba. Greda grave. Los dos pensaron, sin decirlo, que el barro en formación dificultaría hasta niveles de alta tensión transitar por aquel camino en ruinas, que se encharcaba cada vez más a medida que el aguacero iba acrecentando su furia. La lluvia se anticipó a la noche y trajo con ella la oscuridad.

Fue cuando X le dijo a Z, o este a aquel (la historia no me la contaron con tanta minucia de detalles), que manejara con cuidado, lo más lentamente posible, con la lentitud con que se leen las cartas de amor, ya que la situación de anegamiento del terreno podría hacer que la camioneta volcara al menor movimiento en falso. Que eso llegara a ocurrir sería un desastre con otros incluidos. Donde estaban, pasarían horas incomunicados, días, antes de que alguien viniera a rescatarlos. Acorde con la longitud de su nombre, la República Oriental del Uruguay no es tan pequeña como a simple vista hacen suponer los mapas.

Entre las áridas estribaciones de un camino semirrecluido de tierra colorada apareció un secreto sendero en zigzag, de esos a los que no se les puede pedir soluciones paulatinas ni lecciones instantáneas de experiencia acompañada de certezas. Al crepúsculo poco le importó la fauna (parte de la cual estaba anidada entre los árboles) ni la flora preparada como obsequio peculiar para la mirada por eucaliptos y jacarandás.

De pronto, sin que nadie le informara a la geografía lugareña, entre la nada y la vasta naturaleza –en ese cruce de intersecciones– hizo su aparición un puente que del Brooklyn Bridge no tenía nada. Lo cruzaron. La distancia con la meta final sufría su primera derrota. Algo a favor. El regreso estaba en marcha. Cancelada la inseguridad cierta de que no iban a ningún lado (aunque ya estuvieran en un lugar), sino solo a un sitio que desconocían, sintieron que la realidad volvía a moverse con ellos en idéntica dirección. Iban tras el mismo destino. Iban, hasta donde ni los nombres serían capaces de decirlo.

El trayecto a través del camino anegado que a esa hora ocultaba sus rojizas tonalidades (de alguna forma visible debe ser descrito) que los llevaba hasta el empalme con la carretera principal, la «actual Ruta 5», y de allí a donde vivían y era su hogar, duró una eternidad (pasa lo mismo cuando las preocupaciones comienzan a parecerse al temor). Fue recorrido con el mismo mutuo silencio que el personaje del cuento de Horacio Quiroga, «El hombre muerto», quien entre chircas y matorrales rebanados enfrenta en la selva las calurosas y transparentes horas finales del último día de su existencia. El escritor salteño hubiera disfrutado el desenlace de la historia que siguió siendo esta, aunque ya todo había ocurrido.

Para interrumpir el excesivo entusiasmo a bordo del vehículo, la intemperie dejó oír el estruendo de un viento con estilo, como si recién hubiese nacido o viniera desde lejos ya organizado, con todas sus infancias a cuestas a buscar el rastro o rostro de lo fortuito donde ponerse a soplar, o reanudar su paseo en estampida. Y la lluvia, presente, de la cual huir o en la cual esconderse. Recoveco seguro para lo sagrado en fase de crecimiento: «Dios se desnuda en la lluvia / como una caricia / innumerable» (Juan L. Ortiz). Su presencia fue una de las pocas obstrucciones que sintió el ensimismamiento. La cosa iba para peor. Los rastros comenzaron a borrarse antes de quedar documentados, antes incluso de que el destino comenzara a abandonarlos con mayor rapidez de la supuesta. Así es esto. Sabiéndose exclusivo desde el principio, el destino hace que su singularidad sea infrecuente, que pueda con lo que otros no.

Con la caída de la noche, la invisibilidad disfrazada de cerrazón creció por todas partes, al menos por todas las partes que estaban en esa parte de la carretera, convertida en traición y laberinto en menos de lo que canta un gallo. Percibidas por los acontecimientos según iban sucediendo, las horas llegaron con un cansancio que podía escucharse, desvaneciéndose de a poco en cada momento que venía y pasaba. La exuberancia de la casualidad casi como que no pudo seguir esperando.

Se estaba haciendo tarde antes de que la muerte se enterara, aunque podría haber estado presente desde antes; nada en su compañía vino a rescatar la presencia equivocada, la de la realidad cuando se lava las manos. Dijo Mark Twain que prefería «el paraíso por el clima» y «el infierno por la compañía». Aquel no era el clima del paraíso, para nada, y la soledad de la irascible intemperie fue la única aliada disponible de los acontecimientos. En aquel paraje, que sin parecerlo era también parte imparcial de un mundo lleno de resultados, hubo un cambio de interpretación en la vida de quienes, sin tener idea alguna, se preparaban a dejarla.

Tormentas intensas y lluvias, algunas puntualmente abundantes y acompañadas de fuertes ráfagas de viento, pronostica para las últimas horas de la tarde de hoy la Dirección Nacional de Meteorología. Estos fenómenos climáticos se darán principalmente en la zona norte y noroeste del país. La mínima para hoy es de 12 grados y la máxima de 15 grados.

(Pronóstico del tiempo emitido en el informativo radial de las tres de la tarde.)

Aquella realidad empecinada y vespertina, con agua, viento y tinieblas a partir de la hora en que termina la siesta, había heredado una complicidad idéntica al destino, al inaccesible objetivo perseguido hacia delante. Fue uno de esos lugares poco frecuentes que permiten ver el fondo escondido en la invisible oscuridad de los panoramas a la vista, cuando la vida es un episodio cautivo de las circunstancias. Todo esto viene a cuento.

El sombrío paisaje en las inmediaciones de Rivera, aunque un poco más al Sur, impidió ver las flores del mal que estaban en desacuerdo, pero soltó una pregunta para quien pudiera pasar por ahí, algún alma, algún fantasma con vida privada.

¿Qué se hace con la belleza cuando aparece, cuando surge una estética intratable, y sin sustitutos, y la que está ahí es la desfigurada hermosura del horror con todas sus acepciones?

El acecho de las partes del universo que carecen de nombre convierte al desafío en beneficio, en cuestionamiento cifrado por aquello que quiere revelar y, sin embargo, posterga. La no normalidad de la realidad empírica quedó al instante naturalizada por lo que había estado ausente. Solo la realidad, para escapar de su rutina, salía beneficiada del sinsentido reinante.

Hablando de otro músico de su época, Aníbal Troilo decía que conocía su instrumento muy bien, pero que tenía un problema: no sabía tocar los silencios. El silencio de ciertos paisajes obliga a recurrir a una mirada a largo plazo, y sin música para entender lo no dicho, los puntos suspensivos, lo hablado cuando no está pronto para ser dicho. La mirada, rastreadora de vínculos, tiene la fortuna de salvarse de quedar a merced del espacio sideral, tal como quedó la perrita rusa Laika.

En la planicie, el monte y el estero de la patria aprendemos a indagar aquello que evaluamos con su gramática de emociones y realidades oculares, de la misma forma que en la vida hogareña convivimos con la belleza común de los animales domésticos, confirmando la forma secuencial de una pesquisa sobre lo real al alcance. Aunque se corra el riesgo de la desorientación, bajo los cielos de lo increíble debemos ver lo muy conocido como si fuera la primera vez que lo estamos viendo; como si lo reconocible contuviera en su interior lo desconocido.

Con forma de intimidad habitada o de intemperie cuando más brutal puede ser, la realidad activa un mecanismo de visualidades, la gratuidad de una perspectiva a la que no le sirve ser siempre la misma, sobre todo, luego de que la vida devino catálogo de disgustos, afectos y anhelos perdurando en el espejo retrovisor, en lo que hasta ayer era hoy mismo.

Pero volvamos a la historia, tan llena de ausencias propias. En su interior parecía existir lo que está lejos y solo otros oyen respirar a la distancia. El vacío del cielo era el de lo siniestro en su desapego. Daba la idea de lo que era sentir no estar vivo en los minutos previos a saberlo. La odisea salía derrotada por sus obstáculos, por un desafío que no perdió ni por un momento su estatus de posibilidad. ¿Cómo pintar la humedad, el viento sonámbulo, la nubosidad, y con ellos hacer un óleo vivo de todo cuanto la mirada está imposibilitada de ver, esas realidades que de solo existir quedan rezagadas, incluso en el pensamiento?

Hubiera sido buen momento para hacer una película sobre la lluvia, con el viento como principal integrante de su elenco. Cómo la habrían filmado, ¿en Panavisión Dolby estéreo, con qué tonalidad cromática en cinemascope habrían retratado las fisuras de la naturaleza en aquel rejego confín del campo uruguayo? La realidad, cuando nada resulta claro, se viste de lo más impensado por ser la primera vez de algo no menos inaudito por ser inusual. Fue el código indescifrable que no alcanzaron a vulnerar esos Ulises a dúo que se quedaron sin regresar, es que no pudieron, a donde sus Penélopes esperaban.

Aunque las dos personas del momento, X y Z, no lo notaron, el tiempo pasó, nadie sabe a esta altura si lento o demasiado rápido, eso siempre depende, y cuando quisieron darse cuenta llevaban ya varios ratos interminables tratando de llegar a lo que sería la salida de ese andurrial descampado a punto de anegarse. En ese lapso que va desde ahora hasta quién sabe cuándo, tuvieron el tiempo suficiente para imaginar el peor de los escenarios posibles. Eran varios: la camioneta volcada sobre una banquina, uno de ellos herido con graves fracturas, el otro sin saber qué hacer ni a dónde dirigirse, la comunicación interrumpida, y posteriores días de espera desesperante en medio de la nada. O también, muertos los dos, juntos y por separado. No habían terminado de pensar mientras imaginaban, cuando a lo lejos una diminuta luz en movimiento, la de un semirremolque rumbo a donde debía ir, les indicó que la puerta de salida a su creciente nerviosismo estaba al alcance, ahí nomás, como quien va hacia donde quiere y consigue llegar.

Al doblar para entrar a la carretera podrían haber oído por quién doblaban las campanas, pero había otras cosas menos importantes para oír en ese momento. Cuando el enlodado camino vino a encontrarse con el paisaje donde la tierra greda se convertía en bituminoso, detuvieron el vehículo; para fumar y creer que el destino volvía una vez más a pertenecerles. Incluso la intemperie al servicio de la cerrazón les pareció amable, dueña de un tono superior, como bien educada. Encendieron un cigarrillo, y otro, tal vez para celebrar por anticipado la proximidad del lugar incierto al que se dirigían.

Con el humo saliendo por la ventana del lado derecho, el final de una aventura que les había quitado el sueño vespertino parecía muy próximo, a la vista, aunque la cerrazón fuese total. Sin anunciarlo, el sueño se había convertido en pesadilla, en temor definitivamente instalado. Se olía su presencia. «El miedo tan extraño, / Decrépito, infantil, / Peor que lo temido» (Carlos Barral). La realidad amagó con volver a la normalidad. Solo hizo el amague, pues afuera en el mundo continuó lloviendo en forma desaforada. Y todavía faltaba un largo tramo por recorrer, cueste lo que cueste, así fuera por lo ecuestre.

Varios kilómetros los separaban de su Ítaca criolla, sinónimo de hogar con pisos de parqué. Sin embargo, algo había cambiado. El íncipit llegaba sin avisar. Ya no pensaban en lo que podría haber pasado y no pasó ni llegó a ocurrir, sino en lo que sucedería a continuación, apenas llegaran a sus casas en alguna parte, hambrientos y con un buen botín de fauna autóctona para cocinar sin mucho condimento.

Aún con un pie, mejor dicho, con cuatro ruedas en la dimensión desconocida, enrumbaron hacia donde la vida estaba esperándolos, eso creyeron: imaginaron la puerta al abrirse, la curiosidad de la familia por saber cómo había sido el día aquel en el monte tupido, los saludos acompañados de besos, abrazos y más preguntas, la intimidad del dormitorio, una ducha caliente, y el disfrute de la cena cerca de la chimenea, esa hipotética normalidad con que la imaginación premia a la mente cuando todo está mal, pero no lo sabe. De algo serviría la atareada jornada, iniciada tantas horas antes con cielo nublado, y concluida con truenos y agua a montones, aunque el día no había aún terminado.

Nevada, tal como somos.
(Comercial de la marca de cigarrillos Nevada, oído en radio pasadas las siete de la tarde.)

Cuando el mundo existe, ocurren cosas. Con sus anecdotismos y desacuerdos, la vida siguió estando presente. En medio del clima mostrando una de sus menos ansiadas facetas, la camioneta comenzó a moverse, de nuevo hacia delante. Sin necesidad de pensarlo ni de planearlo en retrospectiva, los hombres sintieron que estaban saliendo de una situación que habían creído superada. Prendieron la radio. El noticiero de El Espectador de las siete de la tarde informó que en la realidad de aquel día todo seguía igual, como cuando es lo mismo de otras veces.

El mundo de esa hora era tal cual lo habían dejado por la mañana. Mirando el reloj (lo peor que podría haber hecho),

X le dijo a Z que apurara la marcha para llegar antes. ¿Antes a qué? ¿Hay lugares con menos después? Querían recuperar los minutos infames perdidos en la lentitud de aquel camino en estado decrépito. Afuera, el peligro innumerable había cambiado de nombre. La torrencial lluvia vencía a los limpiaparabrisas, impidiendo ver a más de diez metros de distancia.

Escondido en la lluvia para que solo el agua torrencial pudiera verlo, un riesgo mayor los desafiaba. La alarma inicial permanecía en el anonimato, pero ninguno de los dos prestó atención. Cada yo en su solipsismo, cada ser por su cuenta. El escenario vial disimuló los pormenores climáticos, porque la carretera estaba en buen estado y nadie circulaba a esa hora por aquellos parajes tan al Norte y desolados. Si se apuraban, llegarían incluso a tiempo para ver una película policial –muy buena– que pasaban esa noche por televisión. A la ficción la encontraron primero en la realidad circundante. Llevaba escondido un manual de autoayuda visual, el cual incluía una fecha arrancada del calendario, con su grisura íntegra.

Dentro de la oscura tormenta estaba agazapada una sorpresa brutal, lista para arrasar las emociones que pudieran salirle al paso. El clima se encuentra cerca de las personas de una manera incomprensible, como si tuviera la necesidad de existir a través de algo, de alguien, de un avatar, ente vivo. Esa vez no fue la excepción. En la cumbre del trueno, la naturaleza hizo anuncios de último momento que no pudieron oírse enseguida. Luego fue posible escuchar un tono. Costó saber más que de costumbre. Los presentimientos disuasorios jugaron de locatario.

Dice el poema de José Manuel Caballero Bonald: «Por las ventanas, por los ojos / de cerraduras y raíces, / por orificios y rendijas / y por debajo de las puertas / entra la noche». La noche de aquel día recibiendo su oscuridad había entrado por todas partes, no hubo rendija que se librara del diluvio de circunstancias. Las demás cosas las hizo el destino tras haber cambiado a la marcha de objetivo. Nadie nunca supo, ni lo sabrá, cómo fueron los segundos finales de la última cacería de sus vidas, desde qué ángulo vieron el eclipse y el colapso aquellos dos deportistas de la nada (en los Juegos Olímpicos el tiro al blanco es un deporte, pero no hay medallas de ningún tipo para los cazadores).

Los diarios de la mañana siguiente –un domingo soleado– informaron, con escueto estilo telegráfico y las mismas letras de imprenta de siempre, que dos hombres de 36 y 37 años, los que eran X y Z, habían fallecido tras estrellarse en su camioneta *pick-up* blanca contra una vaca (la crónica policial no especificó si era Holando o Hereford) que, despavorida por el estruendo de la tormenta eléctrica, cruzaba en ese momento la carretera. Pocas veces el coronamiento de la casualidad convertida en fatídica y simétrica coincidencia tuvo una mejor oportunidad para hacer lo peor. ¿Qué pensaría la naturaleza sobre la mirada humana que indiscreta dispuso del paisaje como si fuera de veras suyo? Es de J. L. Borges la cita: «Ciego a las culpas, el destino puede ser despiadado con las mínimas distracciones» («El Sur»).

En pocas ocasiones el verbo *eyectar* puede ser usado en la plenitud de su acepción principal. La noche de ese día lo hizo realidad. También a sus sinónimos. Ambos hombres, para que no quedaran dudas, fueron eyectados cerca –o dentro, depende de la perspectiva– de donde de manera prematura la vida vino a quedarse sin vida; librada de solemnidades y amaneramientos. Murieron en el primer idioma que encontraron a mano. Fue una muerte *fifty-fifty*; mitad casualidad, mitad consecuencia (esa inhóspita señora nunca es rival esporádico). Básicamente, fue solo darse cuenta. A lo demás se lo tragó el sigilo, la muerte por obligación. Max Morden, narrador-protagonista de *El mar*, novela de John Banville (a quien tuve de vecino durante cuatro meses en Iowa City, en 1980), afirma: «A lo mejor todo lo que nos ocurre en la vida no es más que una larga preparación para abandonarla».

Lo que vino a continuación no estaba incluido en el libreto de la vida. Tal como solo el destino sabe planearlo con tan aterradora puntualidad (es un profesional de la antelación), la muerte hizo acto de presencia. Había decidido concederse a sí misma todos los galardones principales, aunque fueran muchos. En un santiamén, la naturaleza cimarrona dejó de ser amenaza para el desconocimiento.

Balzac –opinaba Somerset Maugham– podía imaginar mejor gente mala, que gente buena. En la vida, tan repleta de prosas tenebrosas y donde con frecuencia suele haber conclusiones mejores que en la ficción –por lo imperfectamente convincentes que pueden ser–, resulta más fácil imaginar finales felices que trágicos. Aquel, el de aquella noche, lo fue en su completo poderío. No había venido a reemplazar a ningún otro, final ni principio, tampoco a convertirse en contrincante de una oportunidad negativa bien empleada. ¡Con qué poco la vida se queda sin llegar a ser un buen ejemplo!

Los destinos y anatomías de ambos hombres y el de la vaca coincidieron en perfecta simultaneidad, en uno de esos instantes de inexplicable sincronía en que todo queda nivelado. Ambas partes llegaron en punto a la cita, para cumplir con el precepto de que en el mundo real no todo existe para ser obvio, y que el único viajero es aquel que acaba recién de partir y va en camino. La ausencia de posibilidad fue una de las originalidades de esa noche imparcial, en la que el destino decidió pensar por cuenta propia. Jamás se supo si los accidentados murieron en el acto pues, para cuando los encontraron, ya lo estaban hace rato.

Muertos hacía bastante. A esa hora, sin agua ni viento que pudiera interrumpirlo, el cielo permitió ver con nitidez las estrellas. Estaban como bien ordenadas, expiadas de cualquier contratiempo. La noche clara fue un relámpago persistente, *habeas corpus* de un universo intransferible para quien se sintiera vivo, porque lo estaba. Un verso de Vladimir Holan viene al caso para completar esa siniestra postal de la intemperie con escenario propio. La vida quedó consumida, «en el paso de la naturaleza al ser».

Las vueltas de la vida fueron las que imposibilitaron a esos Odiseos munidos de perdigones volver al hogar sanos y salvos. Se morían de ganas de regresar y al final murieron por otra causa. El *replay* de la realidad elige cualquier momento anterior para revisar lo sucedido. Tras un invernal día de cacería entre planicies y arboledas circundantes, dos amigos se detienen al borde del camino a fumar antes de retomar la carretera que los llevaría de regreso a casa. ¿Qué marca fumaron: La Paz, Marlboro, Richmond, Coronado? ¿O Nevada, porque el comercial que habían oído en la radio los convenció de que era ese el cigarrillo ideal para quienes a la hora de fumar se sienten «tal como somos»?

¿De qué hablaron? ¿De los animales cazados que yacían muertos en la parte trasera de la furgoneta? ¿De la vida en general? ¿En qué se diferencia la vida en general de la vida en particular? ¿Dónde comienza una, dónde termina la otra? Para cuando la realidad dejó de estar en medio, los detalles y clasificaciones perdieron importancia. La parada al borde del camino duró el mismo tiempo que lleva fumar un cigarrillo con filtro.

Dijo el aprendiz de poeta, no uno cualquiera sino quien lo dijo, que la vida no es más que una bocanada de humo. La vida, ese día, que terminó siendo el último para los dos fumadores con escopetas, tuvo un desenlace extraño, fatal, no causado por una sobredosis de nicotina. A los pocos minutos de haber retomado la marcha, en medio de una oscura noche de viento, aire frío, casi niebla, y lluvia a raudales, una vaca, de las que dan carne, leche y cuero, y que también iba a alguna parte, se les cruzó cuando era demasiado tarde para poner un pie en el freno. Semejante escenario de imparcialidad absoluta no resulta posible hallarlo en postales: en la contrincante cerrazón apareció la belleza del desconcierto, belleza más allá de lo soportable (escribió Rainer María Rilke que la belleza «es aquel grado de lo terrible que aún podemos soportar»).

El comienzo de la novela *Viaje al fin de la noche*, de Louis-Ferdinand Céline, encontró réplica en la atormentada realidad de esa tarde-noche con lluvia incluida: «Viajar es muy útil, hace trabajar la imaginación. El resto no son sino decepciones y fatigas. Nuestro viaje es por entero imaginario. A eso debe su fuerza. // Va de la vida a la muerte. Hombres, animales, ciudades y cosas, todo es imaginado». La muerte convertida por las circunstancias en invitada accidental. Los subtítulos fueron innecesarios. Todo quedó a la vista, para que la nada pudiera dar a conocer su punto de vista, uno de los varios que dispone en su repertorio.

La nada presentida perdió en determinado instante su neutralidad; rápidamente lo inmediato cesó de persistir (tampoco intentó cambiar de forma o contenido). Fue suficiente con haber llegado sin aviso a un país lleno de intemperies silvestres. Ninguno de los tres sobrevivió al impacto, que esa vez fue el del destino arremetiendo entre la velocidad y la fugaz conciencia de la naturaleza campestre, a la que la mirada de los uruguayos suele dedicar parte de su existencia. El trío fue a encontrar la fijeza final en el espacio empírico, y abstracto a la vez, al que Giuseppe Tomasi di Lampedusa llamó «los dominios donde reina para siempre la certeza».

En el primer semestre de 2018 aumentó en Uruguay 10,7 % la cantidad de fallecidos en accidentes de tránsito, comparado con el mismo periodo del año anterior, y se aleja la meta de bajar 30 % en 2020.
(Datos de UNASEV, Unidad Nacional de Seguridad Vial.)

Como si la realidad estuviera poniéndose al día, justo ese día, algo que no estaba en los planes de ninguno de los dos –y por seguro, tampoco en los de la indefensa vaca– hizo su aparición. En posesión de sus anhelos, de sus lamentos, de sus nostalgias menos recientes, era el mundo de las imágenes tal como escasas veces podemos llegar a conocerlo. Quizá la racionalización de la inutilidad haya tenido parte de razón, solo parte, pues lo más seguro es que nadie sabe, ni nunca llegará a saberse. El turno de la incertidumbre llegó para quedar cumplido a causa de una distracción.

La magnitud del drama se vio manifestada en la quietud de los cadáveres esparcidos en la carretera que les había servido de atajo al deceso. El azar del asfalto dispuso el arte final. Vaca y hombres cazadores, caídos a ras de una superficie plana y hacia delante, partes protagónicas de «lo espeluznante», aquello que Sigmund Freud (en el ensayo «Lo siniestro») definió como lo cotidiano que de pronto se vuelve extraño y toma un giro inesperado.

Sin respetar las reglas de ortografía del paisaje, las primeras y restantes imágenes en aparecer en escena parecieron venidas de alguna región distante y solemne, donde la vida en descomposición se anima a inventar propósitos desiguales. El suceso concluyó con el final de la espera, con aquella escena ensangrentada más allá de los límites donde solo sirven los sustantivos. Resulta apropiado para el caso el verso de Francisco de Quevedo: «Y su epitafio la sangrienta luna». Las circunstancias salieron a pelear todos los *rounds*, para no descuidar el motivo por el cual habían sido creadas para el nocaut.

Qué raro debe ser escuchar el estrépito del silencio despertándose de a poco, en dosis moderada, cumpliendo con sus requisitos antes de concluir el párrafo final. Como corolario quedó de manifiesto la forma de lo monstruoso hecha con los minutos posteriores a la normalidad. «El campo y la serenidad son dos grandes médicos», le dice Borges –personaje y autor– a Carlos Argentino Daneri, casi al final de «El Aleph». En ocasiones, la serenidad del campo puede ser el médico Jack Kevorkian: eutanasia a la intemperie con anatomía de animal con ubres, corriendo despavorido en el furor de una tormenta.

Con el espolón incrustado como lápida metálica, la vaca fue a fallecer encandilada por las luces de la camioneta, tal como cada año mueren de manera similar miles de pájaros al estrellarse contra la antorcha iluminada de la Estatua de la Libertad. Quiso el azar que todo fuera mera coincidencia. En pleno auge de un nublado resplandor camaleónico, lo impredecible estuvo de parabienes. Cuando le toca el turno, la vida responde al arte de la perpetua transformación (nada permanece, todo cambia), al anónimo llamado de un pensamiento adivinando, anticipándose a cualquier presentimiento empírico. Por eso le cuesta encontrar sentido en medio de la incertidumbre (la cual carece de nombre específico), en la exaltación de la anormalidad tantas veces eludida y mal aludida por el idioma. Después de todo, la naturaleza no es tan natural como suponemos. Son sus invisibles artificios los que la hacen posible.

Las huellas de un hombre al caminar sobre la superficie de la Luna pueden verse por televisión a miles de kilómetros de distancia. Las de dos hombres y una vaca al morir bajo la lluvia solo pueden ser vistas en la imaginación, porque el destino, al sentirse atraído por las circunstancias, se olvida de que hay otros asuntos de menor importancia para dejar de tener en cuenta. Para los involucrados, salirse con la suya hubiera significado no morir, pero a la hora –deshora más bien– del conticinio, la vida encontró a las tres víctimas sin plan B. Con sus millas de viajera frecuente, hizo la muerte acto de presencia. Los había tenido en la mira, y al momento de querer cumplió con sus propósitos, consiguiendo que fueran a morir en temporada baja.

En un instante de duración mínima, la existencia puede dar para convertirse en percance. *Cómo explicar los cuadros a una liebre muerta*, se llama una rimbombante *performance* de Joseph Beuys, del año 1965. Y a una vaca despavorida, atropellada por una camioneta cargada de animales muertos, ¿cómo explicarle lo que es eso llamado «destino» y decirle, además, que haga algo con él? A partir de ese momento, el sitio del accidente se transformó en recinto al que le han ocurrido cosas carentes de solución, y las conserva para sí. La fúnebre invisibilidad que vino *a posteriori* dejó pisarle los talones a la realidad.

La existencia humana es un «jardín imperfecto», escribió Michel de Montaigne en uno de sus *Ensayos* (1580). Más imperfecto puede ser el campo, la intemperie imperturbable, el espacio y territorio por donde los animales caminan crudos y aún emplumados, en donde la vida siente en carne propia el tajo cruel de los acontecimientos mientras la acechan. Vaya macabro chiste que vino a hacer la casualidad en medio de la nada. Tanta abierta infinidad de campo uruguayo, con espacio suficiente para miles de vacas y camionetas conviviendo por separado, y tuvo que venir a ser una convulsa, inexplicable causa, la que los hizo coincidir a la misma hora y en el mismo punto exacto del territorio nacional, en una zona de salida del mundo, en el éxito del *exit*, ocaso inaugural, principio inusual a toda costa, posdata absoluta de la ausencia de color.

Hay un pasaje –paisaje literario característico y muy citado– en el *Martín Fierro* donde el personaje homónimo dice: «Va' cayendo gente al baile», pero esa vez la vaca no había venido a bailar. Tampoco estaba cayendo; ya estaba caída. Lo mismo que en *El matadero* de Esteban Echevarría, carne y sangre ensayaron su amenazador protagonismo. La vaca fallecida tuvo un destino diferente al que para su especie había presentado con anterioridad *Radiografía de la pampa*, de Ezequiel Martínez Estrada, donde leo: «El ganado transitaba en libertad por la llanura, y el dominio del hombre sobre él era hipotético y en cada caso objetable».

En la noche aquella el destino no hizo ningún ayuno sublime. Paseó arreando su campal omnipotencia. Tal como suele hacerlo, desarma intentos abandonados de antemano, alimenta al minotauro aunque este no tenga ganas de venir, así se lo pidan o supliquen ¡por favor! El destino tuvo esa vez ganas de ser «lo impredecible», cumpliéndose de la manera menos pensada. Dice Walter White, personaje ficticio de la serie televisiva *Breaking Bad*: «El universo es aleatorio. Es un caos. Partículas subatómicas sin un fin que colisionan sin rumbo, eso nos dice la ciencia, pero no nos dice por qué un hombre cuya hija va a morir esa misma noche se toma una copa conmigo...».

Para no darles importancia a los dones intermediarios de la siempre voluble fortuna, ni tener que admitir la debilidad psicológica ante los desafíos, dicen que no es bueno hablar de buena o mala suerte en los deportes, aunque también en ellos, dentro de una cancha donde hay un balón redondo y 22 jugadores corriendo en pantalones cortos, lo mismo que en los demás aspectos de menor rango en la vida, resulta fundamental tenerla. Al menos un poquito. Con la fortuna a favor disminuyen las probabilidades de fracaso y hasta creemos tener un mejor control del destino (también del balón), aunque en vano la razón intente hacernos suponer que no intervienen factores externos a nuestra voluntad. A esa conclusión llega el libro *Luck: What It Means and Why It Matters*, de Ed Smith, sobre fútbol, escrito no por un futbolista, sino por un jugador de cricket.

En el vago territorio llamado vida, o *fortunocracia*, nación de los cabalistas entre otros habitantes incluidos, el azar tiene papel protagónico, el cual no puede ser suplantado por alguna actitud de prescindencia ni ser su influencia disimulada por vanas teorías que se quieran argumentar en contra. Al poner en marcha su enigmática maquinaria, la suerte puede ser capaz de alterar el curso de los acontecimientos. A veces estos se olvidan de regresar a su lugar de procedencia y ocurre entonces lo imprevisto. El día en que ambos, hombres y vaca, fueron a morir al descubierto, bajo la lluvia que borró huellas y trajo otras menos formales, la fortuna enfrentó una dicotomía a resolver de manera inmediata: o cambió de opinión respecto a los implicados, o bien dejó de interesarle seguir participando en la vida de los tres.

Cuando a la vida le llega su hora, la insistencia de lo desafortunado corresponde a un espacio físico simultáneo. Haciendo el mismo sonido que las manos hacen al dejar de aplaudir, el destino dejó constancia de lo ingrata que puede ser su actividad, aunque también ejemplo de indiscriminada ingratitud puede ser la enorme pregunta que pone a consideración. En carta a su hermana, fechada en 1842, Gustave Flaubert planteaba el problema de «la edad del Capitán»: «Ya que estudias geometría y trigonometría te voy a plantear un problema: un barco está en alta mar, salió de Boston cargado de algodón, su capacidad es de doscientas toneladas, se dirige hacia El Havre, el mástil mayor está roto, la toldilla está cubierta de espuma, lleva doce pasajeros, el viento sopla NNE, el reloj marca las tres y cuarto de la tarde, estamos en mayo... ¿Qué edad tiene el capitán?». El destino es la edad que desconocemos del capitán.

Con su espeso rumor carente de procedencia determinada, imaginado en un confín de la topografía que dificulta hacer lo mismo siempre, el destino hizo en la noche menos pensada acto de presencia. De tal manera estaba escrito. En verdad, ¿lo estaba? ¿Y si los dos amigos se hubieran quedado cazando animales inofensivos por más tiempo, sin prestarles atención a las nubes con su lluvia pertinaz y repentina? Habría muerto mayor número de animales pero ellos, los dos armados, se hubieran salvado. ¿Y qué, si no se hubiesen detenido a fumar al borde del camino, a cambiarles el orden prefijado a esos minutos que terminaron siendo cómplices de todo cuanto vino a continuación, impidiendo que la existencia continuara? ¿Y si en ese tramo de flamante bituminoso inaugurado no hace mucho hubieran ido a menor velocidad, tal como las condiciones climáticas lo auspiciaban? ¿Y si...? Luego de que las cosas han sucedido, resulta inútil ir hacia atrás a encontrar posibles preguntas para respuestas inexistentes.

La vida es eso que ahora mismo está sucediendo. Cualquier otra aspiración de certeza no es sino una hipótesis mal diseñada. De lo contrario, ¿cómo impugnar las desavenencias del destino, los planes de eso tan inasible que en un santiamén puede dejar de ser notorio? Al final, a manera más de responso que de respuesta, cabe regresar al recuerdo informal de las circunstancias, a la superficie incompleta de los hechos palmarios, pues, hablar sobre la vida y que esta parezca natural, lo más natural posible, es una inexactitud condenada de antemano al fracaso. En todo caso, es una impostura. El destino, el antipersonaje, ocurrencia de quien nos imagina tal cual nos ha creado a su imagen y semejanza, es siempre el inclasificable superviviente, una invisible estructura indomable.

Sin darles tiempo de responder, ni de hacer siquiera una llamada telefónica para intentar detener el curso de los acontecimientos que terminaron inaugurando el final, el destino deshojó la totémica margarita sin que hubiera de por medio el tradicional «me quiere, no me quiere; me quiere, no me quiere». Esa noche, la muerte fue la que más quiso y de manera exagerada. La vida, en tanto, sintió nostalgia por el rumbo que ambos no llegaron a tomar, por las huellas que deberían haber dejado atrás mientras iban hacia lo que ya nadie nunca podrá saber. Es probable que el destino se haya dado cuenta de que en la historia del día aquel hubo un error de ortografía, y que no era menor.

Todas las noches amanece se titula un libro de Ramón Carnicer de 1979. Aquella noche fue la excepción. No hubo amanecer siguiente del cual aferrarse. Cualquier falta de parecido con la ficción imitó a la realidad de esos momentos precipitados. La muerte había venido a ver el pintoresco paisaje de la vida justo cuando dejaba de estar presente para dejarle el presente a alguien más. Andaba por ahí, buscando experiencias ajenas para su colección universal. Vaca, lluvia y carretera fueron la cicuta. En todo aquello hubo mucho de inescrupuloso soplo doméstico, de algarabías a la inversa, de lugar en las antípodas al cual hubiera sido mejor no haber llegado jamás. Todo, vida y muerte al encontrarse, entró en un territorio librado de la oportunidad, mas no de ciertas certezas, siendo la siguiente una de ellas: los días de la vida, como los del amor mientras dura, no se miden por las lágrimas derramadas.

La duración habitada a la que llamamos vida es un hecho mal interpretado, contado casi siempre por otros para deformarlo. Según dice Janet Malcolm en el libro *Two Lives: Gertrude and Alice*, «casi todo cuanto sabemos lo sabemos, en el mejor de los casos, de una manera incompleta. Y casi nada de lo que nos cuentan sigue siendo lo mismo cuando se vuelve a contar». No obstante, tal vez porque el hombre tiene inteligencia y a menudo usa un atributo de esta, la razón, para intentar vencer al desconocimiento que le sale al paso, es que ante situaciones extremas, tal como pueden serlo una tragedia ocurrida fuera del libreto, o un hecho por completo afortunado (con final feliz), involucramos en la discusión a un ente abstracto carente de imagen precisa, al que por arbitrio llamamos «destino», y que ayudaría a contar la historia no sabida a fondo de manera menos «incompleta».

Extraño designio el de las palabras al servicio del diccionario: llamamos «destino» a lo que no sabemos o desconocemos muy bien qué es. De todas formas, hay por lo menos dos aceptables acepciones del término, las cuales nos llevan a tener una idea aproximada (quizá el destino no sea más que una vaga idea, no una vaca vaga) de lo que estamos hablando. Destino es: A) Fuerza desconocida de la que se cree que actúa de forma inevitable sobre las personas y los acontecimientos. B) Desarrollo de acontecimientos que se consideran irremediables y no pueden cambiarse.

Quienes tienen fe en una entidad sagrada, en epifanías asociadas a ella, en lugar de invocar una «fuerza» abstracta y desconocida, hablan de la voluntad de Dios, de un Ser superior situado en alturas celestiales y que tendría control total de la existencia de quienes vivimos en el universo de abajo, carente de explicaciones racionales (sobre las emocionales, vaya paradoja, sería posible argumentar). «Dios así lo quiso», solemos oír y decir. Los árabes legaron al idioma español una de las palabras de mayor hermosura auditiva y semántica que disponemos: «ojalá», la que al principio refería al anhelo de intervención de la voluntad de Dios en la vida humana, claro está, de manera siempre favorable a nuestros intereses mundanales.

Con su sinonimia de sutil mantra apto para cualquier ocasión, el vocablo alude hoy al deseo de que en la realidad acontezca algo (que no es una vaguedad, sino algo que específicamente queremos que ocurra, pronto, de ser posible, y de determinada manera). Por supuesto, la mayoría de las veces utilizamos el sonoro vocablo de manera laica y arbitraria, muy de cultura pop, pues pocos son los que tienen en cuenta a Dios cuando exclaman en situaciones triviales: «ojalá vengas a mi fiesta», «ojalá que mañana llueva», «ojalá que el supermercado todavía esté abierto», «ojalá que al pesarme haya rebajado algunos kilos», etcétera.

El destino de cada individuo no juzga al destino de sus semejantes (tampoco hay un undécimo mandamiento que imponga «no desearás el destino del prójimo»). El destino no entra en tales fútiles polémicas, practica a solas su impredecible gimnasia, su coreografía de razones irraciona les al servicio de lo que no se sabe por ser parte del desconocimiento. La inmortalidad de este no es un mero lugar común. Construye su imagen donde se encuentre, en alrededores que jamás permanecen inactivos.

En pleno advenimiento de las circunstancias suele sentirse al unísono víctima y verdugo, para disimular la indiferencia que la designa y quitarse, sin quererlo por completo, la responsabilidad de encima. A eso que acontece agazapado en su hondo misterio le dimos, incluso antes de conocerlo en persona, un nombre, hasta más de uno (destino, sino, hado, estrella), aunque su existencia siga siendo del todo dudosa, de responsabilidad inverificable.

La naturaleza es muy importante dentro del movimiento romántico. La naturaleza se compenetra con el personaje de este tipo de ficción, acompañándolo cuando está triste (con lluvia y nubes), cuando está feliz (con días soleados) o cuando está enojado (tormentas y viento).

(Apuntes dictados a los estudiantes por un profesor de Literatura en un liceo del DF, capital mexicana.)

Los escritores románticos convirtieron el destino –y su dependencia de la naturaleza– en tema literario recurrente. Agnósticos como fueron la mayoría de ellos, necesitaban de una abstracción para paliar a manera de consuelo retórico la efímera condición del ser humano. Los novelistas naturalistas, románticos por exceso, creían que cada persona nace con un destino asignado: como si la vida fuera un avión de alcance indeterminado, cuyo mapa de vuelo está establecido antes de despegar, indicada con precisión su hora de salida y llegada. Nadie, por lo tanto, podría escapar del sino o estrella que le tocó cargar como lastre desde el nacimiento, tal cual insiste en recordarlo Émile Zola en varias de sus buenas novelas.

De esta manera, todos vendríamos al mundo a pagar las consecuencias del pecado original (así es como se premia la originalidad), no el cometido por Adán y Eva cuando en el mundo había solo dos personas, sino el que nos legó el inescrupuloso comportamiento del destino, el cual por un lado tendría previsto un plan estipulado para cada individuo, y por otro, nos utiliza como conejillo de Indias de su idiosincrático modo de ser y de actuar, de su laboratorio de sorpresas y sortilegios en fila india. Para peor, nada nos dice al respecto –con todo respeto–, ni nos brinda siquiera una mínima pista sobre cómo será el arduo trayecto a recorrer durante nuestras vidas.

Si en verdad todos tenemos «prefijado» un destino, bueno sería conocer un poco más sobre el contenido o las intenciones del mismo, aunque no haya un manual de uso ni información sobre posibles contraindicaciones o efectos colaterales. Eso es lo que intentamos hacer apenas un hecho inesperado ocurre para advertirnos, de no tan disimulada manera, que los hilos que manejan nuestra existencia son demasiado tenues y vulnerables como para garantizar un punto de vista irrefutable sobre la vida. Somos títeres de una invisibilidad superior.

Poniendo en práctica un método de inútil aplicación, les pedimos a los designios adversos del destino que pasen rápido, cuanto antes mejor. Pero el destino nunca presta atención. Esa vez, con tormenta y oscuridad, en una larga carretera uruguaya, tampoco escuchó a nadie. El destino existe para desoír aquello que le piden haga cumplir. No se siente protector de las circunstancias. Por un desacuerdo de los que a menudo suele haber sin depender de alguna incomprensible episteme, en una noche diluvial entró en colisión con la vida. Los 13 750 millones de años de edad que tiene el universo quedaron condensados en un ínfimo segundo de temporalidad restringida, transcurrido entre la opima niebla y la lluvia mientras cambiaba de objetivos. El azar hizo *fast-forward* (en estas cosas solo sabe ir hacia delante) y se topó con la muerte, la misma e insistente muerte de todas las veces, llegando acompañada de calificativos. Fue uno de esos momentos.

La naturaleza no se atrevió a darle la razón a la casualidad. Para qué. Las causas fueron en verdad una sola y tuvieron a una decisión humana como responsable única del final prematuro. La entrada a la eternidad antes de tiempo se debió a la mala idea de pisar el acelerador del vehículo, justo cuando viajaban entre lóbregas y duraderas tinieblas, con la lluvia llevando por su sendero al desastre, de la misma forma en que el ciego guiaba a otros ciegos en el cuadro *La parábola de los ciegos* (1568), de Pieter Brueghel el Viejo. Lo único que se me ocurrió pensar cuando me contaron la historia fue en los versos escritos por el poeta ruso Serguei Esenin el 27 de diciembre de 1925, minutos antes de suicidarse (tenía 30 años), colgándose de una araña en el techo: «Morir en esta vida no es nuevo, / pero vivir tampoco es nuevo».

Las imágenes volvían por las suyas al lugar de los hechos. Estaban las que podía haber. Con la noche encima, todo terminó tal cual los dos hombres lo habían imaginado cuando salieron aquel día de sus casas, temprano por la mañana: descansando bajo el cielo claro de una noche indefensa. La carretera estaba pronta para coincidir, iluminada de tal forma, que fue posible llegar «por lo áspero a las estrellas» (*per aspera ad astra*). Quien conozca Uruguay sabe a qué me refiero. John Dewey, filósofo, escribió convencido que el arte es la «culminación de la naturaleza». En aquella prolongada jornada, la naturaleza culminó su obra más temprano que de costumbre, aunque su valor artístico resultara dudoso, demasiado sangrienta su estética. La conclusión fue casi perfecta, cinematográficamente espléndida, salvo que la vida, nada menos, terminó siendo la gran ausente.

Para bien de nadie, en la posdata del día, que fue también la de esa historia entreteniendo al destino, pudo oírse a la muerte reflexionar. Se la oyó silenciosa, muy solitaria en voz alta, como si estuviera escuchando las confesiones del paracaídas sin abrir de un kamikaze. Hay quienes dicen haberla oído bisbisear: «Hoy ha sido un día con suerte» (nunca se adjudica más de lo que hace). Para entonces, la noche estaba en estado de resurrección, con su acérrimo paisaje de orden nuevo, organizado a más no poder. La última línea del *Infierno* de Dante parecía haber sido escrita para ese momento preciso: «Y después salimos para ver una vez más las estrellas».

Tan auténtico como dólar de ese color

Los dirigentes de Boca son más falsos que dólar celeste.

DIEGO ARMANDO MARADONA

Cuando Joseph Mallord William Turner (1775-1881) imaginó los mares del mundo rabiosamente amarillos, y con ese fulgor cromático sin atenuantes los transportó sublimados a sus cuadros (enormes como el Índico o el Pacífico, pero más profundos), la realidad histórica que hacía su aparición empezaba a ser moderna a partir de los colores, los cuales insinuaban su predominancia, incluso entonces, en aquel precoz Romanticismo sin daltonismo que con varias formas de belleza predijo lo que hemos llamado «locura» moderna y que no es sino un nerviosismo exacerbado, una neurótica forma de estar a plenitud –o hacer el intento– en la vida, característica dominante de la historia, desde entonces hasta pasado mañana pasando por hoy con sus fechas completas. La modernidad empezó siendo nerviosa, y dejará de serlo el día en que ya no lo sea.

Poco tiempo después de la llegada a la historia de la visualidad de esos océanos con pleamar y marejada propias saliéndose de la verosimilitud, otro visionario, aunque menos acuático, Vincent van Gogh (1853-1890), privilegió asimismo el amarillo, color hasta esa época con escaso protagonismo estelar en la historia de la mirada.

Basándose en una foto tomada al parecer en Perú, donde pasó los primeros años de su infancia, Paul Gauguin pintó en 1894 (fue la única vez que la retrató) el rostro aindiado de su madre, Aline-Marie Chazal (1825-1869), sobre un fondo amarillo como de oro juguetón desafiando el brillo, color que tendrá relevancia en varios de los cuadros de la última etapa de su copiosa obra, a pesar de que el artista tuvo vida corta; murió a los 54 años de edad.

Gauguin inventó un amarillo de aspecto tenue, secreto casi, como de magnífica guarida para el ojo, menos occidental, uno que podría pasar desapercibido en su resguardo, y que anuncia sin alertar, tal cual informa el cuadro *Te tamari no atua*, de 1896, en el que el amarillo emerge disfrazado de ocre y dorado sin dejar de ser jamás amarillo. Años después, otro definidor clave de la modernidad fue salvado por los amarillos, pues para entonces había más de uno. En 1939 Jackson Pollock estaba teniendo una crisis de inspiración, por lo que decidió visitar a su amigo, el pintor y muralista Thomas Hart Benton, en Kansas City.

Las musas actuaron en complicidad, esperándolo con buenas noticias en el corazón agrícola de la Unión Americana, con sus campos plagados de trigo, de maizales auspiciados por el sol radiante. Al ver de cerca el furioso amarillo de las grandes extensiones plantadas en época estival, cuando más quiere la vida demostrar su poderío, Pollock quedó conmocionado.

Si en ocasiones la realidad copia al arte, tal como suele afirmarse con impunidad, hay otras en que el arte encuentra en la realidad una sublimación nada subjetiva de las expectativas. El amarillo que hizo sentir triunfales a los ojos del artista nacido en Wyoming, pero afincado en Nueva York, era el de los trigales movidos por el viento del medio oeste estadounidense, testigo desinteresado de aquella epifanía de la naturaleza.

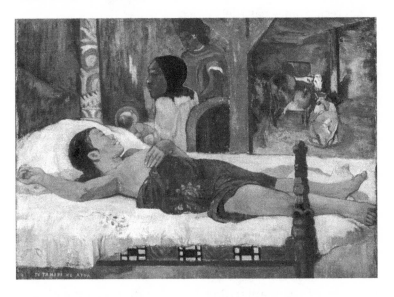

El amarillo, no el de los trigales de Kansas, sino otro hecho realidad por las palabras, aparece infinidad de veces en cuentos, novelas y crónicas de Gabriel García Márquez. Las mariposas no son las únicas en ser embajadoras de ese color itinerante, con tanta galanura óptica para obsequiar. El consultor político y todólogo (en América Latina son legión), Jaime Durán Barba, nacido en Ecuador, país en cuya camiseta de fútbol prevalece el amarillo, cuenta lo siguiente:

Cuando Gabriel García Márquez supo que lo habían nominado para el premio Nobel de Literatura llamó a su madre para contarle la noticia. La señora se angustió. Le dijo que tenía poca información sobre el tema, pero sabía que cuando tienen en cuenta a alguien para ese premio es porque su muerte está próxima. Le pidió que en adelante lleve consigo una flor amarilla para romper el maleficio, cosa que el escritor obedeció. En el otoño de la vida nos ponemos sensibles ante símbolos que nos recuerdan el paso del tiempo.

Así pues, el amarillo se asocia a la incesante temporalidad cuya acción la verificamos en los papeles antiguos que cambian de color, pasando del blanco a una mezcla entre sepia y amarillo, colores en los cuales el tiempo hace acto de presencia, enturbiando y borrando para que nadie sepa con certeza qué pasó.

La época moderna confirmó por adelantado que a partir de los días que cambian de fisonomía ningún color sería ya relativo; tampoco, ninguno absoluto. A su manera, con delirios y atributos de sinestesias diferentes, Turner, Van Gogh y Gauguin anticiparon la modernidad del arte, que sería además la de la vida moderna: la de los *yellow cabs*, la de las páginas amarillas, la de los diarios amarillistas y la del submarino amarillo de los Beatles, recurriendo –reinventándolo– a un color asociado desde ese entonces a ciertos estados de desequilibrio emocional, y a visiones anticipatorias de tiempos similares a los que todavía están por llegar.

El amarillo no era considerado un color artístico –«asiático» en todo caso, por ser utilizado para referir a la piel de los nativos de ese continente– y, de pronto, a fuerza de la aparición de mares enfurecidos y girasoles con sol nocturno, empezó a serlo, quizá para evidenciar, tal cual Turner y Van Gogh mirando de esa manera lo demostraron, que sí, que la modernidad había venido a resignificar la democracia de las emociones aplicada al color en tanto épica y espectáculo del mundo sensible; en tanto visualidad sacada de quicio que le daba tonalidades intensas al pensamiento.

El siglo siguiente (xx) hizo de la realidad salida del ojo humano un espacio favorable para ejercer una libertad mental absoluta, referida a las inquietudes viajeras de la imagen, porque el de hasta hace poco fue un siglo emocionalmente visual, incluso en aquellas cosas no tan pequeñas que pasaron sin que nadie las pudiese ver completas en su naturaleza. Ser libre implicaba acceder a una plenitud policromática que convirtió el acto de la visión en una coartada de la imaginación.

De la manera menos pensada, el arte y la moda, con sus múltiples ramificaciones estéticas y existenciales, abrieron de par en par las puertas de la visión, que son asimismo las de la percepción, para que de esa manera los colores –incluidos aquellos matices de pigmentación que por entonces no existían– pudieran decir todo cuanto tenían para expresar desde hacía tiempo, que en materia de cromatismos fue una eternidad anterior.

La vida podía ser color de rosa, como la que cantó con ronca entonación parisina Édith Piaf (fue ese su método de tornasolar el sonido) y le creímos, pero aún más a Federico García Lorca, y al primer verso de su poema «Romance sonámbulo», «Verde que te quiero verde», que bien podría ser el eslogan de un imponente banco estadounidense, el Bank of America o el Wells Fargo con su carreta del lejano oeste, aunque en verdad está relacionado con el color emblemático de la vida, y no con el del dólar que para muchos no ha dejado de serlo, símbolo de sí mismo y de una existencia supuestamente mejor, verde que queremos en cantidades siderales, en la caja de ahorros y en el bolsillo (las alcancías han caído en desuso). «Mi padre ve solo un color: verde. Eso es todo lo que le importa», dijo Eric Trump sobre su padre, Donald, ni pato ni pintor, tampoco poeta, sino presidente de pelo cobrizo teñido.

De los billetes verdes y de los chistes subidos de tono de ese color, a los versos verdes. España tiene unos cuantos. Otro de García Lorca (ideal para vociferar en algún mercado surrealista callejero): «verde carne, pelo verde». Y antes, Juan Ramón Jiménez: «tus cabellos, verdes / de estrellas mojadas»; y: «Verde es la niña. Tiene / verdes ojos, pelo verde». Y está el verde de Linterna Verde, de *El Moscardón Verde* (*The Green Hornet*), y el verde para vestirse, utilizado con ínfulas de exhibicionismo por un modisto italiano luego asesinado con brutalidad en la puerta de su casa, verde tan original que por eso fue denominado «verde Versace», de la misma manera que al blanco utilizado con insistencia por Giorgio Armani lo han querido imponer como exclusivo de él, y que no es el blanco de la página del que habló Stéphane Mallarmé. La moda depende del color de moda. Y así, hasta continuar. La época tiene un cromosoma visual policromo, y también polígamo. Cada color posee unas cuantas esposas y/o maridos, de la misma forma que en la obra inclasificable de Marcel Duchamp compuesta de paneles de vidrio, la novia es desnudada por varios solteros.

En la era –supuestamente– del color, hay colores favoritos: el negro de la indumentaria de Hopalong Cassidy, Johnny Cash, Pantera Negra, Neo, y Batman (de haber llevado indumentaria blanca, el hombre murciélago sería una novia o una paloma como la de Picasso, no un paladín de la justicia); el azul y el rojo de Spiderman; el blanco merengue del Real Madrid; el rosado de la Pantera Rosa, el morado de Tinky Winky, uno de los Teletubbies, quien siempre cargaba consigo una cartera de mujer. Por eso, y por su color, hubo quienes dijeron que era un gay con ganas de «salir del armario», algo que nunca salió a luz en los 425 episodios que duró la serie emitida entre 1997 y 2001, por la sencilla razón de que al público mayoritariamente infantil que la veía, ni el sexo ni la simbología soterrada de los colores le interesaban.

Asimismo tenemos, para que inclusive el paladar pueda ver: té verde, té rojo y té negro (la popularidad de este té evidencia que, al menos en cuanto a infusiones, el racismo no existe). Y están: el amarillo (amonestación) y el rojo (expulsión), de las tarjetas del árbitro de fútbol, coloraturas para imponer una decisión. El amarillo, el rojo, y el verde de las banderas que se instalan en las playas para informar a los bañistas sobre el estado de las aguas. Colores con destino y valor simbólicos. Un error de lectura puede costarle la vida al bañista y terminar tragado por las aguas del mar, «la mar», como la llamaba Rafael Alberti: «El mar. La mar. / El mar. ¡Solo la mar!».

La apropiación de un color, sea por parte de un artista, empresa, club deportivo, o nación, es otro signo definidor de la modernidad tardía, pero no a destiempo, en la que todavía continuamos. Cuando vemos a un payaso vestido de amarillo y rojo –colores que son también los de una tarjeta de crédito para todo aquello que no tiene precio–, sabemos bien qué nos quiere dar de comer, parado como suele estar fuera de un concurrido local donde huele a papas fritas.

«El rojo es un momento en el tiempo. El azul es constante. El rojo se gasta rápido. Una explosión de intensidad. Se quema a sí mismo. Desaparece como las chispas encendidas que saltan hacia la densa oscuridad», afirma Derek

Jarman en *Croma*, y a continuación se pregunta: «¿Fue el verde el primer color de la percepción?». Para quienes están por llegar al cielo cuando aún es de día, la percepción depende del celeste, no del verde aunque lo hayan obligado a simbolizar la vida. Color para las alturas, el celeste es quizá el menos comestible de todos. ¿Hay alguna fruta de ese suave color? Que yo sepa, no, ni siquiera aquellas que disimulan su mustia condición con el camuflaje de la pérdida de lozanía.

Hay Casa Blanca, hay Casa Rosada. Si hubiera una Casa Celeste correspondería a un hada universal que no necesita de un país imperial o latinoamericano para gobernar la realidad cotidiana. Sería en todo caso para el emperador de lo etéreo, cuyo reino no es de este mundo donde los seres vivos sufren, duermen y se aburren. Así pues, para los muertos está el negro, y para los vivos que se animan a seguir aunque no sea para siempre, existe el celeste, el cual con subliminales modales inculca la idea de ser el penúltimo de los colores, por más que luego nos enteramos de que el último jamás hace su aparición. Es una conjetura óptica, hasta para dejarse mirar. Celeste al rojo vivo.

Por consiguiente, haciendo un recuento a ojo –que, dadas las circunstancias, sería el más apropiado–, constatamos que cada color ha tenido, desde los inicios mismos de la modernidad, su homenaje, influencia y legado, sea ya en pintura, música o literatura. Y mayor ha sido esa dignificación a partir del surgimiento del cine y de la televisión a color, a colores, cuya aparición fue vista, valga la redundancia, como puesta a punto del entretenimiento; como favor para la mirada (aunque su inventor, Philo Farnsworth, creyó que «la caja mágica» se convertiría en intermediaria de trascendencias, y no solo en un pasatiempo audiovisual con mera finalidad de entretenimiento, habiendo por eso terminado los últimos años de su vida sumido en una gran depresión, lamentándose del aparato que había inventado).

En corto lapso temporal, esto es, apenas el televisor a color se impuso por derecho de conquista, la televisión en blanco y negro devino anacrónica. Por haberse rápido convertido en pieza de museo, quedó exiliada del *living* hogareño. La tecnología en tecnicolor se encargó de completar el resto. El blanco y el negro por sí solos dejaron de ser suficientes para representar el movedizo espíritu de la época estrenada a última hora. Tanto fue así, que al poco tiempo otro oscuro elemento de la modernidad monocroma, el disco de vinilo, pasó a residir también en los archivos de la historia, que suele ser la casa matriz del olvido, su imponente cotolengo, archivo de la nada, si bien también ahí hay resurrecciones fuera de la norma, siendo la vuelta triunfal del disco de vinilo una de ellas.

Como los muertos en las películas de zombis y de Freddy Krueger en *A Nightmare on Elm Street* (*Pesadilla en la calle Elm*), han vuelto los tocadiscos. Hay quienes aseguran que los discos en vinilo de antes suenan mejor que los CD, y que cualquier otra forma de reproducción sonora reciente.

> El color ha sido tratado infinidad de veces y en todos los niveles posibles del conocimiento humano. Sin embargo, no es corriente que quienes más lo emplean lo hagan racionalmente, ni que conozcan sus intimidades y leyes.
>
> (Texto para promocionar el libro *Comentarios sobre el color*, de Héctor F. Ras, publicado por la Universidad de Morón, Argentina.)

Para agradecerle por sus tantos colores desplegados en acción, el siglo xx fue despedido con bulla y fanfarria el 31 de diciembre de 1999 –la madrugada del día después– con un fasto de artificios pirotécnicos, los cuales intentaron decir *sotto voce* que la época que entre estruendos melancólicos concluía había sido a su manera aliada de una poligamia del color en su amplia gama, de un pantone con residencia en la mirada y en la imaginación. Ningún otro siglo había visto, y producido, tantos colores adyacentes como el xx.

Lo que vino luego, y que es este siglo, está siendo algo diferente. Ha habido un retroceso. De igual forma que en la época romántica, con su panoplia de amores imposibles y sus poetas inspirados y suicidas, el negro ha vuelto a imperar; incluso más, parece haberse propuesto enanizar a los restantes colores.

Y tanto lo ha hecho, que hay productos de extendida popularidad que solo son fabricados en ese intimidante color de luto y aceituna negra. Las computadoras, por ejemplo. Existen las de color negro profundo, y las de negro menos profundo, especie de gris sombrío más próximo a un pálido negro que al blanco. La oscuridad (y la procesión) va por fuera.

En tiempos cuando hasta el movimiento LGBTQ porta como propia una bandera colorida, tipo arco iris de flameante tela con silueta de tornasol, resulta imposible encontrar a la venta una computadora color rosado, que vaya a tono con aquellos hogares con aspiraciones de art déco retro, o con las paredes del cuarto de la niña, pintadas en una tonalidad parecida.

La tecnología cree haber dado en el blanco marginando al color blanco, tal como lo hizo la selección brasileña de fútbol tras la derrota mundialista en 1950. Cambió el blanco inmaculado de la camiseta de la Confederação Brasileira de Futebol (CBF), por el más estridente amarillo-verde (*verde amarelo*) que simboliza y representa al país entero, incluso a aquellos que detestan dicho deporte. En la actualidad, las principales compañías del ramo informático, Dell, Hewlett-Packard y Gateway, fabrican solo computadoras negras, o negras con bordes metálicos grises. Colores poco festivos. Y las hacen casi todas de negro, porque ese –argumentan– es el color preferido por la gente, al menos aquella gente que usa computadora, y que es mucha. Más del 90 % de los compradores las quiere negras aunque, recuerden, estamos hablando de computadoras, no de organizaciones lubolas o *escolas de samba* brasileñas, de las que salen bulliciosas a las calles de Río de Janeiro en los días de carnaval.

Con su funéreo simbolismo capaz de exasperar a la tolerancia, incluso la de aquellas retinas con mayores resistencias a la rutina, el negro es el color predominante de esta época sin denominación definitiva (hasta eso nos falta). Las computadoras y el humor tipificado con ese color sin aspiraciones de neutralidad no son lo único.

La producción cinematográfica francesa (la procedencia a los efectos del idioma utilizado poco importa pues la película es muda) *El artista* (2011) puede ser considerada otro ejemplo concreto del *revival* cromático experimentado en este siglo por el color negro. La época va por el lado de lo oscuro (que no es *Ese oscuro objeto del deseo* de Luis Buñuel), va por ahí como buscando representar el alegre teatro de lo tétrico cuando se atreve. ¿Le habrán otorgado el Oscar a Mejor Película del Año por no haber necesitado de subtítulos; por eso, aparte del hecho de haber sido filmada dentro de la gama confinante del negro, del blanco y del gris? El gris, por cierto, también asoma con prepotencia cromática en estos días ganados al olvido de las cosas según el color con que se las vea.

La serie de televisión *Mad Men*, emitida entre 2007 y 2015, popularizó la indumentaria masculina color gris, color por lo general asociado al aburrimiento –*ennui*– y al «hombre gris» (no confundir con Juan Gris, pintor cubista multicolor). Los videos de la popular cantante Adele son en blanco y negro, agrisados con grietas grises, igual que lo eran las películas de Buster Keaton, actor y director genial cuyo rostro gris todavía hace reír (hay humor monocromático). De esta manera, el «Nocturno» de José Asunción Silva, con su fondo gris de tenaz tristeza (de esas que prefieren quedarse) y su mortuorio luto para vestir sombras, encuentra complicidad en la paleta característica de las fechas actuales, provisorias y preliminares, según el ojo con que se las mire.

En una parte de los más de cuarenta volúmenes de su monumental obra (sobra decirlo) *Histoire naturelle, générale et particulière (1749-1788)*, el conde de Buffon (Georges-Louis Leclerc) afirma con superior autoridad, como si realmente supiera de lo que está hablando, que

> el calor del clima es la causa principal del color negro: cuando el calor es excesivo, como sucede en Senegal y en Guinea, los hombres son enteramente negros: donde ya empieza a ser un poco más templado, como en Berbería, en el Mogol, en Arabia, los hombres no son sino morenos; finalmente, donde el calor es muy templado, como en Europa, los hombres son blancos, y únicamente se advierten en ellos algunas variedades que solo dependen del modo de vida.

Si el inteligente conde viera la popularidad del color negro, pensaría que en las horas actuales el planeta entero es África.

También en materia de automóviles y camionetas el más lóbrego de los colores tiene una preponderancia casi total.

Cerca del 60 % de los compradores de vehículos, de entre 20 y 30 años de edad, los prefiere de color negro (las encuestas de opinión y las estadísticas solo tienen de perfectas su imprecisión, aunque sirven para ilustrar sobre una determinada tendencia epocal). El segundo color de mayor popularidad en estos días «milenarios» es el gris metálico, y luego, recién después, el blanco. En tanto, en la moda, más del 70 % de las mujeres prefiere para ocasiones especiales usar un vestido color negro. «El color es bueno cuando es necesario», dijo el director de cine Sergei Eisenstein, y, claro está, un buen vestido siempre es necesario.

Por consiguiente, ¿dónde estamos? ¿En la era de la tristeza, la del pesimismo, o en la del simplismo más aborrecible? A principios de la década tercera del siglo XXI, la realidad presenta un aspecto de funeral en proceso. ¿Es tan así? Si el ánimo pesimista y el desencanto suman adeptos a su causa universal y son determinantes para intentar entender la trama y el contenido de estos tiempos, resulta obvio querer explicar la masiva fetichización de la que es objeto el color negro, presente en infinidad de objetos contemporáneos. Para una época oscura, destaca un color a su imagen y semejanza, aunque no se trata de imponer facilismos a las primeras de cambio. Es tan difícil usar el negro, como cualquier otro color de los tantos que abundan, hasta el más insípido y desabrido de todos, esos que cuestan saborear a primera vista.

> Me gusta más la Fanta que el agua, porque el agua no tiene color.
>
> (Comentario oído a un niño de Juan Lacaze, departamento de Colonia, Uruguay, en septiembre de 2008.)

Con la historia como testigo comprometido, hemos pasado de las eufóricas horas amarillas de Joseph Mallord William

Turner y Vincent van Gogh, a estas de ahora mismo, negras como la continuación del purgatorio, como las consecuencias a corto plazo del más primario de los colores. Horas nada fáciles y menos aún facilistas, aunque la madre de Franz Kline (1910-1962), al ver la serie de cuadros en blanco y negro pintada por su hijo, comentó sin entender la genialidad involucrada: «Franz, siempre te gustaron las cosas fáciles, pero esto es demasiado. ¡A quién se le ocurre pintar cuadros solo en blanco y negro!». A quien se le ocurrió hacerlo —un adelantado visual de vida corta— tuvo a bien inventar con imágenes fragmentarias una época completa del arte, ya no moderna, sino precursora de esta, agonizante hasta en sus colores.

El negro y el blanco han sabido conservar su estatuto de colores principales, aunque no siempre ha sido así. Por un tiempo que fue mucho y muy largo, Sir Isaac Newton creyó que el negro y el blanco eran no-colores, entidades neutras que debían ser coloreadas. El cine se hizo con/mediante ellos, a su imagen y semejanza, y no solo en la era muda de *Metrópolis*, de *El gabinete del doctor Caligari*, y del cine de Eisenstein, cuando la mayoría de las películas duraba por lo general menos que hoy, sino también después, con *El ciudadano Kane* de Orson Welles, hasta llegar al presente, porque hay películas de humor negro, otras que dejan la mente en blanco, y una, de Krzysztof Kieslowski, que se llama *Blanco*, por más que fue filmada en tecnicolor.

Cuando el cinemascope se puso a disposición del pensamiento visual, haciendo del detalle el triunfo de la paciencia durante el acto de la observación, el blanco y el negro pasaron a vivir de apuro en los cuadros bicolores de Franz Kline, permitiendo la entrada a la paleta de la realidad cromática de las restantes gamas, incluida la celeste, enviada como salvífica intermediaria a los cielos del *Far West* o Lejano Oeste, con su prístina intemperie de pérdidas y ganancias, ideal para ser vista con mayor nitidez de resolución en una amplia pantalla de cine, donde no cualquier color puede llamar la atención ni atestiguar la presencia de un poder anímico superior.

El celeste de cielos resplandecientes, tal cual lo retrataron con óptima magia óptica los *westerns* de John Ford, Howard Hawks, Henry Hathaway, Delmer Daves, John Sturges, Anthony Mann, Samuel Fuller, Robert Aldrich (pocos cielos tan deslumbrantes como los que aparecen en *Apache* y *Veracruz*, películas celestiales), Anthony Mann, Fred Zinnemann (*man* del cine western como pocos), Sam Peckinpah, Robert Brooks (*Los profesionales* es obra maestra y también sus tersos firmamentos, que son los de la frontera estadounidense-mexicana), Sergio Leone, y Clint Eastwood, tiene una luminosidad de líquido aspecto similar a la de los mares amarillos del londinense Turner.

Celeste descampado, donde vivir o imaginar diásporas y transmigraciones. Con héroes, nubes, polvaredas y villanos, resituó al universo en una intemperie ideal para hacer coincidir los anhelos, dejándolo al servicio del optimismo, por más que los apaches, sioux, navajos, cherokees, comanches, lakotas, o cualquier anónima amenaza con vincha, arco, flecha y a caballo estuviera cerca, como por aquel entonces casi siempre lo estaba. Eran tan buenas y convincentes muchas de esas películas clásicas, que hasta el celeste solitario del cielo corría peligro.

Según expertos en el tema, que los hay, el rosado no existe como color independiente. Podrán algunos argumentar algo similar respecto al celeste, afirmando que es un azul de mayor claridad, o un momentáneo azul acompañado de algún adjetivo cromático. Pero no es tan así. Existe la música *blues*, cuya denominación alude al sentimiento «azul» que puede tener el alma en ciertos momentos de la existencia (también el periodo «azul» de Pablo Picasso, entre 1901 y 1904), y que no es un sentimiento asociado a la alegría tal cual la entendemos, ni a un desborde de pasajera felicidad, pasajera, pues va a alguna parte sin quedarse en ninguna.

Al celeste, sin embargo, solo podemos asociarlo a estados positivos del espíritu, cuando tiene ganas de salir a hacer cosas en la realidad y disfrutar de un ímpetu descomunal que puede presentar riesgos para quien lo experimenta. Por eso, en las películas de Hollywood el involucrado en esas emociones intensas con mucha acción física entre medio debe ser interpretado por algún doble, con la misma cantidad de vidas que un gato anglosajón (tienen nueve en lugar de siete, como los gatos en la cultura hispana). Pero el celeste no es doble de nadie. Tampoco hermano menor del azul. Es un color a tener muy en cuenta. La vida a veces necesita de su benéfica ayuda, y lo expresa, tal cual lo hace el poema, enaltecedor, de Rubén Darío: «Plural ha sido la celeste / historia de mi corazón».

El ser humano puede cuando quiere ser un animal celestial, y celeste aunque no quiera. En «Responso a Verlaine», canta el poeta nicaragüense, en cuya obra el celeste es color residente: «Padre y maestro mágico, liróforo celeste». En su *Oratio de hominis dignitate*, Pico de la Mirandola escribió (dedico esta cita a David Toscana, escritor y pico):

Si te topas con alguien esclavo de los sentidos, enceguecido por sensuales halagos, no es un hombre lo que tienes enfrente, sino una bestia. Si hay un pensador que, con recta razón, discierne todas las cosas, venéralo: es un animal celeste, no terreno. Si, por otra parte, hay puro contemplador ignorante del cuerpo, compenetrado totalmente en las honduras de la mente, ese no es un animal terreno ni tampoco celeste: ese es un espíritu más augusto; un espíritu revestido de carne humana. ¿Hay, pues, alguien que no admire al hombre?

Hay felicidad en los colores; curan a la mirada de sus ansiedades, porque algunas, podemos suponerlo, han de tener. La vida vagabundea por el corazón de los colores tratando de encontrar uno propio, cuanto más suyo mejor, aunque quizá olvidó que ya lo ha encontrado. De 1988 es la canción «La bengala perdida», de Luis Alberto Spinetta: «Por un color / solo por un color / no somos tan malos / ya la cancha / estalla en nada». Sin siquiera necesidad de intentarlo, el comportamiento sirve a propósitos expansivos, que suelen ser los del instinto.

En una cancha de fútbol, por el color de una camiseta con simbolismo explícito, que puede ser más de uno (amarillo y negro combinan a la perfección), el hincha da rienda suelta a su enardecida pasión, vecina con frecuencia de la irracionalidad. El pintor Paul Klee, quien vio ángeles nuevos –¡y estaban vivos!–, afirmó, como si lo hubiera sabido a la perfección: «El color me posee, el color y yo somos uno». Solo un país –lo hay– que desde su fundación permite ser poseído por un color en exclusiva puede sentirse dueño de tan excelente gama cromática.

Cuando recién salió al mercado, mucha gente se quedaba viendo la botella por un rato, como si dentro hubiera un cielo líquido.
(Comentario de un distribuidor en Dallas de la bebida Gatorade color celeste.)

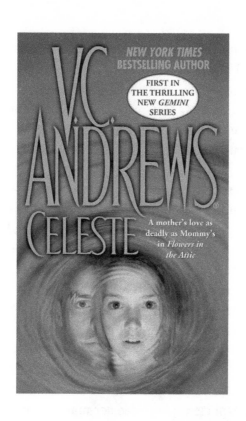

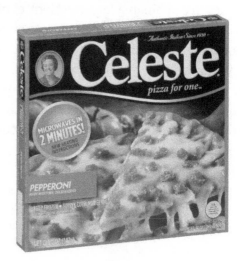

Celeste es un color. *Céleste*, una película alemana sobre la vida de Marcel Proust (dirigida por Percy Adlon, 1980). Céleste Albaret fue la mucama del escritor francés durante los últimos ocho años de su vida, y fue a ella a quien Proust le dijo al terminar *À la recherche du temps perdu*: «Céleste, anoche he escrito la palabra FIN». *Celeste* (2004) se llama la novela de V. C. Andrews (1923-1986), escrita en realidad por el «escritor fantasma» (en inglés suena mejor: *ghost writer*) Andrew Neiderman, el cual por propósitos exclusivamente comerciales utilizó el nombre de esa autora. Celeste es asimismo: el nombre de la esposa del elefante Babar; el nombre de una cantante soul británica de origen jamaiquino, Celeste Waite, admirada por Elton John, intérprete del tema «Hear My Voice», incluido en la película *The Trials of the Chicago 7* (2020); una actriz estadounidense de cine pornográfico, quien entre 1992 y 2003 trabajó en cerca de 175 películas y en todas apareció desnuda (una vez confesó que nunca sintió frío en un set, aunque en cada filme deambulaba siempre muy sin ropas); una marca estadounidense de pizza congelada; y un modelo de la marca de automóviles Mitsubishi, popular en la década de 1970. Celeste se llama un bar de Castelldefels lleno de historias a no ser contadas aquí y es, además, el nombre de una bebida refrescante (extraño, pues nunca antes había pensado que el celeste pudiera beberse, aunque ahora hay bebidas isotónicas rehidratantes de ese color, tipo Gatorade).

Al celeste, la vida nunca le queda grande. Celeste, aunque cueste. Y lo que está de moda, cuesta. En boga se puso pintarse las uñas con esmalte celeste. Ayer –cinco de diciembre de 2018– vi a tres mujeres jóvenes entregar sus manos a ese color que, cuando lo toman en serio, nunca anda a los tumbos. Y menos por alguna zona del cuerpo, así sea la más móvil y visual de todas, como son las manos. También he visto, y no hace mucho, cabelleras teñidas de color cielo. Si esto sigue así, pronto las pelicelestes (que serán blanquicelestes) sustituirán a las pelirrojas. Hacia ese mundo en transición cromática vamos. Con tener ojos celestes no es ya suficiente. Habrá bancarrota de estereotipos, y de tipos dispares de decorar al cuerpo, cada vez con mayor libertad a la hora de quedar ornado.

Celeste, color equipado para el apaciguamiento, para explicar la recatada coherencia que ahí radica y no, en los colores restantes. Su docilidad no es un afán extraviado: hace lo que se le pide. Para calmar a los hijos cuando son demasiado pequeños como para inyectarles una dosis alta de Valium 10, los padres les pintan el cuarto de color celeste, haciéndoles creer a las inquietas criaturas que están durmiendo protegidas por un cielo interior, profundo y narcotizado, situado a medio metro de distancia de todo, a unos milímetros del más celestial sueño del cromatismo.

El alma, incluso cuando no cumplió aún la mayoría de edad, se comunica con lo profundo de su intimidad, haciendo de su insupervisable naturaleza la pócima indicada para contrarrestar con éxito, de la misma manera que lo hace un bolero mexicano, ansiedades y nerviosismos, todas las repetidas imperfecciones del alma humana. A esa dimensión sin nombre propio añade su sostenida y tan bien disimulada intensidad. Hasta para eso es eficaz el color celeste, prestándose a emocionar sin medias tintas al pensamiento. Mediante ese no tan ubicuo color decimos cuánto somos sin tener que decir lo que pensamos.

Pregunta un famoso koan zen: «¿De qué color es el viento?». En Uruguay, el viento solo sabe ser de un color, color del lar, a lo largo del cielo. Paul Celan preguntó, por si hubiese alguien en el universo para responder: «¿Dónde el cielo? ¿Dónde?». Sabemos dónde, el cielo uruguayo está. Es reconocible a la distancia. Le dijo Don Quijote a su amigo escudero: «Sancho, pues vos queréis que se os crea lo que habéis visto en el cielo, yo quiero que vos me creáis a mí lo que vi en la cueva de Montesinos. Y no os digo más». (Sancho decía haberse desmontado de Clavileño en mitad del cielo para jugar con la constelación de las Pléyades que para él eran solo las cabritillas).

Los habitantes de este país constelado y en los extramuros del mapa, que lleva por nombre el de un río que corre de Norte a Sur, ven en el cielo algo diáfano que trasciende al mismo color de todas las veces, aquel que con pasmosa facilidad se habitúa a ser diferente. A su residencia orbital la galaxia del ojo viaja a descansar, desmonta en medio de una inmensidad manifestada a la intemperie, y que jamás amaga con marcharse a otra parte, aparte de la que ya está. El cielo es su isla y archipiélago, habiendo aceptado hace mucho su condición de Robinson Crusoe permanente.

Solitario, y si lo dejan (mejor no), solipsista, el celeste es un color estoico que nada espera de los demás de su estirpe presentes en la escala cromática, la que en verdad refiere a modos musicales y no a colores, aunque también estos quieren ser escuchados. Si el blanco en una bandera de tela indica el inicio de la tregua, el celeste es la continuación de una paz muy a solas, debajo de la cual vive un país que lo es incluso en la realidad principal, ni grande, mediano ni pequeño, con sus anacronismos y adelantos, con sus montañas que no llegaron a crecer. Nunca nadie les dijo cómo.

De la misma forma que Herman Melville habló de la blancura de una ballena ilusoria –una irrealidad verídica–, la metafísica del celeste refiere a una geografía poblada. Los nativos del Amazonas que hablan pirahã usan la misma palabra de manera indistinta para azul y verde. Para definir el rojo, negro y blanco usan símiles en lugar de palabras dedicadas específicamente para cada uno. Y al celeste, cuando los indios amazónicos ven el cielo, porque han de verlo, ¿qué palabra sin parecido con otras le otorgan?

El celeste coexiste tolerante con los demás colores que andan en la vuelta y no han podido ser separados de la vista, aunque el celeste prefiere quedarse, ensimismarse, permanecer entero entre causas y efectos, incluso luego del hoy con su fecha específica. Por eso, sin tener la obligación de explicarlo en voz alta (o baja, tal como se cantan los boleros), el celeste acepta la edad que el mundo le ha otorgado y que es la del tiempo apenas comenzó. Talismán para alimentar a la mente, tiene la importancia de una naturaleza de la cual provienen unas cuantas restantes, y hasta una combinación nueva de temperaturas visuales, una limpia nitidez de esas que siempre quedan bien en cualquier época y lugar. Su importancia tiene vigencia en invierno, apenas el frío llega, y en verano, cuando la luminosidad de paso es una de las inspiradas funciones de la intemperie.

El celeste decora con persistencia su claustro en la trascendencia. También en la transparencia. Es la esencia de una dimensión sin contingencias ni similitudes, a la cual el espíritu representa en los vaticinios de la cotidianidad al desnudo, allí donde la conciencia gana confianza y prefiere escapar, o quedarse y aceptar gustosa la imagen que devino y por la cual se anima a ser la voz visual del silencio. Ese color vino a dar aliento. Si uno lo mira bien, dice «hurra». En justa dosis, el celeste, con su resplandor exiguo e imparcial, alegra la adrenalina del alma, dándole la confianza necesaria para que pueda suponer hasta lo imposible cuando se hace visible y amaga con permanecer.

Algún día, cuando ninguna química artificial sea del todo suficiente, y más bien insuficiente, la medicina recomendará recurrir al celeste y declararlo «color oficial de los mejores estados de ánimo» para, entre otras cosas, refutar la afirmación del poema de Lupercio o Bartolomé Leonardo de Argensola: «Porque ese cielo azul que todos vemos / ni es cielo ni es azul. ¡Lástima grande / que no sea verdad tanta belleza!». Pero el poema se equivoca: la belleza del celeste es una verdad grande. Un mastodonte unicolor.

> Estaba en algún lugar; para regresar de la nada
> había atravesado varias regiones.
> (Paul Bowles, *El cielo protector.*)

En 1949, con casi cuarenta años de edad, Bowles publicó su más conocida novela, llevada al cine por Bernardo Bertolucci en 1990, cuya acción transcurre en una geografía desértica. El cielo del desierto –su invisible rigor cromático– protege la sequedad de la arena y promueve la aparición de espejismos. Es un cielo al que de noche van a reflejarse camellos y beduinos. El cielo uruguayo, oasis con nubes a cuestas, inesperada cúspide de cosmos sureño –habría que patentarlo–, resguarda el monopolio del color celeste, color oriundo, avasallante, porque nada menos neutro debe haber que el color de las alturas donde también ahí el país consigue tener existencia propia. Color protector, bueno para el ánimo. Serena, tonifica, inspira. Yo lo veo de tal modo, siempre y cuando la nubosidad variable permita contemplarlo de la más despejada manera.

En ese desenlace climático transita el país con sus habitantes dentro, entre el gris de los cumulonimbus y el celeste del cielo disputándose el sosegado protagonismo de la mirada por no sentirse perdida. El cielo es su mapa, su brújula, su GPS en tercera dimensión. «Nunca vi un cielo tan celeste como el de Uruguay», dicen haberle oído decir a Octavio Paz mientras caminaba bajo el cielo grisáceo y contaminado de la Ciudad de México, donde residía (fue Enrique Fierro quien me contó la historia mientras caminábamos por la calle Congress de Austin rumbo a un bar que ya no existe, y Fierro tampoco).

Hay quienes afirman que Uruguay es un país gris. El celeste piensa lo contrario. Alterna su omnipotencia por la tonalidad de otros colores puestos a disposición para que el pensamiento, segundo hogar de la mirada, pueda elegir. Y casi siempre lo hace. Opta por aquello que le resulta mejor. Restaura bienestares, orgullos de prolongada duración, anhela para la mayoría confines confortables. Hay quienes afirman, también las novias vestidas para las nupcias y los escolares con sus no siempre aseados guardapolvos, que el blanco combina bien con cualquier color disponible.

El celeste, en cambio, impone su transparente espectro, su aspecto absoluto; ayuda a fortalecer la paciencia. Es la serenidad del tiempo al mismo tiempo. Solo hay que levantar la vista para comprobarlo: viaja sin modificar su empeño, sabiendo que nunca podrá ser neutral, qué va, ni siquiera cuando se pone de moda o ya lo estaba, y es elogiado por estar presente en la indumentaria de alguien convertido en diseño de una apariencia.

La celebridad del celeste es una historia aparte, vorágine visual de una placidez a la cual engalana. Si el verde simboliza la vida, el celeste es la vida cuando quiere tener ese aspecto. Defiende a los buenos espíritus, y a los malos, que los hay, les pide que se marchen, que elijan un color diferente. Los invita a desertar.

¿Ríe por eso, y solo por todo eso que nunca habrá de ser poco, el amarillo sol de la bandera uruguaya, incrustado en su áureo y aéreo ángulo allá arriba, mirando tieso para alguna parte, ríe como la Eulalia del poema de Rubén Darío por tener al celeste cerca? ¿O será porque alguien le hizo algún buen chiste de gallegos? ¿Hay chistes solo para soles? Pero, quién podría andar repartiendo humor por esas nobles alturas de mástil patrio, ¿algún ángel de visita, un hornero, pájaro natal, un extraterrestre, doblemente extraterrestre por estar interesado en Uruguay, alguien con paracaídas que siguió de largo hasta donde la tierra dejó de ser plana, o habrá sido el ingenuo de Ícaro mientras ascendía, porque al descender hubiera resultado imposible?

¿Qué, o quién, hizo sonreír al emblema uruguayo de tal manera que de por vida lo dejó fijado con tan complacido gesto? Ese sol altivo que simboliza al de la patria, con gramática propia, esboza algo parecido a lo que el diccionario de la lengua –que es asimismo el de la mirada– denomina sonrisa. Difícil, por no decir imposible en demasía, que haya otro estandarte nacional en el mundo que tenga un astro rey de tan permanente buen humor como el nuestro. Únicamente, en la increíble República Oriental del Uruguay.

Como el Uruguay no hay, aunque su alto sol no diga ¡ay! como si estuviera en Paraguay, sino que hay un país en el cual todavía resulta posible reírse. Al menos así lo hace el único astro nacional que tenemos, que es asimismo el que brilla riendo a solas en el vasto cielo, incluso cuando está escondido tras las nubes que por ser del Sur suelen llamarse nimbos, y cirros, como si fueran rosas diciéndole «sí» a otras rosas, nubes con voz.

Entonces, viéndolo sonreír con semejante felicidad geográfica, simbólica y cósmica, rodeado por todas partes de tantísimo celeste queriendo ser a veces el del mar con caribeño color celeste, ¿cómo pueden asociarlo a un país que algunos habitantes nativos consideran triste y gris, aunque tenga el carnaval más prolongado del mundo, con sus estruendosas murgas, sus comparsas para pasar el rato, con sus pitos (sin flautas), serpentinas y papelitos de colores? ¿De qué incierta cosmología proviene un país tan así?

En su recinto optimista hay celeste como mezcla idónea de blanco y azul, colores seriamente compatriotas, y el amarillo, del sol. J. M. W. Turner, pintor de mares amarillos, dijo: «The sun is God». Fueron sus últimas palabras. El sol, que es Dios y a cuya luz le toma ocho minutos y diecinueve segundos llegar hasta nosotros, tarda bastante menos en llegar a los sentimientos. Celeste de cielo, y amarillo de sol. A un costado, Rimbaud lo describió mejor que nadie: «¡Ha vuelto a aparecer! / ¿Qué? –La eternidad. Es el mar que se fue con el sol!».

Dice la canción de Jaime Roos: «Quiero que tus noticias hablen del aire y del sol». En eso, el sol no se encuentra solo. No del todo. Uruguay es un país lleno de noticias provenientes de la naturaleza, con dos niveles emocionales: en uno está el sol, durante el verano dorado y reluciente; en el otro, las nubes reiteradas, las cuales suelen ser nimbos (lo dije antes para poder ahora repetirlo), es decir, por consiguiente, son nubes acérrimamente grises. Pero el pampero, cómplice solar de lo que somos, las arrastra pues, además, tenemos un viento con modales por lo general furiosos que vive ahuyentando nubes. Es un espantapájaros cósmico.

Su vida consiste en llevárselas quién sabe a dónde, a Paraguay, a la frontera de Bolivia con algún otro país aunque sea Brasil, Budapest o Transilvania, de ser posible, y de ahí a Dunkerque y Mogadiscio, a Bután, a Yemen, a Tanganika, a cualquier sitio en este mundo donde haya países con cielos propicios de los cuales hablar largo y tendido. ¿Dónde? Eso no importa; lo importante, lo de que veras tiene importancia, es que el sol se queda. Tanto (quedo y quieto), que contagia su amarillo fulgor, su carga de avatares luminosos, a todas las regiones del país oriental sudamericano.

Dice el verso de la poeta estadounidense Jessica Greenbaum: «aquí está el amarillo cerca del insondable azul». Uruguay es un país con brillos de anillo dorado debidos al astro que solo sabe ser de ese áureo color, además del azul celeste al que le dieron para elegir un país como este. Quien creó la bandera uruguaya, sabía ver para saber más. El paisaje sin prisa ocular del país, con sus rachas de halos y destellos, enemigo de la monotonía y de la monocromía, es originario de ella. Hecho a imagen y semejanza de una sudestada iluminada. De esa manera, Uruguay hace bandera.

Con afán de insistencia he oído decir que Uruguay es un país gris. Una versión de la identidad cromática ha repetido hasta el cansancio tan agotador lugar común. En eso quizá hayan tenido que ver tanto los interminables inviernos de cielo encapotado, como los días helados que impiden mirar para otra parte y que han terminado por imponer un inexacto espejismo cromático. Más prolongada es la estación invernal de todas esas «landias» que no son las de Disney, porque bastante interminable es el invierno sin fin de Finlandia, el de la pequeña isla de Islandia con sus géiseres y seres viviendo la vida entera bajo cero, el de Groenlandia lleno de iglúes vacíos (puesto que no tiene frío, la nada puede vivir a la intemperie) y, sin embargo, nadie nacido en esos gélidos territorios marginados por el mapa sale a pregonar en tono admonitorio a los cuatro vientos que vive en un lugar de gris desolación, en un desierto desterrado de hielo blanco en extremo, donde oscurece apenas amanece. En todo caso, los habitantes de esas impías regiones celebran la albura invernal asociada a la nieve con la cual edifican dóciles y mudos muñecos, pero nunca, que yo sepa, les da por festejar la pálida grisura erguida en las alturas para que no le presten atención, pues, para eso está ahí, justificando de fiera manera su existencia.

Para enfatizar la distinción, recurro a un poema de Mahmud Darwix (1941-2008), poeta ya mencionado en este libro, quien murió un día soleado de mucho calor en un hospital de Houston, el 9 de agosto de 2008: «Preguntas: ¿Y qué significa patria? Te dirán: Es la casa, la morera, el gallinero, las colmenas, el olor del pan, el color del cielo». Hay quienes para crear la impresión contraria han insistido hasta la repetición (ya cansa) que Uruguay, lar vernáculo de un cielo con color excluyente, es, por la abrumadora omnipresencia de los días grises que se acumulan durante los meses invernales, que no son tres sino cuatro y medio, un país de raigambre monocromática, ideal para animales daltónicos (los delfines y los loros lo son), quizá porque el ventoso invierno, caballero en su persistencia, llega cada año con nubes y niebla, a veces demasiado seguido.

Según esta norma que resumiría a las claras las anomalías del clima, se ha pretendido imponer una noción sofística, auspiciando un deplorable simplismo ocular que convirtió un aspecto aleatorio de la nación en monocromía ajena a la realidad de los hechos. Y si por verdad quisiera pasar, ¿dónde deberíamos meter al celeste y al amarillo redundantes que defienden a los uruguayos –con valentía propia de colores patrios– de la impostada grisura que poco y nada tiene que ver con «una forma del ser nacional», de hacer y servir a la identidad asociada al lugar de nacimiento, ese arraigo de procedencia? Agrego al comentario una anécdota.

En Roma, no hace tanto, conocí a una ciudadana uruguaya que, vaya casualidad, tenía ojos celestes. Dijo que estaba viviendo en Italia, porque el Uruguay se había puesto «muy gris». No le respondí, solo la miré, sola en su situación. Me vino de pronto una pregunta, que tal vez no era una gran pregunta pero, puesto que me había venido, la hice: ¿cómo ha de ser mirar la realidad detrás de unos ojos celestes? Me acordé de «Behind Blue Eyes», la canción de los Who, y después de acordarme me dieron ganas de tararearla: «No one knows what it's like / To be the bad man / To be the sad man / Behind blue eyes». A decir verdad, la compatriota tenía una mirada con dejos de tristeza (la nostalgia es un animal con varios sinónimos), nublada por la intencional melancolía, como la del color celeste cuando está lejos de su país y no hay nadie en las inmediaciones para cantarle una canción, y hasta más.

Querer asociar al país creativo con un color de investidura depresiva, como el gris, implica abrir el libro de la existencia en la página equivocada. Ya con las grises torcazas que pueblan las plazas tenemos bastante. Quienes fundaron al Uruguay escrito, el de las frases literarias originales, pertenecen a la ubérrima raza del entusiasmo, del destello flagrante, al amanecer de una perspectiva augural. Brilla, más bien fulgura a plenitud, un estado anímico estelar en la escritura atrevida de Francisco Acuña de Figueroa (*Nomenclatura y apología del carajo*), más de lírica procacidad que de erotismo poético, quien en uno de sus ratos libres –en su época se podía tenerlos en cantidad– escribió la letra del himno nacional que los uruguayos no siempre cantan de entonada manera. En *Ariel* (1900) y *Motivos de Proteo* (1909) centellea el entusiasmo de nuestro escritor prócer, José Enrique Rodó, por algo que no se sabe bien qué es con mediana certeza y que podría ser el país con su gente en los momentos cuando piensa.

Hay rojo, hay verde, no hay gris, hay amarillo lo mismo que en Rimbaud, Van Gogh, Gauguin, Turner y Pollock, en la lírica adelantada de Julio Herrera y Reissig, fundadora de un canon de modernidad diferente, por anticipado, de «claroscuros cromáticos» extraídos de un arcoíris no apto para hermenéuticas tradicionales, para las cuales todo en un texto debe tener sentido y quedar restringido al plano de la interpretación: «Solo verde-amarillo para flauta, llave de U» («Virgilio es amarillo / y Fray Luis verde»). También ahí asoma valiente el patriótico color nacional. «Pensativo mirábame el cielo / Con su regia y eterna pupila celeste».

Y hay tanto de lo que solo unos pocos han sabido descubrir y que no pudieron ver del todo en la obra de Felisberto Hernández, monarca aborigen, quien con humor antes que negro, amarillo, hizo cuentos chinos, amaestrados en soleados balcones con vista a un país interior. «Después de haber pensado mucho en los modos de utilizar la luz, siempre había llegado a la conclusión de que debía utilizarla cuando estuviera solo» («El acomodador»). Con genialidades de esta alcurnia, de las que hacen perder el aliento, resulta fácil comprender por qué el disfrutante sol de la bandera nacional ríe y utiliza tan bien la luz donde lo han situado.

Asimismo las mujeres escritoras auspiciaron, con versos conversos, un exaltante estado de ánimo a partir de las riquezas oculares que el mundo tiene para ofrecer a quien quiera. Cuando no escribía, Delmira Agustini leía. Para poder después escribir. De ahí, del mundo mientras es visto por las palabras, a través de ellas, emerge nada menos que la realidad. La poeta nacional, aunque no –afortunadamente– oficial, es visual. Tenía la mirada llena de lenguaje. Escribía con los ojos. Los abría para eso. Delmira mira para ver «Luchas perfumadas! Lluvias de colores!».

En Juana (de Ibarbourou), otra poeta polígama a la hora de usar colores, hay «intensa blancura de azucena» (por «la higuera», porque sus «ramas son grises», siente «piedad»), hay frenesí como carnada natural para los ojos, hay promesas de felicidad incumplida, hay dicha aún no dicha, y luego, «milagro del encantamiento», hay, además, todo eso que espera ser definido de una vez por todas, hay tanto que jamás será demasiado, no obstante, por ninguna parte se ve una narcisista celebración del gris. Que Dios las libre. Ambas mujeres –fogosas las dos– hicieron del entusiasmo emotivo un patrimonio.

Más para acá en los tiempos, también hicieron lo propio otras tres poetas uruguayas. Ida Vitale: «¿Cómo ser su agua madre / todavía una llaga / en que se detuviera / pasar de yermo / a escalio / con su abono celeste»; Idea Vilariño: «Y me invade en las horas amarillas»; y Marosa di Giorgio: «Ella paseaba con la trenza brillando como un vidrio al sol. Vestido celeste». En dos canciones convoca el dúo Los Olimareños al mismo color: «gavilán pico amarillo», y «el mangangá amarillo tan barrigón». Una de las grandes composiciones del multicolor cancionero uruguayo, escrita por Aníbal Sampayo, dice en su verso inicial: «Garzas viajeras, / novias leves del azul». Y la lista podría ser continuada.

Incluso el emblemático personaje del cuento «Jacob y el otro», de Juan Carlos Onetti, el luchador profesional Jacob Van Oppen, contrariando la grisura de los pronósticos, marcha optimista hacia la gran y tal vez final pelea de su carrera deportiva –la vida le ha dado un ultimátum–, sabiendo que la derrota no es una de las opciones. Bajo las luces amarillas del teatro Apolo, su arremetida contra las expectativas acontece como penúltima inauguración del entusiasmo. Un cumplimiento. Por eso, más que nada, triunfará.

De esta manera, las posibles interpretaciones de aquello que los uruguayos somos o creemos ser han perdido la pista. La historia reciente difumina las huellas que llevan al lugar de origen, a la quimera (con querencia incluida) de la procedencia, al núcleo de lo oriundo. El abatido estado de ánimo de algunas décadas no tan distantes impuso al blanco, al azul y al amarillo del sol instalado en la bandera uruguaya un matiz de imperdonable y monótona grisura que estaría representando al país actual, en el que Uruguay, de tanto insistir, se ha convertido.

Nadie debería sentirse complacido con esa tristona barbarie monocroma que algún ciego con intención colectiva ha situado dentro de un territorio al que, para peor, algunos refieren en diminutivo: *el paisito*. No hay tal cosa: ni tono gris, ni tamaño júnior. El país, en nombre de sus fulgores laicos correspondientes, exige que le restituyan sus colores originales. Sabemos cuáles.

La actualidad del ejemplo principal

En su afán de innovación, la historia vista como avatar en tránsito permanente establece una estela de enigmas a ser asediados y, en ocasiones, interpretados. El raciocinio todo lo quiere saber. Con persistencia instaura un repertorio de designios inclasificables donde hasta los meses reciben validez simbólica de la cual no son autores. Por algo, la causalidad convertida en coincidencia los arrastra a un algoritmo que excluye los veredictos del raciocinio.

Los meses pasan a integrar un álbum de singularidades caracterizado por el signo de la arbitrariedad y lo circunstancial, en coincidencia a su vez con otros elementos difíciles de precisar, porque la deriva de lo fortuito no incluye en su irracional proceder causas ni instrucciones útiles para activar el entendimiento. Paradoja del sentido, de la dificultad de encontrar uno convincente, febrero es el mes de los enamorados, y abril, el de los poetas. Así han sido designados. Escribe Donald Hall, poeta estadounidense: «Abril es el mes de la poesía, nos dice la Academy of American Poets. En 2013, hubo 7 427 lecturas de poesía en abril, muchas de ellas los jueves. Para cualquiera nacido en 1928 [año de nacimiento de Hall] que preste atención a la poesía, la cantidad es asombrosa. En abril de 1948, hubo 15 lecturas en los Estados Unidos, 12 de Robert Frost».

En el caso de febrero, vaya y pase, se justifica, porque es el mes de Juno Februata, diosa de la fiebre del amor (febrero viene de *febris*, fiebre en latín). Pero abril, ¿por qué ha sido designado «mes de la poesía» y una de sus fechas, el 15, «Día Mundial del Arte»? ¿Será porque se ha escrito infinidad de poemas en los cuales ese mes, de cinco letras tanto en castellano como en inglés, aparece mencionado?

Conjeturas mediante, la respuesta debe ser inventada, agregada al inventario, lo mismo que tantas otras que hacen del conocimiento un lugar de suposiciones favorables a la incertidumbre y a la inexactitud. Erato no celebra ni denigra nada en abril, mes al que se ha adosado el misterio y estigma de la crueldad. Por aproximación, abril es el mes de mayor crueldad, el de más, el top en torno a esa toponimia. No lo dice la realidad, sino a manera de sentencia inapelable el verso primero de *The Waste Land* (*Tierra yerma*, *La tierra baldía*, o *La tierra angostada*, según las diferentes traducciones al castellano disponibles).

¿Por qué abril es el mes más cruel? ¿Es que acaso T. S. Eliot canonizó una desmesura y le salió bien? No sería la primera vez que un poeta lo hace. La intensidad de abril, mes con nombre de apodo, ha estado desde siempre asociada en el hemisferio norte al gradual apogeo de la naturaleza, tan urgida de euforias, entusiasmos a todo dar y resurrecciones varias. Si el 21 de marzo llega la primavera, en abril se siente instalada por completo, con su resplandor, aromas nupciales y luminosidad agigantados por el fervor latente que comparten, tanto aves e insectos como seres humanos.

Flora y fauna escriben y reescriben la poesía de la existencia mediante la visualidad intensa de su comportamiento.

Son, según se expresan. Son de acuerdo con un plan impensado de emotividades. Se salen de sus casillas. Poesía y vida, personajes centrales de esta aventura de las ideas cuando cantan y piensan al unísono, porque pueden. Por su intermediación, palabras y mundo coinciden en lo que han venido a hacer, y lo hacen. El misterio que había quedado rezagado, ahora deslumbra adelante, presente por todas partes.

Por lo tanto, por más que el poeta lo crea –y por eso lo escribe–, la crueldad de abril resulta dudosa. En el hemisferio norte es un mes vibrante. Los crudos inviernos con su cruel blancura (temporada muerta de la fortuna) dan paso a la primavera. No hay lugar a quejas. A dudas, en todo caso. Hasta el día anual designado por tradición para el humor, *April's Fool* (que en la cultura hispana se llama «Día de los Inocentes» y se celebra el 28 de diciembre), cae en este mes, cruel pero cómico. Flores, crisálidas, mariposas, prados de vuelta al verde, resalta el esplendor: éxtasis y ansiedad. Renace la pasión –no necesita pedir permiso– y de nuevo sale a las calles. Exige ser escrita, pasar por jeroglífico.

La plenitud de la naturaleza regresa a la vida como sospecha de totalidad e infancia revisitada. En su pentagonía, los sentidos recobran un frenesí sin freno ni dilación para su incesante actividad: ver y mirar el cielo es oír a los miles de pájaros en bandada que por su cuenta han arribado a la realidad para inaugurar su propia existencia. Por el simple hecho de estar, pasan a ser. La inauguran con aéreas sonoridades y música de íntimo estruendo, a puro gorjeo. Multicolor es la resonancia, el acústico capricho con tanto provecho. Dichosas furias, nada hay de austeridad en el aire que se oye. Hechos, ecos y acechos se sueltan el pelo. ¿De dónde proviene entonces la crueldad? Lo único seguro es que nadie sabe.

Abril, «mes de los poetas», es asunto bastante antiguo. Viene de bastante antes, y va para mucho después. Un misterio apadrina su enigma (tautológica forma de expresarlo, aunque no hay otra mejor para referir a semejante intriga). Dos siglos atrás era ya tema de interés periodístico. Al mes «que posee el secreto íntimo de las fecundaciones», Eduardo de Lustonó (1849-1906) le dedicó una crónica de cinco páginas. Lustonó, caído hoy en el olvido –el peor de los pozos donde caer–, escribió un artículo, «El mes de Abril», publicado –vaya intencional casualidad– en abril de 1905 (año VI, n.º 123), en la revista ilustrada española *Por Esos Mundos*, que se editó en Madrid entre 1900 y 1926. Escribió el autor madrileño: «En la antigüedad el mes de Abril estaba dedicado a Venus (*mensis veneris*), y durante él se celebraban las fiestas de la diosa».

En su «largo artículo» (tal como lo cataloga el propio Lustonó) cita a José Selgas y Carrasco (1822-1882), novelista y poeta murciano caído en el mismo hoyo que su compatriota, quien dijo: «En el mes de abril se encierra la historia del género humano. Si suprimís a Abril, el mundo no tiene principio, porque es la primera época del tiempo, el primer momento de la incubación universal, el primer instante de la vida». Abril, tal parece, no quedó del todo conforme con los comentarios del articulista, vengándose de este de manera extrema. Hay meses que pueden. Son capaces. Lustonó, amigo de Gustavo Adolfo Bécquer y conocido en su época por el seudónimo de «Albillo», murió en un mes de abril, a los 57 años de edad.

Abril rima con mil y barril; con añil y marfil. Por su fácil acomodación rítmica, sea ya como juego prosódico o razón de ser de un sonido con significado propio, abril se ha prestado a la fábrica lírica. Muchos han sido los compositores que recurrieron a la musicalidad de la palabra «abril» para dotar a sus canciones de lirismo: «para abril o para mayo» (tradicional canción de los hermanos Carrión –la rima es producto de la casualidad–); «esta luna de abril» (Ana Belén); «¡Te acordás, hermano, qué tiempos aquellos! / Veinticinco abriles que no volverán» (tango con música de Francisco Canaro y letra de Manuel Romero, de 1926); «Era en abril el ritmo tibio de mi chiquito que danzaba» (Juan Carlos Baglietto); «Quién me ha robado el mes de abril / Cómo pudo sucederme a mí» (Joaquín Sabina); «Que si Dios baja a la tierra / por el altar de la sierra / baja en Minas y en abril» (Santiago Chalar); «Vive en el aire la luna de abril / ella brilla y brilla y no sabe dormir» (Luis Alberto Spinetta); «Juega el viento de abril gracioso y leve / con la cortina azul de mi ventana» (Pablo Milanés); «Dios santo, qué bello abril sos vos» (Fito Páez); «Entre no lo olvides me dejé nuestros abriles olvidados» (Andrés Calamaro); «Como esperando abril» (Silvio Rodríguez); «Especialmente en abril» (Joan Manuel Serrat); «Y las muchachas en abril»

(Facundo Cabral); «Somos dos novios / que no tienen mes de abril» (La Oreja de Van Gogh). Etcétera. Y «20 de abril del 90» (Celtas Cortos). También en inglés las hay, canciones de amor y desamor (la vida es un péndulo cuyo centro de gravedad está en la oscilación), y de lo demás que da para tanto y que a veces, está de más.

Según Ranker (que afirma ser «una de las mayores bases de datos de opiniones y con unos 250 millones de votos reunidos en más de un millón de artículos»), la primera posición en la lista de las 38 «mejores canciones» con la palabra «abril» en el título lo ocupa «April in Paris», cantada por Louis Armstrong, cuya canción de mayor éxito, «What a Wonderful World», llegó al número uno del *ranking* de *Billboard* en la última semana de abril de 1968. Otras por el estilo que figuran en el citado *ranking* son: «April Come She Will», de Simon & Garfunkel; «April 29, 1992», de Sublime; y «April», de Deep Purple. La de Three Dog Night, «Pieces of April», posición número 26 en la lista de Ranker, dice en el estribillo: «I've got pieces of April, I keep them in a memory bouquet / I've got pieces of April, but it's a morning in May». Aunque no figura en la lista de las «mejores», «April Love», interpretada por Pat Boone, es la canción más exitosa con el nombre de dicho mes en el título. A fines de 1957, durante seis semanas, ocupó el primer lugar del *ranking* de la mencionada revista.

«Every morning April 4th» canta el grupo U2 en la canción «Pride (In the Name of Love)», verso que refiere al asesinato de Martin Luther King, pero de manera errónea, pues el hecho no ocurrió durante la mañana, sino a las 18:01 de la tarde. No hay ningún tipo de vino asociado en específico al mes de abril, como noviembre lo es del *beaujolais nouveau*, pero hay un grupo de rock canadiense que lleva por nombre April Wine.

Por cierto, se llaman así, porque les gustó cómo sonaban las dos palabras juntas.

Tanto en inglés como en español, son unos cuantos los poetas que han utilizado el mes de abril a guisa de comodín o punto de inflexión en sus versos. En la obra del Arcipreste de Hita, siglo XIV, aparece ya referida: «Allá en Talavera, en las calendas de abril» («Cantiga de los clérigos de Talavera»). Con posterioridad resurge en la poesía de Garcilaso de la Vega, en la cual Flérida aparece (parece) «más blanca que la leche y más hermosa / que el prado por abril de flores lleno» («Égloga III»). Y de ahí en más, en Gutierre de Cetina: «ni llenos por abril de flor los prados» (CXLIV), «y como en el venir de abril hermoso» (XXXI); en Francisco de Quevedo: «El Sol para tener día, / Abril para tener rosas» («Allá en la causa de su amor todos los bienes»), «Colora abril el campo que mancilla» («Obstinado padecer sin intercadencia de alivio») y «Rosas a abril y mayo anticipadas» («Retrato no vulgar de Lisis»); en Lope de Vega, «¿Quién sino yo por el abril florido / de caduco laurel se coronara, / y la opinión mortal solicitara / con tanto tiempo, en tanto error perdido?» («Soneto VII») y «Tiraba rosas el Amor un día / desde una peña a líquido arroyuelo, / que de un espino trasladó a su velo / en la sazón que abril las producía» («Fuese Rosa»); en Luis de Góngora: «La mano oscurece al peine; / Más que mucho, si el abril / La vio oscurecer los lilios / Que blancos suelen salir» («Los rayos le cuentan al sol»), «Por el rastro que dejaban / De rosas y de jazmines, / Tanto que eran a sus campos / Tus dos plantas dos abriles» («Aquí entre la verde juncia»), «Claveles de Abril, rubíes tempranos» («Soledad primera», Parte IV), «Donde la Primavera, / –Calzada Abriles y vestida Mayos–» («Soledad primera», Parte III) y «Troncos me ofrecen árboles mayores, / Cuyos enjambres, o el abril los abra, / O los desate el mayo, ámbar destilan» («Fábula de Polifemo y Galatea»); en Bartolomé Leonardo de Argensola: «de mi gozoso abril florido y tierno» («A Dios omnipotente») y «No mezcles nuestro abril con tu diciembre» («Corneja que vestiste ajenas plumas»). Sor Juana Inés de la Cruz, continuadora en el Nuevo Mundo del barroco español, nunca hizo mención a abril en sus poemas, pero murió un 17 de ese mes, en 1695.

Transcurrido el tiempo, con sus días y sus doce meses, cientos de abriles después de que lo cantaran entusiastas los poetas españoles, Rubén Darío recurrió en reiteradas ocasiones al muy mencionado mes, a esa altura, obra tanto del calendario como de la literatura: «Yo vi en las hojas temblando / las frescas lluvias de abril» («Poema LXXXV» de *Cantos de vida y esperanza*), «En la fresca flor del verso sutil, / el triunfo de amor en el mes de abril» («Charitas X»), «De una juvenil inocencia / qué conservar sino el sutil / perfume, esencia de su abril» («El soneto de 13 versos»), «Bandera que aprisiona / el aliento de abril» («Ofrenda»). Y uno inolvidable: «Más brillante que el alba, más hermoso que abril» («Sonatina»). José Martí, poeta mayor «en junio como en enero», dice en el poema «Abril»: «Juega el viento de Abril gracioso y leve / Con la cortina azul de mi ventana: / Da todo el sol de Abril sobre la ufana / Niña que pide al Sol que se la lleve» (tal como destaca, Abril lo escribe con mayúscula). En «Nocturno», Julián del Casal no menciona el mes de abril, pero el poema salió publicado el 19 de ese mes, en 1885, en la revista *La Habana Elegante*.

Otro modernista, José Asunción Silva, escribió en abril de 1883 tres poemas clave de su obra («A Adriana», «Melancolía», y «¿Recuerdas?»), y habló «de la Princesa verde y el paje Abril» («Sinfonía color de fresa con leche»). Leopoldo

Lugones, quien se suicidó en un mes (febrero) que, al menos para él, fue muy cruel (acortó su vida en el mes más corto), recurrió también a abril para que el exotismo de climas lejanos se instalara en la naciente imaginación «moderna» rioplatense: «Su aristocracia de nieve / nevara un tardío abril» («El solterón»), «Abril con su rojiza cabellera Tiziano» («Por la rústica senda») y «Luna, ya es la una, / Sopla tu candil. / Escuálida luna, / Mi luna de abril» («Aria de medianoche»). Genial incluso al convocar al mismo mes del que otros habían hablado, Julio Herrera y Reissig escribió: «Abril, el sagrado Rey de los olivos. [...] Abril, el sagrado Rey de los Calvarios. [...] Abril, el sagrado Rey de los rituales. [...] El Rey Abril canta de Resurrecciones» («Canto de los meses»).

El siglo xx está lleno de bardos abrileños, incluso encontramos al peruano Xavier Abril, quien escribió poesía no solo en el mes de su apellido. Resulta imposible soslayar a Antonio Machado, para quien abril es más que un mes junto a otros once en el calendario, cada uno con la misma cantidad de días; basta *abril* cualquiera de sus libros, y abril aparece por todas partes (los puertorriqueños, que pronuncian la *erre* como si fuera *ele*, hablan de abril cada vez que abren algo). En la poesía de Machado, la invocación del mes por alguna causa de crueldad ha generado interrogantes. En el machadiano libro *Soledades* aparecen citas como estas: «que el hálito de abril cercano lleva» («Poema VII»), «al suspirar fragante del pífano abril» («Poema XX. Preludio»), «Abril florecía» y «Señaló a la tarde / de abril que soñaba» («Poema XXXVIII»). En *Campos de Castilla*, donde aparece el verso panteísta, «y al sol de abril los huertos colmados de azucenas» («Poema CXVI. Recuerdos»), emerge por todas partes el cuarto mes del año: «Son de abril las aguas mil» («Poema CV»), «Al empezar abril está nevada»

(«Poema CXIII. Campos de Soria»), «con las lluvias de abril. Ya las abejas» («Poema CXXVI. A José María Palacio»).

Si Antonio Machado hubiera vivido todos los abriles que dejó escritos, habría sido un poeta sempiterno, Matusalén de la literatura universal. Sin embargo, tuvo una existencia «febrerina», corta para los estándares actuales en cuanto a expectativa de vida: murió el 22 de ese mes, en 1939. Tenía 63 años (Harper Lee, autora de *Matar un ruiseñor*, y Charles Chaplin, nacidos ambos en abril, murieron a los 88 y 89 años de edad respectivamente). Juan Ramón Jiménez, en cuya vida nada de importancia ocurrió durante el cuarto mes del año, aunque se enfermó cuando estaba por terminar abril de 1958 (murió al poco tiempo), escribió un poema titulado «Abril». Además, en otros dos dice: «Abril, sin tu ausencia clara» («Primavera») y «Abril venía, lleno / todo de flores amarillas» («Primavera amarilla»).

Nacido también en España, el poeta José Antonio Muñoz Rojas recurrió con frecuencia al popular mes, instalado por derecho de conquista en la poesía mundial, como si esta fuera su feudo adoptivo (he llegado a creer que lo es) del calendario: «tan bella y tan fugaz, fugaz es nada / con si Abril anda ya con botas nuevas»; «por si Abril se olvidara, / porque Rosa y Abril son solo uno» (las mayúsculas pertenecen al poeta). No sería apropiado terminar el párrafo sin mencionar a Federico García Lorca: «Salen los niños alegres / De la escuela, / Poniendo en el aire tibio / Del abril, canciones tiernas [...] ¡Abril divino, que vienes / Cargado de sol y esencias / Llena con nidos de oro / Las floridas calaveras!» («Canción primaveral»).

De atrás hacia delante, abril ha pasado muy campante de un siglo a otro sin necesidad de visa, sin avisar. De él se han ocupado: Andrés Bello, en días de pos independencias nacionales y largas peroratas líricas características de un tardío Romanticismo condenado por propia falta de méritos a ser posdata; «cual se ve a la hoja / de que el añoso bosque Abril despoja, / mezclar la suya otro y otro Abril» («La oración por todos») y «Cuantas abril pintadas flores cría» (Canto III, *El bosque de las Ardeñas*); José María Heredia: «Cana mi frente está, mas no por años, / Que veinte y seis abriles, aun no cuento» («Desengaños»); Gertrudis Gómez de Avellaneda: «De aura de abril» («A una mariposa»); Amado Nervo: «En las noches de abril / mansas y bellas» («Perlas negras», XVIII) y «¡Ya llegó abril, ya llegó abril! / Hay muchos astros en el cielo, / hay en la tierra flores mil, / salta cantando el arroyuelo, / ¡ya llegó abril, ya llegó abril!» («Ya llegó abril»); José María Eguren: «Estaba de blanco vestida, / con verde ceñidor gentil, / su cabello olía a muñeca / y a nítido beso de abril» («Antigua») y «En las tardes de Abril, allá en los cerros» («Tardes de abril»); Rosalía de Castro: «Era en abril, y de la nieve al peso / aún se doblaron los morados lirios», «Una tarde de abril en que la tenue / llovizna triste humedecía» («Santa Escolástica»); Pedro Salinas: «La semana en abril / de pronto se sintió / una ausencia en el pecho: / jueves, su corazón» («La tarde libre»); Jaime Torres Bodet: «Pero nadie te ha visto/ llegar, abril» («Abril»); Claudio Rodríguez: «Qué transparencia ahí dentro, / luz de abril, / en este cáliz que es cal y granito» («Ahí mismo»). Y la lista aún no termina.

Sigo: Evaristo Carriego: «Visionario de un ensueño que inspiró un vino divino, / melancólicas vendimias de las uvas de tu Abril» («A Carlos de Soussens»); Ramón López Velarde: «Gracias por el saludo en que esta embajadora / del alma me ha traído un mensaje de abril» («Me despierta una alondra»); Porfirio Barba Jacob: «como en abril el campo, que tiembla de pasión» («Canción de la vida profunda»); Juana de

Ibarbourou: «Con menta y con llantén llega el Otoño, / nuestro Otoño del Sur: verdes limones, / gravidez del naranjo, Abril bisoño, / últimas uvas dándose encontrones» («Otoño del Sur») y «mis mañanas de Abril, alucinantes» («Resurrección»); César Vallejo: «Anoche, unos abriles granas capitularon» («Capitulación»); Pablo Neruda: «¿Has pensado de qué color / es el Abril de los enfermos?» («XXIV», *Libro de las preguntas*); Nicolás Guillén: «En mi chaqueta de abril / prendí una azucena viva» («Arte poética»), «Cuando digo "te amo", / mi voz repite el viento / y en mi alta copa juega / con tu nombre y un pájaro / hijo de abril y marzo» («El árbol»), y «Y de qué modo sutil / me derramó en la camisa / todas las flores de abril» («Canción»).

Miguel Hernández: «Siempre serán famosas / estas sangres cubiertas de abriles y de mayos» («Nuestra juventud no muere») y «Es un pleno de abriles, / una primaveral caballería» («Juramento de la alegría«), y «con su poder de abril apasionado» («Recoged esta voz»); Gerardo Diego: «Como huele a Abril y Mayo/ Ese barrido desmayo» («Verónicas gitanas»); Gonzalo Rojas: «y fracción de ese sábado de abril» («Al dictado automático»); Mario Benedetti: «acaso cuando llegue / un veintitrés de abril y abismo» («A la izquierda del roble»); Rubén Bonifaz Nuño: «Y nuevamente abril a flor de cielo» («Y nuevamente abril a flor de cielo»); Luis Palés Matos: «"¡Cristo, Cristo!" resuena en la pradera / la elocuencia de Abril» («Sábado de gloria»); Juan Gelman: «Para que ciertas noches haya luz / como hoy / que paso por abril» («Cada vez que paso»); Homero Aridjis: «Abril es ella quien habla por tus labios». Podría seguir, pero abril termina cansando. Cansa tanto como trabajar. *Lavorare stanca*, y abril también (uno de los poemas finales que escribió Cesare Pavese, «Último blues, para ser leído un día», dedicado a la actriz estadounidense Constance Dowling, está fechado el 11 de abril de 1950, año en que se suicidó).

En uno de los poemas de *Epigramas* dice Ernesto Cardenal: «Si cuando fue la rebelión de abril / me hubieran matado con ellos / yo no te habría conocido / y si ahora hubiera sido la rebelión de abril / me hubieran matado con ellos». Es decir, si tenemos a la poesía del poeta pájaro nicaragüense y a su autor, es porque no se han cumplido los idus –no Ida, Vitale– de abril. Poeta que no participó en ninguna rebelión armada, aunque tiene también apellido avícola, el uruguayo Julio J. Casal canta en el poema «Los cerezos»: «Abril. Sobre el muro azul del aire». En *El hacedor* (1960), libro en el que Jorge Luis Borges mezcla poesía y prosa poética, encuentro la siguiente paráfrasis de dos versos del poeta napolitano Giambattista Marino (1569-1625): «Púrpura del jardín, pompa del prado, / gema de primavera, ojo de abril» («Una rosa amarilla»).

Mayo es una Clínica (en Minnesota), y Abril una editorial (en Brasil). En canciones y poemas, como algunos ejemplos aquí presentados lo destacan, ambos meses aparecen uno al lado del otro, en dupla inseparable al estilo Don Quijote y Sancho Panza, el Gordo y el Flaco, o Batman y Robin. Si bien pertenecen a la misma estación, en lo estrictamente climático no son lo mismo. En Uruguay, abril suele ser fresco, ejemplo de una intensidad a corta distancia que se disuelve en cámara lenta, y de otra diferente a punto de asomar. Despunta el otoño –el tañido es el de las hojas al caer y el de las ramas al resistir–, los días llegan con menos horas de luz, tal vez porque mayo tiene una letra menos que abril. En el trasiego de estaciones, hay una perduración que se alarga o se abrevia, según los hemisferios. Uno de los poemas más conocidos y traducidos de Wallace Stevens, «Sunday

Morning», incluye los versos: «that has endured / As April's green endures». El mes aparece mencionado asimismo en la poesía de Marosa di Giorgio («Día de abril, como una niña de pie sin saber», «Y el día de abril no sabe qué hacer»), en la de José Kozer (he contabilizado al menos cinco poemas que lo mencionan, «Abril, 1970», «Acto de materia», «Abril», «Así de sencillo», y «Guadalupe, 61 años, a cincel», de donde provienen los versos, «Sesenta y un abriles en enero esta mañana / Guadalupe enhorabuena», pero posiblemente el número es mayor, no de años de edad sino de poemas que contienen el nombre del mes), y en la de Eduardo Espina («Para el amor en mes como de abril fue todo / derrumbe, umbral a la sombra de un abrojo», *Mañana la mente puede*). La lista es continuable. Cualquier lector de poesía puede sin dificultad convertirse en detective de abriles (a ninguno hallará culpable de las decisiones del destino).

En el extenso catálogo de dos líricas con inmensa variedad de temas y formas, la inglesa y la estadounidense, encontré alrededor de cien poemas referidos a abril, sinnúmero de ellos con el nombre del mes incorporado en el título. Algunos poetas le han dedicado hasta más de un poema. Abril les gustaba. «Green come the shoots, aye April in the branches», dice el undécimo verso de «A Virginal», poema de Ezra Pound.

Abril aparece además en poemas de William Shakespeare (en los sonetos 98, «Me alejé de ti en la primavera, / Cuando el feraz abril, engalanado, / Infundió tal juventud al mundo», y 104, «Si en tal decurso de las estaciones / Tres fragancias de abril consumió junio, / Tú preservas tu fresca lozanía»), Lord Byron, John Keats («To Fanny», con un verso inolvidable: «Sé como un día de abril»), William Wordsworth, Christina Rossetti, Henry Wadsworth Longfellow, Herman

Melville («Shiloh: A Requiem», poema que menciona al mes de abril y está fechado «April, 1862»), Ralph Waldo Emerson, Walt Whitman, Robert Louis Stevenson, Emily Dickinson, Algernon Charles Swinburne, Langston Hughes, Ogden Nash, Wilfred Owen, Sara Teasdale, Thomas Hardy, Patrick Kavanagh, Claude McKay, e. e. cummings, Robert Frost, Amy Lowell, William Carlos Williams, Edna St. Vincent Millay (tiene dos: «Song of a Second April» y «Spring»), Robert Graves, John Crowe Ransom, Donald Hall, William Snodgrass, Louise Glück, C. F. MacIntyre (quien vivió por un tiempo en México y pasó un mes de abril en ese país), Ernest Hartsock (muerto a los 27 años en 1930 y que en la década de 1920 llegó a ser uno de los poetas estadounidenses de mayor renombre), Verne Bright (autor de *Mountain Man*, el único de sus libros disponible en Amazon), Florence Edsall (su poema sobre abril tiene que ver con la nieve de ese mes y fue publicado en 1927), Harriet Monroe (más conocida por ser la fundadora de la revista *Poetry* que por su poesía), Edith Wyatt (1873-1958, amiga íntima de la anterior, y una de las tres integrantes del primer comité editorial de la revista), Ernest Rhys (1859-1946, poeta galés amigo de W. S. Yeats, en cuya casa conoció a la que sería su esposa, la también escritora Grace Little), Ernest Dowson (quien antes de morir, en 1900, a los 32 años de edad, fue uno de los primeros en mencionar al fútbol en un poema; John Keats vio en un parque un partido, pero nunca escribió sobre ese deporte), W. D. Snodgrass (poeta amante de las iniciales pues también se hizo llamar S. S. Gardons), Hayden Carruth, Stanley Moss (escribió un poema sobre el mes de abril en que residió en Beijing), J. W. Rivers, Arthur Symons (autor del poema «Medianoche de abril», cuyos cuatro versos finales dicen: «Tú el bailarín y yo el soñador /

Niños juntos, / Vagando perdidos en la noche de Londres, / En el clima milagroso de abril», escrito antes de sufrir los fuertes episodios psicóticos que lo afectaron durante la última parte de su vida), Ezra Pound (no lo había mencionado, pero antes de ayer releí por enésima vez los cinco versos del poema «April»: «Tres espíritus vinieron a mí / y me llevaron /donde las ramas del olivo /yacían deshojadas sobre el suelo: / pálida carnicería», y recordé que Pound fue lector devoto del poeta medieval Arnaut Daniel, quien murió herido por una ballesta el 6 de abril de 1199, en horas de la mañana; además, que el barco que llevó a Pound a España salió de Nueva York el 28 de abril de 1906, que el poeta llegó a Venecia el 28 de abril de 1908, y que el 18 de abril de 1958 la jueza del Tribunal Federal de Distrito de los Estados Unidos, Bolitha Laws, desestimó una acusación por traición que se había presentado contra él durante la Segunda Guerra Mundial), Marilyn Hacker, Mark Halperin, H. R. Kent, Brewster Ghiselin, Alan Williamson, Kay Boyle, Ernest Kroll, Alexander F. Bergman, Lesley Cross, Bill Sweeney, Alan Dugan, Judith Harris, Grace Hoffman White, Alicia Ostriker, Ralph Cheever Dunning, John Ashbery (su undécimo libro se llama *April Galleons*), Janet Norris Bangs, Heidi Mordhorst, Richard Katrovas (a su poema lo fecha, «April 18, 2011»), Dorothy Keeley Aldis, Marilyn Singer, Myra Cohn Livingston, Joyce Peseroff, Rae Armantrout, y evito seguir. De lo contrario, corro el riesgo de que la enumeración se convierta en la guía telefónica de abril con sus correspondientes páginas amarillas.

«Evito seguir» (y hablando de evitar, Evita Perón debutó en radioteatro en abril de 1938), dije tajante dos frases atrás. Me rectifico. Sigo otro poco («un poquito más», cantó José José, a quien dieron por muerto en abril de 2019 debido al cáncer de páncreas que padecía; murió en septiembre de ese año). Uno de los poemas que mejor ha captado el ánimo oscilante entre el entusiasmo y la melancolía asociado al mes de abril lo escribió la poeta estadounidense Jean Valentine. Dice en su parte final: «Las monjas rezan. / Nieva. / Está oscuro. / Rezan por nuestros amigos que han muerto/ el año anterior y el año/ antes y por quien morirá este año. / Hablemos, / tal como las abejas lo hacen» («April»). Su compatriota, Lizette Woodworth Reese (1856-1935), está casi olvidada, y el casi resulta generoso, aunque su nombre reapareció en una de las entradas del libro de David Markson, *La soledad del lector*: «H. L. Mencken called Lizette Woodworth Reese the finest American poet of his time». Su poema más conocido, «Mid-March», dice en sus dos primeros versos: «Es demasiado temprano para las ramas blancas, demasiado tarde / Para las nevadas». El libro al que pertenecen se llama *White April* (1930). El poema «April», de W. S. Merwin, tiene apenas ocho versos. La brevedad no atenta contra su poderío lírico: «Cuando nos hayamos ido la piedra dejará de cantar/ Abril, abril / se hunde en las arenas de los nombres / Días por venir / Sin estrellas escondidas en ellos / Tú el que puede esperar estando allí / Tú el que no pierdes nada / No sabiendo nada».

En la poesía anglosajona, dos poetas de los buenos dieron cabida a abril en sus poemas, y quiso la casualidad –o quien sea que decide en estas cuestiones– que murieran en un día de ese mes. Edward Thomas cayó en acción en Pas-de-Calais, durante la batalla de Arras, el 17 de abril de 1917. Tenía 39 años. El poema «Tears» contiene tres versos premonitorios sobre lo que fue su partida de esta vida, a causa de una bomba: «Cuando salí de la torre de doble sombra / En una mañana de abril, giratoria y dulce. / Y cálida». James Schuyler murió en Nueva York, de un derrame cerebral, el

12 de abril de 1991. Su poema «April» tiene un comienzo fotográfico: «The morning sky is clouding up / and what is that tree, / dressed up in white?».

A ojo de buen cubero, podría decirse que en todas las lenguas universales hay por lo menos un poema abrileño, adjetivo que suena a brasileño nacido en ese mes. En poemas de Goethe, Victor Hugo y Boris Pasternak aparece la palabra «abril», escrita en alemán, *April*; francés, *avril*; y ruso, *апреля*, respectivamente. Abril no es solo mes sonoramente propicio para utilizar en poemas, sino también para escribirlos. Lo fue para el turco Nazim Hikmet. Su poema, «Cosas que no sabía que amaba», cuyos primeros versos dicen, «Es 1962 marzo 28 / Estoy sentado junto a la ventana del tren Praga-Berlín / La noche está cayendo / Nunca supe que me gustaba», está fechado el 19 de abril de 1962. En ese mes asimismo, día 27 de 1953, escribió en Moscú otro de sus poemas emblemáticos, «Última voluntad y testamento».

Abril es repetible denominador común con presencia universal. Incluso en la poesía de una hongkonesa, Lok Fung (no confundir con la banda londinense de rock Wang Chung), tiene abril (四月) ubicuidad. Es, además, mes con simbolismo deportivo. En abril comienza en Estados Unidos la temporada oficial de béisbol de la Major League Baseball (MLB). Dice el poema «Poem for Jack Spicer», de Matthew Zapruder: «It's the start of baseball season, / and I am thinking again / as I do every year / in early April now / that I live in California».

Abril viene con regresos varios. Vuelven las cosas que nunca se habían ido, y las que sí sin su jamás. Vuelven las golondrinas, los bates de béisbol. Y los vates, como si la mente practicara un deporte en el que solo las palabras pueden ganar o perder (en la poesía no hay empate), ponen a volar a su imaginación, la que liberada va de un sitio a otro poblando el mundo de destinos escritos en un idioma sin sinónimos que solo ella sabe hacer hablar.

En la lengua de Stevenson y Dickinson (ambos con apellidos terminados en *son* porque ambos lo son, *hijos* de una grandeza original), apenas una letra separa a *april* del *abril* español. Geoffrey Chaucer habló del mes (en el prólogo general a *Los cuentos de Canterbury*), y en *The Waste Land* es refutado por otro poeta mayor, no de mayo, sino de abril, nacido en St. Louis, Missouri, en pleno medio oeste de la Unión Americana, *rendez-vous* de las típicas vidas clase media, pero arraigado en Londres tras estudiar en la universidad de Harvard. En la capital británica el expatriado hablaba como educado lord inglés y consideraba aborrecible mencionar su lugar de procedencia (lo cuenta John Richardson, quien detestaba la artificialidad de Eliot).

La modernidad ha vivido de discrepancias e ingratas refutaciones al pasado y a la genealogía de cada cual. Al representar la primavera con sentimientos invertidos, la metáfora de Eliot atraviesa invicta la encrucijada de lo predecible para establecer desavenencias culturales y revelar las imposturas y simulacros de la verdad racional, la que en ocasiones es una regional. Puerta de entrada a un poema carente de funcionalidad, de finalidad y de conclusión lógica (afortunadamente, la poesía no depende de esta), el verso que mezcla «memoria y deseo» continúa auspiciando una práctica hermenéutica ante el hermetismo, la cual hasta ahora ha resultado insatisfactoria, corolario de una síntesis que no alcanza a completar el rompecabezas, y eso que...

A fines de la década de 1910, cuando Eliot comenzó a escribir los 434 versos de *The Waste Land* (publicó el poema como libro de 64 páginas en diciembre de 1922, y es el de mayor influencia en lengua inglesa del siglo xx), Europa vivía en la desesperanza consecuencia de la Primera Guerra Mundial, entre la desesperanza del verso vanguardista y las miserias impuestas por el Tratado de Versalles. La angustia tenía como función aunar. La ansiedad existencial de carácter histórico y cultural había llevado a perder fe en la razón, en sus dones inocuos.

Devueltos los anhelos de unanimidad al grado cero de lo tolerable, el hombre quedaba más solo, solitario y excluido que nunca, condenado a vivir entre paréntesis, o en puntos suspensivos. Hablar de renacimiento, de un renovado empuje civilizatorio, era por consiguiente un sinsentido (una *sinsatez*). El mundo estaba definido por la ausencia generalizada de certezas empíricas y de una fuerza central estabilizadora capaz de favorecer un destino colectivo definido por la esperanza. Las ansias inversas y los miedos proliferaban.

A partir de estos síntomas, y de un lenguaje que cuestionaba la viabilidad de un discurso racional para hablar del estado (de ánimo) de la realidad (las vanguardias habían hecho bien su trabajo), Eliot, «el hombre que fue abril», dio cabida en su poema a un pensamiento paradójico, confirmación nada exagerada de la crisis que atravesaba la lírica moderna, en sintonía con la historia desviada del razonamiento que le había tocado representar.

A contrapelo, la primavera septentrional –con abril incluido– vino a privilegiar el estado fenomenal de la duda, su presencia absuelta de corrosiones. La estación florida no devuelve a la vida su plenitud de paradoja constante, aunque actúa como intermediaria para corroborar sus frustraciones, su orgánico caos. Abril mezcla «memoria y deseo»:

pasado y presente en idéntica instancia temporal, aquella que corresponde a la realidad cuando está sostenida únicamente por palabras venidas de un lenguaje.

Al quedar la realidad dentro y fuera del poema transformada en un puro presente (en instante que sigue, que es la continuidad misma), desaparecen la nostalgia y la esperanza, la diferencia y la afinidad. La idea de futuro ha sido erosionada. La memoria bloquea al deseo y limita su experiencia a un confín de actos en retrospectiva. Sin olvido no habría dicha, pero la palabra «dicha» recuerda demasiadas cosas como para desaparecer así nomás, en un santiamén. El lenguaje poético había venido a decirle a «la verdad» cómo debe ver, de qué manera existir para saberse accedida. Se anima a enseñar. Pero, ¿de qué verdad se trata? Le toca a un mes al que treinta días no le bastan, ¿tener la responsabilidad de revelarla?

La cacofónica crueldad del mes en cuestión, y que alude a la ruina del presente (un hoy que viaja, desde entonces hasta pasado mañana), refiere a la imposible escapatoria hacia un estado de actualidad perpetua. *Abril* es: presente de indicativo. (Dice luego el poema de Eliot: «El invierno nos mantuvo abrigados», «El verano nos sorprendió».) El siglo, al menos aquel (el xx al entrar en su tercera década), cabía en un momento específico de plenitud menos moral que estetizante, la cual, no obstante, llegó vacía de origen, como promesa de nada hecha por nadie o su doble, ninguno. Esto se verifica a partir de la voz impersonal que enuncia y expande el poderío retórico de una dicción convertida en decisión acuciante: el hablante no es una persona localizable, tampoco un yo definido, personalizable, sino el mundo o el tiempo (o ambos al unísono) haciéndose pasar por lenguaje.

Sin embargo, a diferencia del naufragio de la historia, el hundimiento de las palabras de la modernidad no sería mortal, tampoco definitivo, cosa ya juzgada y sin más. Por el contrario, chantajeaba esa experiencia para hacerla relatar la crueldad de lo inédito que acababa de llegar. En el otoño de la historia, que terminó siendo un durísimo invierno que duró hasta bastante después de 1945, la primavera se adhería a la vida de desesperada manera, viva solo entre palabras de las que el espíritu prefiere escuchar cuando la realidad pierde sentido.

En el poema se habla desde la orilla opuesta, desde la inválida unidad de la historia: de reojo, desde el afuera de los acontecimientos, justo donde comienzan a hacerse presentes las incongruencias del significado. Además de poner en duda la lozanía del mes favorecido por la naturaleza, *The Waste Land* cuestiona la capacidad significativa y representacional del lenguaje. Las palabras deambulan por su interior, por la periferia del sentido: solo se pueden conocer las partes, nunca el todo por completo. Las fracciones rechazan la integración a la totalidad vista como victoria incuestionable de la razón. En el vasto territorio del fragmento y de la dicción interrumpida por su propio balbuceo, hasta la propia naturaleza se atomiza.

Sin anunciarlo, el mundo dejó de ser el de antes. Un nuevo nerviosismo había venido a caracterizarlo. No en vano, el crecimiento sensorial y emotivo vinculado al mes de abril era repudiado, visto como angustiante acto de crueldad que sintetizaba una causa determinante de la vida, la mejor y la peor al mismo tiempo. Dado su acotado, inminente final, la intensidad del desastre relatado alcanzaba una destellante profusión, enfatizando la nitidez individual de lo fragmentario (algo así como murmullo entendido en parte a partir de sus partes convertidas en esquirlas del habla), su condición no integrable, aunque intercambiable:

> Me senté en la orilla
> a pescar, con la árida llanura detrás de mí
> ¿Pondré por lo menos mis tierras en orden?
> El Puente de Londres se cae se cae se cae
> *Poi s'ascose nel foco che gli affina*
> *Quando fiam uti chelidon* -Oh golondrina golondrina
> *Le Prince d'Aquitaine à la tour abolie*
> Esos fragmentos he apoyado contra mis ruinas
> Pardiez entonces se os acomodará. Hieronymo vuelve a estar loco
> Datta. Dayadhvam. Damyata.
> Shantih shantih shantih [1]

Construido en base a una sintaxis espejeante, que serpentea afianzando una sucesión de escenas interiores –una deriva bajo control–, *The Waste Land* evidencia la noción contraria de aquello contenido en lo mismo que está diciendo. En ese efecto de redundancias superpuestas, en ese monumental balbuceo de «digo, pero no del todo, digo, pero mejor me callo», destaca un logos oracular. Engarzando afinidades diversas, la forma de proceder del lenguaje bajo ese régimen de escritura alocada podría ser denominada «sobreindeterminación».

Descendiente directo de la tradición imaginista vía Pound, pero a contramano de cualquier simpleza sintáctica, el poema sorprende y desconcierta por la inasible lógica de sus versos. Estos deben hacer creer al lector que en el mundo visual se está originando la primera vez de algo

[1] T. S. Eliot: *Asesinato en la catedral; Cuatro cuartetos; La tierra baldía*, Fernando Gutiérrez y José María Valverde (trads.), Orbis, Barcelona, 1985.

verídico a partir de las palabras, y que ellos son indicios convertidos en índole de una poética y una fenomenología de la sintaxis. El habla deviene presencia, suma asimétrica de prosodias, balbuceos y destellos.

Sin poder distanciarse de la memoria, la figura sonámbula del deseo salta de un lado a otra parte, creando una hipotaxis vulnerada por el entusiasmo, una mutante contigüidad que borronea sus rastros en el intersticio de una continuidad caracterizada por sus interrupciones. El poema está construido en base a cláusulas severas, superpuestas en orden de palimpsesto y que favorecen la prosodia que le sale al paso, porque esa es una de las opciones para llegar a la modernidad por un camino menos simple de transitar (*April/cruellest*: abril/cruel). La rima –también cima– que inaugura la escucha catártica, inhabitual, y que sería luego estandarte de las letras características de la música pop –del rock and roll al hip-hop–, está ya prefigurada. La poesía ha encontrado su tono moderno, la melodía válida que la encarama. Suban el volumen.

Abril es el mes más cruel, aunque quizá no, ni siquiera tanto, o solo lo es para unos pocos, aquellos que lo asocian con la muerte o una derrota mayor del espíritu, por lo que Eliot debería haber escrito, «abril puede ser el mes más cruel», pero lo que escribió, lo escribió en inglés («April is the cruellest month» acentúa un énfasis superior al de su traducción al castellano).

Abril, *the cruelest*, libra: demonios y ángeles exterminadores. Aquí y allá los ejemplos se hallan. Uno salvado del olvido. Albert Salmi (1928-1990), actor estadounidense de origen finés, trabajó en más de 150 películas de cine y televisión. Para demostrar que en ciertas cosas de la vida puede haber dos sin tres, su segundo matrimonio fue el último y él, encargado de ultimar a su cónyuge. El 22 de abril de 1990 tuvo una discusión con Roberta Pollock Taper, con quien estaba casado desde 1964, aunque en proceso de divorcio, pues la mujer lo había acusado de malos tratos. Con varios tragos encima, Salmi perdía la calma con facilidad. ¿Había tomado esa mañana de domingo y de homicidio, o el estado de ebriedad había tenido inicio la noche anterior? La policía nunca pudo determinarlo. Antes de mediodía, en la cocina de su hogar en Spokane, Washington, Salmi le dio varios disparos a la mujer, madre de sus dos hijas, y con el mismo revólver se quitó la vida horas después. Encontraron el cuerpo de ambos al día siguiente, 23 de abril.

A decir verdad, y para evitar innecesarias polémicas con el difunto, autor del poema, en el mes de abril pasaron cosas trágicas: la crucifixión de Jesucristo (según el astrónomo Brad Schaefer, fue un 3 o 7 de abril), la muerte de Hernando de Magallanes (en un galeón, pequeñísimo para las extensiones de las naves de hoy, sobrevivió una vuelta al mundo que duró casi dos años, pero el 27 abril de 1521 pereció en una batalla contra guerreros musulmanes en la isla de Mactán, Filipinas), el asesinato de Abraham Lincoln (otro magnicidio tendría lugar en este mes, el de Martin Luther King), el hundimiento del *Titanic*, los decesos de Canaletto, Durero, Rafael (el 6 de abril de 1520, Viernes Santo), Goya, Manet, Picasso, Charles Darwin (sus últimas palabras fueron: «No le tengo ningún miedo a la muerte»), Igor Stravinsky (quien en cierta manera se adelantó a Eliot al estrenar en 1913 *La consagración de la primavera*, en la cual, por razones obvias referidas a la estación, también abril resulta consagrado), Franklin Delano Roosevelt (a la una de la tarde del 12 de abril de 1945 tuvo un derrame cerebral y dos horas después los médicos lo declararon muerto, así se convirtió en el séptimo presidente estadounidense en morir durante su mandato; el primero había sido William Henry Harrison, el 4 de abril de 1841, a los 31 días de haber asumido la presidencia), Cantinflas, María Félix, Pedro Infante, Albert Einstein, ¡Pol Pot!, Alfred Hitchcock, Nino Bravo, Greta Garbo, Juan Pablo II, Benny Hill, y Joey Ramone, los nacimientos de Hitler (nació un 20 de abril y murió un 30 de ese mes, dos días después de Benito Mussolini, ambos en 1945), Lenin y Rudolf Hess, el terremoto que tiró abajo la ciudad de San Francisco (1906), el inicio del genocidio armenio por parte de los turcos (1915), el bombardeo de Guernica (1937), el primer bombardeo estadounidense sobre Tokio (1942), la muerte de 96 hinchas de Liverpool al colapsar las gradas del estadio de Hillsborough (1989) (cancha del Sheffield Wednesday desde 1899), el comienzo de la Guerra de las Malvinas (comenzó el 2 de abril de 1982; ese mismo día, pero en 1911, Rosa Luxemburgo recibió la visita en Berlín de Vladimir Ilich Uliánov), la explosión en la planta nuclear de Chernobil (1986) en Ucrania (por entonces parte de la Unión Soviética), el comienzo del genocidio en Ruanda (1994), y el ataque terrorista en Oklahoma City que mató a 168 personas (1995). Constanze Manziarly nació el 14 abril de 1930. Fue la cocinera de Hitler desde 1943. En la mañana del 30 de abril de 1945 el *Führer* le dijo que preparara el almuerzo. Después de cocinar uno de los platos favoritos de su jefe, espaguetis con salsa de tomate, comió con Hitler y las dos secretarias de este. A las 3:15 de la tarde, Hitler, quien un día antes había contraído nupcias con Eva Braun, se disparó un tiro en la sien derecha. Aunque se la presume muerta, el cadáver de Manziarly nunca fue encontrado; su estatus social es: «desaparecida». Abril es, además, el mes elegido para conmemorar el Holocausto. A fines de abril de 1920, cuando aún no había concluido *The Practice and Theory of Bolshevism*, publicado ese año, Bertrand Russell culminó los preparativos de su viaje a la Unión Soviética, durante el cual mantuvo una conversación con Vladimir Ilich Lenin. Tras la misma escribió el siguiente comentario: «Me explicó jovialmente cómo había excitado a los campesinos pobres contra los ricos, "y estos pronto pendieron del árbol más próximo". La carcajada que siguió a sus palabras me heló la sangre».

En abril ha muerto, mucho tiempo antes y después de que el mes quedara asociado a la crueldad, una gran cantidad de escritores que hasta ese momento estaban –no sé si felizmente– vivos. En sus tumbas los deudos dejaron ramos (para pagar deudas de afecto y recordarles a los muertos que las flores que les habían traído iban a tener idéntico perecedero destino). Tal vez por un acto intencional de la casualidad, en el mes «de las flores» fallecieron: Séneca, Alfonso X el Sabio, Jorge Manrique, Fernando de Rojas, Sor Juana Inés de la Cruz (ya mencionada), François Rabelais, Lord Byron, William Wordsworth, Francis Bacon, Jean La Fontaine, Bram Stoker, Graham Greene, Max Frisch, Rómulo Gallegos, Saul Bellow, Isaac Asimov, Kahlil Gibran, Günter Grass, Simone de Beauvoir y Les Murray, poeta australiano de grandes dimensiones físicas, al que conocí en el festival de poesía de Rotterdam en junio de 2011, y quien en una de las conversaciones que tuvimos me dijo que la muerte era igual al gobierno de Estados Unidos; se mete donde nadie la ha llamado.

A esa lista hay que sumar a dos escritores bastante conocidos y muy traducidos: Miguel de Cervantes y Saavedra y William Shakespeare. En 1946, en Río de Janeiro (que el 21 de abril de 1960 dejó de ser la capital de Brasil), Vinicius de Moraes escribió el poema «Día de la creación», el cual comienza diciendo: «Hoy es sábado, mañana es domingo». Shakespeare y Cervantes murieron el 23 de abril de 1616, año bisiesto. Sábado. Al otro día fue domingo. ¡Y hay quienes no creen en coincidencias concernientes a las fechas y a los misterios diversos que encriptan! En abril también fallecieron: César Vallejo, Jean-Paul Sartre, Gabriel Celaya, Primo Levi, Corín Tellado, Alexis de Tocqueville, Yasunari Kawabata, Ralph Ellison, Jean Racine, Ralph Waldo Emerson, Mark Twain, Willa Cather, Bjørnstjerne Bjørnson (poeta noruego, ganador del premio Nobel de Literatura en 1903, y cuyo poema «Ja, vi elsker dette landet» es la letra del himno nacional de su país), Daniel Defoe, George Duhamel, Robert Musil, Jacques Prévert, Paul Celan (un 20 de abril, día del nacimiento de Hitler; pero no he visto ninguna investigación sobre la extraña coincidencia, seguramente relacionada –digo seguramente, aunque no sé– con la decisión del poeta alemán de elegir ese día para suicidarse), Erskine Caldwell, Allen Ginsberg, J. G. Ballard, Carlos Castaneda, Augusto Roa Bastos, Jean-François Lyotard, Kurt Vonnegut, Muriel Spark, Alejo Carpentier, Eduardo Galeano, Rafael Sánchez Ferlosio...

Y a Emilio Salgari, cuyas historias de corsarios fueron para mí la literatura, antes incluso de saber lo que era literatura. Anticipándose a T. S. Eliot, el veronés decidió que abril fuese el mes más cruel para él (otra rima imprevista). Se suicidó en la mañana de un 25 de ese mes, en 1911, en el bosque de Val San Martino de Turín, abriéndose el abdomen con una navaja, siguiendo las características del ritual japonés conocido con el nombre de *seppuku* o *harakiri*. Tenía 48 años de edad. Una lavandera de 26 años, que andaba buscando leña en el bosque, encontró el cadáver entre las magnolias, hayas y cipreses (parece una fábula, pero esta lavandera, a diferencia de la que aparece en el poema de Félix María Samaniego, no era producto de la imaginación). Antes del autoapuñalamiento, Salgari escribió tres cartas: una de ellas para sus hijos, Fátima, Omar, Nadir, y Romero, en la que les decía: «Soy un perdedor...»; otra para su editor; y la tercera, para los directores de los diarios turineses.

En vez de morir, otros eligieron a abril para venir al mundo. En esto hay solo dos opciones: irse o llegar. Perecimiento o nacimiento, el parto o la partida. Algunos eligieron la primera disyuntiva: Pietro Aretino, Garcilaso de la Vega, Isidore Ducasse, Swinburne, William Wordsworth, Charles Baudelaire, Nikolai Gogol, David Hume, Émile Zola, Hans Christian Andersen, Washington Irving, Roberto Arlt, Marguerite Duras, Victoria Ocampo, Alejandra Pizarnik, Andrei Tarkovski (nació el 4 de abril de 1932, y el 4 de abril de 1986, mientras concluía el rodaje de *El sacrificio*, le dijo a su hijo Andrei, a quien está dedicada la película, que le quedaba poco tiempo de vida; murió el 29 de diciembre de ese año), Samuel Beckett, Henry James, Tristan Tzara, Eduardo Acevedo, Vladimir Nabokov (y varias de las mariposas y falenas que poblaron su vida, y la de Mauricio Babilonia), Vicente Aleixandre, Ludwig Wittgenstein, y Konstantinos Kavafis. Hay uno, mencionado dos párrafos atrás, que vino y se fue en abril: Shakespeare. También los filósofos Ludwig Wittgenstein (murió el 29 de abril de 1951, tres días después de cumplir 62 años), y Edmund Husserl. El afán sistemático de este último por tratar de entender la impredicabilidad a partir de un análisis científico estricto, no le hubiera permitido entender, por más que lo intentara, la intencional arbitrariedad del mes de abril para hacerse presente cuando la lógica es la principal ausente.

En dicho mes fallecieron dos escritores hispanoamericanos, Octavio Paz y Gabriel García Márquez, en ese orden de desaparición, ganadores del premio Nobel de Literatura, galardón que obtuvo asimismo Lucila de María del Perpetuo Socorro Godoy Alcayaga, alias «Gabriela Mistral», quien no murió en abril, sino que un día siete de ese mes nació (en 1889), misma fecha de nacimiento de uno de los personajes sin nombre de la *nouvelle*, novelita o cuento largo, *El coronel no tiene quien le escriba*: «Nació en 1922 –dijo–. Exactamente un mes después de nuestro hijo. El siete de abril». Un 30 de abril de 1929 nació Beatriz Elena Viterbo. «Cinco de abril» se llama un ensayo de opinión de Andrés Bello publicado en *El Araucano*, diario bisemanal que circuló en Chile entre 1830 y 1877 (el brevísimo ensayo está incluido en *Obras completas de Don Andrés Bello*, vol. XV: Miscelánea, p. XLIII). Dice su primera frase: «Si los días 12 de setiembre i 12 de febrero son consagrados al júbilo por los patriotas chilenos, con mayor razón debería serlo el CINCO DE ABRIL que recuerda el hecho más heroico de nuestra revolución, el que aseguró la libertad de Chile i la comunicó a los oprimidos peruanos».

Abril tiene 30 días, dos más que febrero cuando no llega impar; este último, con sus paulatinos 28 días es el que mejor representa la brevedad de la existencia humana. En febrero, con un año de diferencia, se suicidaron Horacio Quiroga (1937) y Leopoldo Lugones (1938), el primero el 19, el segundo el 18. Por lo tanto, no hay que adosarle al mes de abril todos los titanics de la existencia y de la historia, aunque los haya. Sobran los ejemplos para acentuar su aura luctuosa de tragedia al acecho.

Un frío día de otoño, Catherine Thomson Hogarth recibió una carta escrita por su marido y fechada «Martes de mañana, 15 de abril, 1851». Decía:

Mi muy querida Kate: Observa ahora, debes leer esta carta muy lenta y cuidadosamente. Si te has apresurado hasta el momento sin comprender (aprehender algunas malas noticias), confío en que vuelvas y leas otra vez. La pequeña Dora, sin sentir el menor dolor, se ha enfermado repentinamente. Se despertó de un sueño y en un momento se la vio muy enferma. ¡Presta atención! No te engañaré. Creo que ella está «muy» enferma. No hay nada en su apariencia sino un descanso perfecto. Se supondría que ella está tranquilamente dormida. Pero estoy seguro de que está muy enferma y no puedo alentarme con muchas esperanzas de recuperación. No puedo, ¿y por qué debería decirte que sí, a ti mi querida? No creo que su recuperación sea probable. Me gusta salir de casa, no puedo hacer nada bueno aquí, pero creo que es lo mejor quedarme. No te hace sentir bien estar lejos, lo sé, y no puedo reconciliarme conmigo por mantenerte alejada. Forster, con su habitual afecto por nosotros, ha ido a llevarte esta carta y a traerte de regreso a casa, pero no puedo concluirla sin requerirte y suplicarte de la forma más firme, que vengas con perfecta calma para recordar lo que a menudo te he dicho, que nunca podemos esperar estar exentos, en cuanto a nuestros muchos hijos, de las aflicciones de otros padres, y que si –si– vienes, debería incluso decirte, «Nuestro pequeño bebé ha muerto», debes cumplir con tu deber con los otros y mostrarte digna de la gran confianza que tienes en ellos. Si solo pudieras leer esto paulatinamente, tengo la confianza perfecta de que harás lo correcto. Siempre cariñosamente, Charles Dickens.

«De la muerte nacemos inmensamente». Lo dijo Vinicius de Moraes. Dora Annie Dickens nació a la historia al momento de morir. Falleció el 14 de abril de 1851, horas antes de que su padre escribiera la carta. Su nacimiento fue el 16 de agosto de 1850, año en que Dickens publicó su octava novela, *The Personal History, Adventures, Experience and Observation of David Copperfield the Younger of Blunderstone Rookery (Which He Never Meant to Publish on Any Account)*, conocida como *David Copperfield*. Franz Kafka dijo que *Amerika*, su primera novela, era una simple imitación del libro de Dickens. *David Copperfield* es la novela favorita de Sigmund Freud. (Decidí incluir la carta familiar completa, pues no la había visto traducida ni publicada en castellano).

En abril no solo han concluido infancias pacíficas que se marcharon en plena inocencia. Son varios los artistas musicales que murieron de sobredosis o muertes violentas en el mes de mayor crueldad. Uno de los pioneros del rock and roll, Eddie Cochran, autor de varios clásicos del género, como «Summertime Blues» (el cual cuenta con versiones de Jimmi Hendrix y de The Who), «C'mon Everybody» y «Somethin' Else» (el *cover* de los Sex Pistols fue éxito de ventas en Gran Bretaña), se mató en accidente automovilístico el 17 de abril de 1960. Tenía 21 años. Johnny Thunders, integrante del grupo New York Dolls, fue asesinado en Nueva Orleans el 23 de abril de 1991, a la edad de 38 años. Tres días antes, el 20 de abril de 1991, Steve Marriot, líder de los grupos de rock Small Faces y Humble Pie, y una de las mejores voces de la historia del rock, llegó a su casa en Arkesden, Inglaterra, a una hora de distancia de Londres, cansado tras un largo viaje en avión desde los Estados Unidos. Antes de irse a dormir prendió un cigarrillo. Mientras fumaba se quedó dormido. Cuando la casa comenzó a incendiarse, intentó en vano escapar. Murió por inhalación de humo. Según la autopsia, en su sangre había alcohol, cocaína y una alta cantidad de Valium, que había tomado pues le horrorizaba volar. Tenía 44 años de edad.

Conocida por su sobrenombre «Left Eye», Lisa Lopes murió en La Ceiba, Honduras, luego de que el vehículo Mitsubishi Montero de alquiler que conducía se accidentara, el 25 de abril de 2002. La cantante de 30 años de edad integraba el grupo TLC, que en la década de 1990 tuvo nueve canciones en la lista de las diez principales del ranking de *Billboard* y es considerado por la misma revista como uno de los mejores tríos de la historia. En un rango de mayor notoriedad e impacto posterior, el caso de Marvin Gaye viene acompañado de su propio paradigma, caracterizado por la espectacularidad propia de un filicidio. El cantante de temas con imprescindible historia, como «What's Going On» y «I Heard It Through the Grapevine», nació un 2 de abril, y en 1984 fue asesinado por su padre de dos balazos calibre 38, un día antes de cumplir 45 años. Por cierto, en abril han muerto varios de los mejores músicos y cantantes negros de la historia: Nina Simone, Sarah Vaughan, Muddy Waters, Richie Havens, Little Eva, Brook Benton, Count Basie, Billy Paul, June Pointer, Percy Sledge («When a Man Loves a Woman»), Yvonne Staples, Edwin Starr, Ben E. King, Floyd Butler, Vicki Sue Robinson y Prince.

Abril auspicia asimismo autodeterminaciones trágicas. Un 5 de abril de 1994 se suicidó Kurt Cobain, cantante de Nirvana y miembro del clan integrado por quienes murieron a los 27 años de edad. Quien encontró su cuerpo pensó que el músico estaba dormido, hasta que se dio cuenta que un hilo de sangre salía de uno de sus oídos. No lo había matado la alta concentración de heroína y Valium hallada en su sangre, sino «un disparo de escopeta auto infligido en la cabeza», según dictaminó la policía. El 9 de abril de 1976, a los 35 años de edad, se ahorcó Phil Ochs, heraldo musical del movimiento contra cultural que aportó conciencia política a la sociedad estadounidense en las décadas de 1960 y 1970. Su brillante repertorio incluye una de las canciones de protesta del periodo más conocidas, «The War Is Over», contra la guerra de Vietnam, a la cual Michael Schumacher, en el libro *There But for Fortune: The Life of Phil Och*, considera «un acto mayor de valentía».

Tras dos intentos fallidos, el 6 de abril de 1998 se voló la cabeza de un balazo Wendy O' Williams, líder del grupo punk rock Plasmatics; tenía 48 años. Junto al cuerpo había una nota escrita por la cantante que decía:

No creo que la gente deba quitarse la vida sin una reflexión profunda y reflexiva durante un período considerable de tiempo. Sin embargo, creo firmemente que el derecho a hacerlo es uno de los derechos más fundamentales que cualquier persona en una sociedad libre debería tener. Para mí, gran parte del mundo no tiene sentido, pero mis sentimientos sobre lo que estoy haciendo suenan fuerte y claro para un oído interno y para un lugar donde no hay yo, solo calma. Amor siempre, Wendy.

Joey Ramone escribió un tributo para el funeral de O' Williams que dice:

Ella era una entidad tan única y colorida en el movimiento punk. Definitivamente era única en su clase. Simplemente, no hemos visto a muchas chicas revoleando motosierras. Ella era muy sexy y femenina también. Hubo un período en el que las mujeres del punk eran realmente sucias, así que fue agradable ver a esta muchacha ardiente. Ella era un modelo a seguir en el sentido de que podías admirarla por ser ella misma y por hacer lo suyo. En la era punk, todos siempre estaban enojados, pero ella era alguien que se divertía con eso. Se trataba de liberación y movimiento.

Joey Ramone, vocalista y líder del grupo Ramones, moriría también en abril, tres años después, el 15 de 2001, de linfoma. Tenía 49 años, 10 meses y 27 días. Mientras expiraba, escuchó la canción «In a Little While», de U2. El mes continuó teniendo presencia en su vida incluso después de muerto. El primer disco de la banda, *Ramones*, fue certificado como de Oro (ventas superiores a las 500 000 copias) por la Recording Industry of America, el 30 de abril de 2014, 38 años después de que saliera a la venta..

El galés Pete Ham, cantante y compositor de Badfinger, grupo que en sus años de auge en la década de 1970 llegó a ser comparado con los Beatles, y compositor de «Without You», una de las canciones de la era del rock con mayor cantidad de versiones, más de 180, entre otras la muy popular de Harry Nilsson, se ahorcó en el garaje de su casa el 24 de abril de 1975, tres días antes de cumplir 28 años. Le dejó a su novia, madre de su hijo, quien estaba embarazada y fue la que descubrió el cadáver, la siguiente nota: «Anne, te amo. Blair, te amo. No se me permitirá amar y confiar en todos. Así es mejor. Pete. PD Stan Polley [manager del grupo, nacido en abril, y que es recordado como famoso estafador] es un bastardo sin alma. Me lo llevaré conmigo».

Mencionado párrafos atrás, el genial Prince murió de una sobredosis del opioide sintético conocido con el nombre de fentanilo, el 21 de abril de 2016. Autor y voz de algunas de las canciones más poéticamente contundentes del género country, que él ayudó a prestigiar entre quienes menos se lo esperaba, Merle Haggard murió el 6 de abril de 2016. El alcohol y tabaco consumidos en cantidades industriales desde la infancia y durante toda su vida le pasaron factura, el mismo día que cumplió 79 años.

Tan dañino como los vicios, pero peor, pues no otorga placer alguno, el coronavirus encontró en el mes de abril a un aliado feroz. El 7 de abril de 2020, a los 73 años de edad, en el mejor momento de su carrera ya que dos años antes había editado un disco fenomenal, *The Tree of Forgiveness* (el cual, vaya casualidad, salió a la venta en abril de 2018), murió John Prine. Fue el segundo cantante estadounidense de renombre en morir de covid-19. El primero había sido Adam Schlesinger, prolífico compositor de bandas sonoras y musicales de Broadway e integrante del grupo Fountains of Wayne, muerto seis días antes que Prine. Además de los dos mencionados, el día 30, jueves, murió de covid-19 el cantante y compositor mexicano Óscar Chávez (1935-2020). El diario español *El País* reportó: «Chávez fue para México lo que Silvio Rodríguez para Cuba, Caetano Veloso para Brasil o Luis Eduardo Aute para España: la voz que le cantaba al desamor y a las ansias por un mundo más justo». Así pues, durante la primera plaga del siglo XXI la crueldad de abril fue pionera también en el rubro musical.

Tanto en la ficción como en la realidad (no saben vivir separadas), la muerte y la tragedia pueden hacer su arribo en cualquiera de los diferentes meses que hay. Para eso el año tiene doce, repartidos en cuatro estaciones con sus respectivos climas. El almanaque es extremadamente democrático. A cada cual lo suyo. Eliot, que nació en setiembre cuando el mes se escribía *septiembre*, con p igual que Pepsi, Pepsodent, y psicólogo, y murió el 4 de enero de 1965, llegado el momento lo supo. Para su culminante poema debía elegir un mes que se prestara a la diferencia, y fue lo que hizo. Elección simbólica, nomenclatura de una serendipia, no cabe dudas. Bajo su auspicio quedó plasmada la alegoría de un pensamiento interrumpido, el cual había venido a anunciar que el supuesto camino a ninguna parte llevaba a algún lugar. Son varias las maneras de darle el visto bueno a la nada, de implorarle que permanezca, que no se vaya.

El sibilino verso, que inmortalizó más de lo que ya estaba al mes de abril (hay cosas que solo pueden pasarles a las palabras), parece una sentencia salida del Eclesiastés, libro que Eliot, poeta con verso, conocía muy bien. Pero no lo dijo ningún profeta bíblico o un augur de los que avizoran por anticipado el futuro por venir, sino un hombre elegante y siempre bien peinado, quien cinco días a la semana cumplía su horario laboral en una empresa e iba los domingos a la iglesia, porque la vida es una fe y «una lucha intolerable / con palabras y significados». Los domingos, porque ni siquiera en ese día la contradicción descansa.

De acuerdo con muchos diccionarios literarios, T. S. Eliot es un poeta metafísico por haber escrito: «Abril es el mes más cruel». Si hubiera dicho: «Febrero es el mes más corto», con seguridad lo tendrían por poeta realista.

Cataclismos con vista al mar
(Última belleza anfitriona)

Exhibiendo su magnífica capacidad de inadaptación, cada tanto el agua regresa con ánimo aniquilador a recordarnos que pocas realidades materiales en esta vida simbolizan de manera tan coincidente como ella la vida y la muerte de común acuerdo. El agua con la que salvaba almas Juan el Bautista es la misma con la cual debió lidiar Noé encima del arca repleta de familiares y animales (en situaciones como esta se ve la importancia de la «y» en medio de dos palabras; de lo contrario, sería «familiares animales» o «animales familiares»). Agua de bautismo, y de diluvio universal. Agua de un oasis, para prolongar la esperanza; y agua de la tortura por *waterboarding* (o submarino), para acortarla.

Agua furiosa contra la flora y la fauna. Así estuviera anegando casas y calles en Nueva Orleans (2005); Nueva York (2012); en Houston, en Miami y en un racimo grande de bellas islas desperdigadas en el Caribe (2017) luego del arribo de huracanes masivos; o en Indonesia (2004 y 2018) y Japón (2011), tras la llegada de colosales tsunamis, las imágenes captadas por el ojo natural de las cámaras se transformaron en usina de asombros e incredulidad, en belleza descentralizada que saboteó cualquier posibilidad de armisticio con lo inesperado.

Cuando los mundos propios de la Era de Acuario se van a pique, adquieren un cariz fascinante. La metáfora hace las veces de conciencia de la imagen. Es que la destrucción por agua con características posdiluvianas vino acompañada en los casos mencionados de una plenitud estética, capaz de afectar nuestra manera de interpretar, e interpelar, la realidad con afán de entendimiento aproximado. Como si se tratara de algo adverso y ecuménico con su originalidad a cuestas, de una novedad que ejerce un muy *sui generis carpe diem*, pudimos constatar que ni siquiera en la forma de percibir la compleja relación que la vida humana tiene con la naturaleza, los tiempos son idénticos o parecidos a los anteriores.

Atravesamos la era de lo que era y ya no lo es, de un mundo que ha sido hace bastante. En la nave de la retromanía vamos hacia un futuro en desventaja que nunca volverá a ser como fue, si es que en verdad alguna vez lo fue de determinada manera. La destrucción de seres y cosas en simultáneo a causa de un desastre natural con el agua de protagonista genera un extraordinario interés colectivo, el cual no alcanza a ser mitigado por el cumplimiento o no de las expectativas, porque en situaciones fuera del libreto, como es la llegada de cualquier fenómeno eólico demoledor (de pronto empieza a soplar un viento con propósito de perpetuidad, apto para ser dedicado, y sigue, hasta agotarse), la destrucción viene precedida de un pronóstico del clima emitido con tono oracular, que pone de relieve la curiosidad colectiva ante un suceso a punto de ocurrir en la impredecible intemperie, la que no se guarda nada y ha sabido mantener ocupado al ser humano desde el instante mismo de su aparición en este planeta donde el tiempo se ocupa de todo lo demás.

No en vano, el interés por los libros que relatan guerras, plagas y devastaciones es ancestral. Viene desde épocas precedentes a todo, en las cuales el ser humano carecía de un lenguaje articulado, y para paliar esa falta garabateaba animales en las paredes de las cavernas, por más que la curiosidad fuese tan igual de idéntica en tiempos anteriores a esos, cuando el analfabetismo de los escasos grupos poblacionales competía con el de los enormes dinosaurios, animales iletrados muy cinematográficos.

Si bien agudizada en años relativamente recientes, la tendencia a sentir a coro un interés entre lúcido y morboso ante la destrucción y sus encantos catastróficos, propios de un buen cataclismo, ha estado presente desde siempre como síntoma característico de la condición humana. La muerte, sobre todo cuando no es la de uno, atrae sobremanera; tiene ese poder de carnada colectiva, de morbosa exaltación de la finitud. Con su influencia inacabada, sintetiza la infancia de ciertas vicisitudes venidas a más, el desorden de la aceptación a contramano (y sin contrastes optimistas para contrarrestar).

Ver a la muerte ajena a través de imágenes y palabras que no exigen pensar demasiado para sobresaltar al auditorio y constatar por doquier aniquilamientos debidos a guerras, hecatombes naturales, y holocaustos de todo tipo o tamaño, sirve para recordarnos que la vida es breve en cada hora de la jornada, aunque hay ocasiones en que puede ser incluso más corta que en épocas pasadas, tal como lo es en tantas partes de la Biblia –personajes como Matusalén son una excepción–, libro grueso en el cual las destrucciones masivas y desastres naturales provocados por Dios –tampoco se trata de culparlo de todo– reciben tratamiento especial. ¿Qué allí no lo recibe?

El pasaje del Diluvio Universal, peculiar dato de la naturaleza planetaria anticipado por *Las metamorfosis* de Ovidio, es, sin duda, uno de los de mayor interés y atractivo del voluminoso libro de éticas y enseñanzas diversas del cual salieron una religión y sus fieles. Provenientes de esas épocas de tan atrás en el tiempo hay otras historias por el estilo, que contienen moralejas propicias para la gran fábrica de fantasías, aunque fueron esas, las más inconmensurables, con sus atroces injusticias y sus pasajes de muerte grandilocuente, a montones, las que despertaban interés cuando las leíamos por obligación en las aulas de la escuela y el liceo, seguramente porque relataban milagros y estragos que ocurrían en simultáneo, y porque, además, la infancia es la etapa ideal de la vida para sentir arrobamiento –¿será esa la palabra propicia para el caso, o «fascinación» sería mejor?– por las cosas del mundo y hasta para gozar con los horrores que puedan sufrir otros, sin importar qué tiempo de la historia sea o haya sido.

En la nuestra, época de cataclismos pero de cada vez menos milagros, el interés por las imágenes que contienen destrucción tiene un origen y un destino tan voyerístico como masoquista. El espectáculo de la muerte convirtió su exhibicionismo en imán de una apetencia semirritualista, ya que el ojo moderno tiene la necesidad de sentirse de íntima manera asociado a lo que sucede exclusivamente para ser avistado, y regocijarse en tono escabroso con el horror a disposición. Nadie quiere perderse ni un detalle de la muerte cuando entra en actividad y manifiesta su incontenible carácter aniquilador. Irrumpe sin interrupciones con una precariedad que no se parece a nada antes visto ni previsto, aunque puede estar en lo que llega con fastuosa ferocidad a manera de consecuencia.

Va a ser un fabuloso día para todos nosotros,
vamos a ver algo divertido y memorable.

(Comentario de un residente de la ciudad de Galveston, Texas,
la tarde del sábado 8 de septiembre de 1900, mientras
se dirigía a la playa a ver en primera fila el huracán que se
aproximaba, sin sospechar de los planes que la naturaleza tenía.
Fue una de las aproximadamente 10 000 víctimas que dejó
como saldo el desastre natural con mayor cantidad de muertos
que ha azotado a los Estados Unidos hasta la fecha.)

Los métodos de reproducción visual surgidos durante la primera parte de la modernidad han estado al servicio del relato lineal y explicativo que enlaza las destrucciones ocasionadas por la naturaleza con aquellas hechas por el hombre sin ayuda de nadie. El fotógrafo húngaro Robert Capa (1913-1954), cuyas fotos llegaron a ser la atracción principal de la revista *Life*, ganó la posteridad por su genial ojo de corresponsal gráfico de guerra pero, también, por haberle otorgado a la destrucción provocada por la Guerra Civil Española y por la Segunda Guerra Mundial el toque épico que sintetizaba un brutal documento iconográfico con millones de muertos de fondo. Por razones no siempre precisas ni comprensibles, el hombre moderno ha sentido una constante fascinación por visualidades con destrucción incluida (esa historia se inicia a partir del huracán que mató a miles de personas en Galveston en 1900 y al cual los lugareños fueron a contemplar desconociendo que ese día su final iba a llegar por adelantado).

Sin embargo, no hay que tomar esto como excepción a la regla, pues siempre ha sido algo por el estilo, salvo que en los tiempos actuales a las imágenes de las apabullantes destrucciones queremos verlas en *replay* la mayor cantidad posible de veces, desde todos los ángulos imaginables, hasta lograr que la sorpresa devenga atractiva obviedad.

El exhibicionismo es un imán que nos convierte en nuestros propios adversarios. Queremos que la mirada aprenda lo que ya conoce a través de repeticiones reiteradas hasta el cansancio a cualquier hora del día.

Esa ilusión de panoptismo desmesurado alcanzó su cumbre de escombros borrosos –aunque la mañana estaba soleada– el martes 11 de septiembre de 2001, cuando dos aviones Boeing 767 pulverizaron el World Trade Center de Nueva York y, más que dos altas torres de cemento, vidrio y metal, tiraron abajo una época completa, aunque su ciclo estuviera lejos de concluir. La modernidad resiste cualquier tipo de eutanasia. En ese día y en los siguientes, durante semanas enteras, los noticieros se cansaron de apretar el botón de *rewind*, rebobinando las espeluznantes imágenes del progreso derrotado por el progreso. La representación gráfica y televisiva de ese icónico instante continúa moviéndose hacia delante, repartiendo ausencias, llamando la atención del azoro ante las imágenes que acechan.

Cuando la naturaleza se enfurece y lanza al mundo sus avatares eólicos y acuáticos, surgen acontecimientos inéditos que generan un extraordinario pánico colectivo para inspirar *a posteriori* –porque la imaginación, tampoco ella, sabe trabajar bajo los efectos del miedo– al pensamiento, el cual suele entrar en acción para producir contenidos artísticos o filosóficos una vez que los muertos han sido sumados y enterrados, claro está, aquellos que consiguen descansar *ad aeternum* de tan cómoda manera.

A lo largo de la historia, desde el momento mismo en que el ser humano empezó a representar el significado insumiso de las palabras con jeroglíficos y a pintar en cavernas elementos de la naturaleza (animales, plantas, fachadas diferentes de la geografía), la literatura y el arte se han nutrido de la actividad de terremotos, volcanes en erupción, huracanes, tifones, tornados, maremotos y tsunamis.

El poeta británico Edward Thomas (1878-1917), quien murió en la batalla de Arras, dice en uno de sus poemas (Thomas empezó a escribir poesía tres años antes de morir): «Mi pasado y el pasado del mundo estaban en el viento», para agregar luego: «He olvidado el viento. / No quiera que empiece a hablarle del viento. / No entendería lo del viento». Cuanto más inentendible se manifiesta, cuanto más destaca que no es de trato fácil, el viento acepta la totalidad de los nombres y denominaciones asociados a sus ansias destructivas para demostrar que ningún haz de sinonimias podrá jamás esclarecer el misterio de sus ensordecedores soplos, de sus bufidos letales.

Desde Pompeya (79 d. C.) para acá, los fenómenos naturales en fase de furioso descontrol han estado asociados a un azoramiento estético que en épocas preindustriales y posmedievales debió de haber sido similar al de hoy en más de un aspecto (sin que existiese televisión de por medio). No obstante, hay situaciones específicas que cuesta imaginar, por la solitaria desmesura de lo sucedido, y por los precarios métodos existentes en aquel entonces para enfrentar una emergencia colectiva, que terminó siendo estetizante por casuales circunstancias originadas a partir del horror, como fue el caso del terremoto de Lisboa del 1.º de noviembre de 1755. En esa ocasión, la cuarta parte de los 250 000 habitantes que tenía la capital portuguesa pereció tras el temblor ocurrido entre las nueve y las diez de la mañana, minutos eternos durante los cuales la onda se expandió por otros confines no tan próximos del planeta. Europa conoció uno de los primeros momentos de globalización del miedo. El caos y la desesperación posterior a lo ocurrido hicieron creer a los sobrevivientes que faltaría tierra donde sepultar a sus muertos.

Con una asoladora trayectoria de aliada, sin dar respiro a nadie (y menos a los vivos), la naturaleza desplegó las expectativas de la gente en otra dirección, que terminó siendo la opuesta, aunque siguiese siendo incierta. Como si estuviera jugando para perder, hizo experimentos con su idiosincrasia. Los estragos se esparcieron por doquier, invitaron al análisis sentimental de la nada. Las ciudades de Cádiz y Jerez quedaron reducidas a ruinas, a polvo en miniatura. Si hubiera habido fotografías, todavía estaríamos viendo escombros para ayudar al entendimiento y darle al anhelo de saber una tregua de las que exigen bandera blanca. En estos casos, raras veces se puede.

Realmente (y la mente en tales situaciones se siente más real que nunca), aquello debió haber sido alucinante. Con su haz desproporcionado de significados, la palabra «alucinación» resulta apropiada para interpretar con palabras y frases acordes con las circunstancias el momentáneo ocaso de la razón, porque por un rato, que fueron varios y todos continuos, la vida dejó de pensar, de abrirse al entendimiento.

Los testimonios relatan una experiencia indescriptible que arrasó con la mayoría de las 30 000 casas que había en la capital portuguesa. Eso explica la urgente necesidad que hubo por describir los efectos democratizadores (en tiempos de monarquía) del terremoto. El rey padeció la misma cuota de horror que el más mínimo de los portugueses, habiendo quedado varado en la calle por una jornada entera. Una situación difícil de poner en perspectiva.

A mediados del siglo XVIII, tal como recuerda Walter Benjamin en el ensayo «El terremoto de Lisboa», Portugal estaba en pleno apogeo imperial y el estilo de realidad impuesta por la monarquía era pomposo, de un narcisismo que de neutro no tenía nada, destacándose la solemnidad del lujo hasta en detalles que hoy importan poco y cada vez menos. Que allí ocurriera un terremoto fue una noticia con mucho de extraordinaria, por la destrucción sin introitos ni cantidad previa, erudita en su autodeterminación, que ocasionó. Sobre el suceso, Immanuel Kant escribió un pequeño volumen, considerado el primer tratado de geografía científica hecho en Alemania.

A raíz de los aniquiladores efectos del terremoto, Voltaire fue irónico al comentar la afirmación de Leibniz respecto a que vivimos en «el mejor de los mundos posibles» (el libro de Susan Neiman, *El mal en el pensamiento moderno. Una historia no convencional de la filosofía*, reflexiona sobre el sismo, el cual, según hacen constar los ejemplos mencionados, inspiró a filósofos y escritores a moralizar la naturaleza). Algunas imágenes recuperadas por las palabras reportan, y con muchas historias individuales y colectivas de por medio, los acontecimientos del día en que Lisboa se transformó en capital de un pánico surrealista.

La ciudad quedó paralizada. La memoria de la fecha rescata situaciones insólitas que sintetizan el impensable sitio mental y geográfico que la vida ocupó, entre la muerte y el horror, entre los gritos en todos los sentidos (el pánico carece de brújula) y el silencio por ausencia de sentido. Un panfleto de aquel periodo destaca: «De la misma manera que la magnitud del desastre solo puede ser completamente apreciada cuando ha sido superada, de igual forma uno puede tomar conciencia de la terrible importancia de esta devastadora catástrofe cuando se entera que un gran rey pasó todo el día junto a su esposa en un carruaje, en el estado más calamitoso, abandonado por todos».

Los desastres naturales debidos a tierra, agua, aire y fuego en estado de descontrol han tenido desde siempre relevancia estética superior. Es algo para considerar en serio. Da para eso. La inspiración necesita que la muevan y conmuevan para poder sentirse más viva que en la propia realidad. Despierta a los sacudones, como si estuviera anunciando que algo inevitable viene en camino. No en vano, el arte suele imitar la impávida exactitud de la muerte, sobre todo para representar las horas precedentes a la llegada de esta, que suelen ser angustiantes una vez aceptados los tétricos vaticinios de la imaginación.

En un periodo de la historia como el actual, con mayor cantidad de escritores que de lectores –nadie puede negar la originalidad de estos tiempos augurales, de los que todavía no sabemos ni la mitad–, los desastres de la naturaleza se han convertido en neutralizadores del lenguaje y de las opiniones. Ante las imágenes que originan, el habla no sabe qué expresiones utilizar ni cómo, o de qué manera, y por ello termina evitando decir alguna incorrecta. Teme a las verdades por aproximación. La televisión muestra el baldío resultante utilizando de fondo el sonido ambiental, la banda sonora de una intemperie enardecida capaz de perder su inocencia demasiado rápido.

Las cámaras de televisión se quedan cortas, también ellas padecen los efectos de un proliferante espejismo. No pueden captar, ni hacer ver, todo. Su ambición por escenificar un panoptismo sin pausas queda frustrada. Cada desastre presenta tantos ángulos ópticos que se salen del encuadre, del relato tecnológico. Pocas cosas tan carentes de definición como su ortografía visual. De más está el intento por significar, por querer darle un sentido adicional a todo cuanto sucede en esos alrededores dignos de ser recuperados. Pocas veces los adjetivos se sienten tan inefi-caces a la hora de calificar y las metáforas convertidas en reiterados lugares comunes.

Dice el adagio popular: «Ver para creer», pero el «ver» un desastre natural no implica que el lenguaje pueda encon-trar una expresión exacta ni siquiera compatible para creer y recién luego definir, en caso de que sea posible. De la rea-lidad llegan ejemplos para silenciar al lenguaje que preten-diera intentarlo. Ante la magnitud del terremoto-tsunami acontecido en Japón el 3 de marzo de 2011, comentó uno de los rescatistas: «Esta vez no había nada que hacer». La frase sintetiza el alma de la naturaleza al expresar una desespe-ración metafísica, una condición samurái: indiferente ante la vida y la muerte. Sublime en lo siniestro.

> ¡El mar, el mar, recomenzado siempre!
> ¡Oh recompensa después de un pensamiento
> Que percibe de los dioses su calma!
>
> (PAUL VALÉRY, El cementerio marino.)

De acuerdo con el escenario predispuesto por el Viejo Tes-tamento, la desmesurada acción de las aguas puede ocurrir con gimnástica lentitud (diferente a la del acróbata al caer al vacío situado debajo mismo del trapecio). Aunque en ese posadánico entonces (prematuro hasta para las expectati-vas), en el que no había pronósticos de los que dicen «para mañana hay probabilidades de lluvia», la lentitud del tra-bajo destructor de la lluvia permitió a los futuros afectados prepararse para los efectos de las aguas fluviales y oceáni-cas al desbordarse.

Mientras llovía, Noé cargaba animales en la precaria arca de madera, hasta que consiguió meterlos a todos. Menos a los peces, mariscos, cetáceos, mantarrayas e hipocampos, bellos y chiquitos para parecerse solo a ellos. Fueron los únicos que se negaron a subir al arca; los únicos en celebrar la llegada del diluvio. En la realidad empírica, no obstante, cuando las aguas se desbocan corren a mayor velocidad por el paisaje natural de lo que el canónico texto religioso lo presentó.

Quienes padecieron una inundación –sin importar la magnitud, pues apenas se sale de quicio el agua adquiere tamaño amenazador– o vieron una de cerca, saben cómo es: el movimiento de la masa líquida destructora no da tiempo a nada una vez que comienzan a sentirse los efectos de su omnipresencia. El agua parece estar distante, como proyectando la idea de que aún puede hacerse algo para evitarla, hasta que en un santiamén arrasa con todo, a mayor rapidez de lo que la imaginación había calculado.

La destrucción llega, no en cuentagotas, sino por cuenta propia, con engañosa docilidad, sin especular ni dar opción por adelantado al desenmascaramiento de los sucesos que se aproximan, que ya vienen porque los vieron. Queda a la vista el espectáculo de una negatividad carente de resguardo, de encogimiento, un húmedo ademán que en determinado momento dejó de ocultar sus reales intenciones.

A pesar de este veredicto ominoso, y tal vez porque asociamos el agua a la vida y la utilizamos cuando alguien es bautizado (en el bautismo de los barcos, como no hay bebés, se usa *champagne*), le tememos menos a ella que al fuego o que al viento, y hasta llegamos a creer, convencidos, de que en una inundación hay mayores posibilidades de salvarse que en un incendio o que en un tornado como los de la película *Twister* (1996). La realidad se encarga a menudo de demostrar lo contrario, que puede ser todo lo opuesto. La ferocidad del agua en sus varias manifestaciones (lluvia, inundación, maremoto, tsunami) puede resultar tan devastadora como embustera y terminar ganándoles con facilidad a otros tipos de destrucción.

El ojo humano vio las imágenes televisivas provenientes de Japón en 2011, creyendo que la arremetida del mar desbocado iba despacio, a la misma aburrida velocidad de un partido de béisbol o de cricket. Pero no. Las aguas claustrofóbicas del tsunami viajaban a más de 965 km/h. No hay pelota que pueda ir tan veloz. Ni siquiera una de *ping-pong*. Eran aguas que podían cubrir la distancia transoceánica entre Tokio y California a mayor velocidad que un avión Boeing triple siete o un Airbus 380. Eso explica la fascinación que las catástrofes naturales generan: superan incluso a los avances tecnológicos que tienen alas y aterrizan. Además, para aterrorizar a la gente no necesitan de la ayuda de efectos especiales.

La primera gran lección de la gramática de lo acuático gigante es que resulta imposible huir de donde nadie ha podido marcharse. A ese fantasma que suele venir cargado de espanto le gusta sorprender, ocultando una y otra vez la ubicación de la salida de emergencia. Y llega sin decir lo que debemos hacer, porque al fin y al cabo, su silencio impenetrable es también aquello a lo cual tanto le tememos. Sin embargo, las totalizaciones suenan a demasiado: hablar de Apocalipsis resulta exagerado, aunque Hollywood hizo del término una muletilla de uso demasiado frecuente y, por cierto, muy exitosa, habiendo incluso acuñado la expresión: «cine pos-apocalíptico».[2]

En todo caso, viendo decenas de casas japonesas arder mientras el agua corría furibunda, en desarrollo, obligándolas a irse sumergidas con ella, cabría recurrir a un cóctel literario para intentar describir la escena en cuestión: aquello fue el infierno de Dante mezclado con el cementerio marino de Paul Valéry. Agua y fuego en perfecta unanimidad. El acceso a ese lugar intermediario carente de nombre y sin condición permanente solo sería posible encima de la balsa de la *Medusa* (hay ocasiones en que la destrucción se suelta el pelo). Pero, ¿de qué forma narrar el viaje al pie de la letra, con qué palabras referirse a la desaparición que por tanto tiempo había quedado cumplida antes en la imaginación?

> El estacionamiento de Disneylandia en Tokio quedó sumergido bajo el agua tras el terremoto de 8,9 grados de magnitud que sacudió ayer la costa del Pacífico de Japón. Dijo la policía que los visitantes han sido evacuados a lugares seguros, pero hay muchos charcos debido a la licuefacción alrededor del parque temático, dentro del cual había 69 000 personas en el momento de ocurrir el terremoto.
>
> (Cable noticioso de la agencia AFP, del día 11 de marzo de 2011.)

Con su belleza anfitriona, el agua tsunámica transformó los exóticos paisajes de la azotada geografía japonesa, con-

---

[2] https://www.elobservador.com.uy/nota/la-vida-despues-del-fin-201756500

virtiéndolos en tormenta multicolor, como proveniente de un cuadro de Turner, pintor de tempestades majestuosas. Desde allí, por varios días seguidos, desde el propio núcleo líquido, llegó la retransmisión en vivo y en directo del cataclismo acuático, con equipos de televisión subidos a helicópteros para captar desde el primer instante la infancia de una vicisitud, tratando de no perderse detalle alguno, pues las peores catástrofes son las que mejores *ratings* generan.

Queda claro que cuando el mundo conozca por fin su final, el apocalipsis material tantas veces anunciado podrá ser sintonizado por televisión abierta, la cual ni en tales circunstancias dejará de emitir librada de avisos comerciales. Ni el Juicio Final estará librado de los designios del *marketing*. Vendrá la muerte de todo, pero igual seguiremos siendo invitados con insistencia a tomar Coca-Cola, la chispa de la vida, y a usar tarjetas de crédito MasterCard, porque también el acabose definitivo será *priceless*.[3] Incluso aquellos que no tengan cable ni televisión satelital podrán ver cómo será la conclusión durante la hora última, luego de la cual no habrá nada.

Durante el terremoto-tsunami japonés de 2011, y demostrando con qué facilidad la irracional gramática del cosmos puede abolir la congruencia lógica de las palabras, la intrusión de la tecnología con aspiraciones panópticas, ayudada por cámaras fijas captando en intercalado todos los ángulos, y mediante la proliferación de teléfonos móviles (hoy en día cada ciudadano es un testigo universal, *paparazzo* de tragedias ajenas y propias, mediante *selfie*, ladrón de instantes

---

[3] Para el mundo hispanoparlante, la campaña de la mencionada tarjeta de crédito utilizó el eslogan «No tiene precio». El hecho de necesitar tres palabras en lugar de solo una para transmitir el mensaje le quitó impacto al pegadizo apelativo.

con posteridad visual incluida), permitió observar el desarrollo paulatino de la acción de la naturaleza mediante múltiples tomas diferentes, con imágenes provenientes de un espacio vacante en ciernes, simultáneas o posteriores a la destrucción.

Fueron imágenes a disposición del control remoto, aunque no para tenerlas bajo control, pues la visualidad que propiciaron no incluyó explicaciones de las que pueden entenderse a las apuradas. Tampoco expiaciones. Escenificando los resultados de su mortal crucigrama, el mar emergió motivado por el hecho de que estaba siendo visto en ebullición a través de una pantalla catódica, ensañado con quienes iban camino al muere y se hallaban insertos en su película: una de horror, no clase B, sino triple A; una superproducción con visos de *reality show*. Aprendimos, por si faltara saberlo, lo rápido, demasiado rápido, que puede ser el pasaje de la indiferencia del ruido de las aguas enardecidas, a la diferencia que produce oírlo y verlo como si la escena estuviera ocurriendo ahí nomás, a través de.

Esta vez, igual que siempre, en su forajida locura, la naturaleza originó un *locus* que, tal cual puede suponerse, no fue *amoenus*. En la corteza del territorio japonés, ensalada de islas a la deriva, una fisonomía en movimiento se sintió bien, perfectamente idéntica a lo que ya era. Una Hiroshima de H_2O, hongo atómico líquido. Su inscripción en la realidad tuvo carácter perentorio, por lo que no quedó más remedio que entregarse. Durante su periplo costero la colosal marea fue formando kilómetros de barrizales; el agua no llegó al río, hizo más: lo incluyó en su trayecto.

Dadas las escurridizas circunstancias, no podría haberlo hecho de manera diferente. El mar se tragó todas las otras aguas que había a la redonda. Con su marea, irónica si se quiere, logró burlarse de los avances de la tecnología que intentan adivinar justo aquello que estaba a punto de ocurrir. El agua, cuando se lo propone, puede tener esas cosas. Cada tanto exhibe su condición bipolar con enardecida saña. Puede ser incluso antropófaga.

La hegemonía de las aguas llegó sin eslogan, tan solo como estímulo y desorden de la aceptación. Su genealogía sintió despecho por todo cuanto estuviera alrededor y resistiera el embate. Con sus hipótesis en retirada, la normalidad no supo bien qué hacer. ¿Qué? Cuando la tierra se convierte en máquina de desacatos, acumula grietas líquidas, instala un habla muda en la visualidad que siempre está a punto de balbucear la última palabra y hasta la siguiente, obligando a usar la lógica del «sálvese quien pueda» (y hay quienes pueden). En tales casos, no hay que culpar a la realidad cotidiana de no haber hecho lo suficiente (lo que sea eso difícil de medir).

Después de todo, la ignorancia suele anticipar predicciones acertadas; pasa a depender de «la certeza» de sus equivocaciones. No en vano, como si en silencio la propia vida del desastre hubiera estado en juego, la realidad esparció efectos, indicios de desarraigo. Vino a traer preguntas, todo eso que los ingleses llaman *afterthought*: la reflexión posterior a los hechos empíricos y a la coincidencia de situaciones en estado calmo. El corolario a la vista fue un cosmos póstumo, extinto hasta en sus intenciones, exhibiendo su botín de guerra sin haberlo anunciado.

Estos fenómenos «no se pueden predecir ni siquiera en plazos de meses. En eso la ciencia ha fracasado», comentó un científico, dando por descontado que aún estamos en manos del paranoico comportamiento de la naturaleza, ella, la que ha cumplido con inmoderada exageración los deseos de alguna gente: «Vivíamos a cuatro kilómetros de la costa, protegidos por un bosque y unos arrozales. Siempre nos quejábamos de no poder ver el mar. Después del seísmo salimos de casa y en lugar del jardín estaba el Pacífico», dijo Aoki Sekimura, óptico de Sendai, una de las ciudades que sufrió mayores daños.

Loci horribili, naturaleza inculta, jurásica y sideral. Telúrica. Por lo tanto, sublime también: Godzila de agua y espuma, apto en su indomable plenitud para desacomodar el mundo, para cambiarlo de sitio. Para instalar un habla balbuceante en aquello que no se parece a todo y fue la nada completa en plena actividad. En el desorden de la aceptación se imponen indicios de desarraigo, precipitadas fabulaciones a la marchanta: lo que faltaba decir sobre esa hipótesis en retirada, que fue la de las aguas volviendo a su hondo cauce, solo podía ser dicho inventando expresiones y modos de intervención en el idioma, en cuantos más idiomas mejor. Para que no se quedara corto, al lenguaje hubo que ayudarlo, obligándolo a exagerar. Al fin y al cabo (también el fin) todo existe para que las palabras lo expresen y permanezca escrito.

> Sed como el agua.
> (Forma poética que utilizo en mis clases para
> enseñar el imperativo del verbo ser y la palabra (f.)
> que significa «gana y necesidad de beber».)

La poesía hizo del mar un leitmotiv. Pablo Neruda le dedicó una oda. El mar, con sus odas y sus olas. Comienza así: «Aquí en la isla / el mar / y cuánto mar / se sale de sí mismo / a cada rato». Enrique Molina, poeta marítimo que anduvo en barco por todas partes (todas ellas de este mundo), escribió un poema fenomenal, «Alta marea», con el mar como paisaje en primer plano, en el que habla del «desplomado trono de las olas». Octavio Paz tiene el poema «Frente al mar», de su primera época: «Muere de sed el mar. / Se retuerce, sin nadie, / en su lecho de rocas. / Muere de sed de aire».

En otro poema, pero de Vicente Aleixandre, leo: «El mar vertical deja ver el horizonte de piedra». Pere Gimferrer, poeta catalán bilingüe en su escritura, dice en un verso: «Tiene el mar su mecánica como el amor sus símbolos». A pesar de sus diferencias, una condición líquida los une como en enlace matrimonial, considerando que al mar hay que amarlo y al amor, también.

Y podría seguir enumerando ejemplos. Es amplio el inventario de poemas escritos sobre el lugar inmenso que no sabe estar quieto por completo y desconoce la letra h: saluda con olas. Calmo, pero nunca dormido. Del mar, Niágara horizontal, también provienen leyendas. Según una, aquellos que pudieron sobrevivir a tres naufragios alcanzan la inmortalidad. Tras haber sobrevivido a tantos hundimientos marinos de diversa gama, Japón ha confirmado ser un perfeccionamiento de la posteridad. Le sobran resurrecciones. Resiste; es uno de esos exclusivos y blindados territorios de la geografía que, pase lo que pase, jamás podrá ser cambiado ni borrado del mapa de la noche a la mañana.

La visualidad provista por los hechos tuvo acceso a un espacio visualmente inaugural que se convirtió en algo más que un área geográfica incluida en la realidad. Una estética que nunca antes había existido con esas dimensiones intervino en forma repentina, evidenciando que, a diferencia de una obra de teatro, el agua no necesita de ensayos previos para salir al escenario perfectamente poderosa. La devastación tuvo efectivas formas de convencimiento. Primero arrastró todo lo que encontró a su paso; dos días después devolvió a la orilla los miles de cuerpos que se había llevado. Seguramente lo hizo para que nadie la acusara de hurto. Se arrepintió, pero igual así los muertos que la naturaleza había matado no gozaron de buena salud.

La televisión, mientras tanto, continuó devolviendo a la realidad imágenes provenientes de la catástrofe desde tiempos inmemoriales: tiene al ojo humano entrenado para todo, incluso para ver aquello que no se puede, o porque hasta ahí la visión no llega. Mirar es una forma de hacerse cómplice de las noticias que provienen a diario del mundo para sanar a la curiosidad. De tanto insistir, la sensibilidad se acostumbró a los caprichos de la visualidad.

Estamos atrapados en contrastes, preparados para contemplar sin pánico –es la idea que ha proyectado el cine catástrofe en infinidad de películas– el fin del mundo desde sus mismos inicios, con la única condición de que sea en vivo y en directo. La TV nos ve. Cuando sus indicios llegan, nadie quiere mirar para otra parte, porque la indiferencia se instala con facilidad en nuestro comportamiento sin que alguien pueda notarlo. El destino nos contiene en su interior mediante formas inexplicables, incluso en ocasiones específicas cuando quiere darle una imposible fisonomía definitiva al agua manifestándose en sobredosis. Un agua que ya antes de morir rindió homenaje a la destrucción.

El agua, bis. Tan vivaz y fundamental en los cuadros de Caspar David Friedrich (en los cuales el río Rin es más real que en la propia geografía alemana), y del inglés que tanto arte inició y tuvo tantas iniciales, J. M. W. Turner, quiso esa vez intercambiar papeles, actuar como si fuera ella la artista estelar, no la materia a ser representada. «En el agua todo es posible», escribió Pedro Salinas en el poema «Razón de amor», en el que le da la razón a la condición insólita del principal de los sentimientos humanos.

Esculpiendo con sus manos colosales olas de diez metros de altura (demostró ser un Michelangelo autodidacta), el agua retobada dibujó un paisaje original y surrealista, que en sus entrañas incluyó autos, aviones y trenes convertidos en cuestión de minutos en chatarra metálica, pero asimismo barcos de los que necesitan una intermediación líquida para saber que están vivos –el mar motiva el autoconocimiento–, como si el agua hubiera querido demostrar que cuando quiere, ni siquiera los objetos inventados para navegar sobre su blanda superficie pueden lidiar con ella.

Pocas veces un país que ha sido sacudido por un terremoto quedó tan inmovilizado por la movilidad de la tierra y de las aguas bravías, brutales. El avance de infraestructuras transfiguradas por las circunstancias en proyectiles submarinos fue un dato imposible de ignorar. Enormes ferris convertidos en barquitos de papel; ríos y arroyos transformados en terrestres mares épicos, solo aptos para ser vistos desde la altura objetiva de un helicóptero. El mar y el mal clima jugaron a lo mismo, apostaron a idéntica inconmensurabilidad, y ambos ganaron.

Hogares hechos con madera pasaban de largo, flotando rumbo a la anomia más próxima, como preguntando dónde quedaba su hogar. Habían dejado de saber. Hasta el *mall* llegó el mal. Aquella no era una catástrofe bonsái, una miniatura de matiné. El furor de las aguas perdió pronto su anonimato, haciendo del total arrasamiento de las expectativas un acto de beatitud desfamiliarizada de su contenido. Desarrolló su erudición yendo por todas partes sin necesitar de la cooperación del entorno para perfeccionar una negativa prosperidad, un nada alicaído fervor a la altura de lo inimaginable. La muerte tuvo razones para ser optimista. Pero, ¿qué es esto?, se preguntó la realidad, intentando descifrar semejante estruendo visual, ese karaoke en estéreo venido del infierno, donde el agua quema.

Barrios enteros fueron arrastrados por la masa acuosa sin poder saber sus ocupantes lo que estaba ocurriendo. Lo supieron después de haber ocurrido. Púgiles con dimensiones precisas cayeron derrotados por nocaut en un cuadrilátero amorfo. Su independencia de todo fin utilitario resultó a las claras inconsolable. Todos ellos terminaron siendo víctimas de un arrebato recombinatorio que nada de lo actual y existente consiguió dejar de lado.

En varias aldeas las casas pasaron flotando sin saber qué hacer. Sí, qué. Habían sido construidas para el sedentarismo, para un régimen estricto de permanencia, no para andar navegando de nómada manera a la deriva por caminos líquidos, donde miles de automóviles, tras haber estado sumergidos por un prolongado rato, salían a la superficie para ver cómo es la vida vista desde dentro del agua, no desde la tierra firme donde deberían estar, en los lisos terraplenes de las autopistas.

La infancia de tamaña vicisitud avisó primero. En el océano que dejó de ser Pacífico (su nombre fue insuficiente para mantener las aguas en calma), y que se había acercado a la costa por voluntad propia, ardían automóviles, camionetas, motos, tractores, bicicletas. Las casas, hogares desesperados, intentaban nadar para no quedar convertidas en islas anegadas por el mar que impetuoso venía detrás con ganas de no dejar títere con cabeza. Barrios enteros naufragaron. Con sinestesia sin anestesia, J. A. Rimbaud lo hubiera celebrado (al mal tiempo buena cara), tal como lo hizo en «Le bateau ivre» (1871), homenaje mayor a un naufragio en alta mar como fuente de poesía: «La tempestad bendijo mis desvelos marinos / más liviano que un corcho dancé sobre las olas».

Recuerdo haber oído que lo que hace falta decir solo puede ser dicho inventando. En esta ocasión fue innecesario. El mundo de aquel día, y de los siguientes, nació inventado. En procura de su contenido, esas imágenes de futurología necrológica, víctimas de furores inhospitalarios al alcance del asombro, tomaron control de las desventajas del ser humano para favorecer una situación favorita, una que el afán estético, por considerarla irrepetible, podría haber repetido hasta el cansancio.

Predisponiendo al alma existente en la naturaleza a no cesar en su intento de religiosidad, en las imágenes a continuación pudieron oírse profecías, ruidos salidos de ese *heavy metal* de agua y viento con nubosidad más que variable. Suscitaron en la mente una dote de recursos disminuyentes de la realidad empírica, tal cual la conocemos, confirmando a su vez el *modus vivendi* de la operación de la mirada. Porque, cabe preguntarse, en semejante lugar inaudito de la historia, y con la naturaleza exhibiendo mojada y sin pudor su condición de antropófaga, su colapsada cercanía: ¿cómo instalar el habla humana y hacerla relatar las adivinanzas del entendimiento mientras al razonar imagina? El mundo fue solo y exclusivamente aquello que podía verse, una visualidad intransigente al alcance.

Fue, en síntesis, un desastre con vista al mar. El espectro pos y póstumo impuso una persistencia dedicada en exclusivo a autosatisfacerse, a dejarse llevar por la corriente. Y a tales efectos cumplió con sus planes. Vimos, y hasta llegamos a oír, la respiración de un hermético y catastrófico gesto que impuso la absoluta falta de explicaciones racionales, porque no las hubo. El agua dio la cara de esa prepotente manera. Abrevió a la vida como si fuera un *haiku* que solo puede existir en lo mínimo por definir.

Arracimada, desbaratando alrededores materiales, la marea trajo tajos y hendiduras. Con lo que deshizo en ese aciago lugar asiático, a todo lo hizo lucir nuevo, como venido recién a la realidad de los seres presentes. Extraña vuelta de tuerca: a su paso firme arrastró una errática jauría, longitudinal y neo-expresionista, librada de remozamientos cosméticos.

Casas transformadas en barcos sin rumbo ni mapa o brújula para guiarlas, barcos convertidos en residencias de agua. Entre el tartajeo impío se oyeron los resoplidos de una anegación negando la vida. Ninguno de los atrevimientos de la naturaleza fueron juegos menores. Las crónicas dieron cuenta del monstruoso escenario: «Cadáveres arrancados por el maremoto han sido retirados al amanecer. Quedan las marcas de los cuerpos impresas en el barro. El epicentro del tsunami es ahora desierto, silencioso e inmóvil, envuelto en el humo de decenas de barcos a la deriva que siguen quemándose en el mar».

En un país tan bien ordenado como el Japón, acostumbrado a no hacerles caso a las derrotas propinadas por la naturaleza, aunque puedan ser las peores, el desorden provocado por la destrucción natural es una de las pocas excepciones capaces de retroalimentar el delirio del que se nutren las artes y que los nipones manejan tan bien, como si nunca hubieran perdido el tiempo. No en vano, sus relojes son los únicos que compiten en calidad con los suizos.

Vaya país: uno donde a veces el agua se anima a imitar al relámpago, ocupando la proporción de lo efímero, como si no necesitara de testigos presenciales para saber en qué lugar del tiempo se encuentra. Esa historia líquida, la del Japón actual ido al desastre con los idus de marzo, tomó a la mirada por sorpresa, aunque solo a medias, pues, en lo que va del siglo XXI otros espectáculos de lo acuoso en plena destrucción sonora –lo acuático acústico– han mantenido a la humanidad hablando de lo mismo durante varios días seguidos.

La imagen representada es un grupo de pasajeros del barco francés *Medusa* que sobrevivieron al naufragio cerca de la costa de la actual Mauritania. Construyeron una improvisada balsa que albergó a 149 personas, ya que no había suficientes botes salvavidas para la tripulación y el pasaje. Ya en mitad del mar, un barco de la marina francesa avistó a los náufragos pero no los recogió siendo estos presa del hambre, la sed, la insolación y las enfermedades.

(Descripción del cuadro *La balsa de la* Medusa, ubicado en el Museo del Louvre, y al cual acompaña la siguiente información: «Artista: Géricault, Théodore (1791-1824). Fecha: Salón de 1819. Medidas: 491 cm x 716 cm. Técnica: óleo sobre lienzo».)

Con la llegada del siglo XX, en distintas partes de la geografía terrestre el agua, sin decir «agua va», devino factoría de cadáveres, de vida debida al pavor de las circunstancias. Los nombres que le dieron a raíz de las circunstancias perdieron envergadura: maremoto o tsunami son, para tales efectos, lo mismo: engendros sin crismar. La bestia carente de rostro y huellas digitales tuvo comportamientos diversos, pero, por alguna razón, no la hemos bautizado. ¿Por qué al agua en tromba la mantenemos de incógnita? ¿Por creer que el agua no puede ser bautizada con agua? ¿Por eso solo?

A los huracanes, como si fueran niños recién nacidos, les damos nombres de hombre o de mujer, de manera indistinta: Andrew, Mitch, Rita, Katrina, Wilma, María (aunque todos ellos carecen de apellido). A los tsunamis, en cambio, con su furor de ola única y principal, la que viene para llevarse todo por delante, los dejamos igual que a los animales de la selva (salvo Dumbo, el elefante, y la mona Chita); tal cual vinieron al mundo: salvajes, eximidos de la presencia de lenguaje fuera del epíteto y del párrafo, sin nombrarlos, innominados, librados de todo nombre propio o circunstancial, sinónimos del anonimato, sin siquiera otorgarles un apodo, seguramente porque tuvieron un nacimiento y un crecimiento tan fulminantes que ni tiempo para andar buscándoles apelativos o apodos dieron.

Dice un poema japonés, extraordinario y tradicional: «Dentro de la vida y de la muerte cae la nieve incesantemente». La realidad de algunos hechos naturales característicos de la primera parte de este siglo podría tener su propia paráfrasis: «Dentro de la vida y de la muerte el agua entra incesantemente». Los argumentos visuales asociados a catástrofes líquidas recientes (los terremotos/tsunamis en el océano Índico, en 2004 y 2018; el huracán Katrina, en 2005; el terremoto/tsunami de Japón, en 2011; el huracán Sandy, en Nueva York, en 2012; los huracanes Harvey, en Houston, y

María, en varias islas del Caribe y en el estado de Florida, en 2017) incluyeron un oleaje arisco que catapultó las expectativas sobre aquello que mezclando belleza y destrucción hizo emerger una nueva categoría estética, producto de no saber bien cómo fue que sucedió. Pero al mundo, la destrucción le importa. Aún más, por esta se siente seducido. Históricamente siempre ha sido así.

La atracción que el arte siente por el horror producido por la naturaleza se debe con seguridad a las anomalías que esta expresa, al hecho nada circunstancial de que nada de lo que queda reducido a escombros puede ser replicado con siamesa intensidad, ni siquiera por el más ambicioso montaje cinematográfico. En ese *daimón* carente de reposo y equilibrio, donde nadie sabe de antemano ni a ciencia cierta lo que tal furia al desplazarse puede llegar a expresar, el océano, acompañado por un viento contundente que sabe cumplir con sus obligaciones, engulle y deja como legado la originalidad de su aniquiladora manifestación.

Tan fuerte puede ser el agua, parte y jueza, reina todopoderosa de su condición, que es capaz de mover orillas, de arrastrarlas tierra adentro y alcanzar ese terraplén finito más allá del cual comienza el abismo probable, la nada que nadie nunca sabe ni habrá de conocer. Dejándose ver en una espirálica llanura líquida, la soledad del agua, con su imparcial fatalismo, solo se parece en poder destructor a la del suicida, aunque este, salvo que sea un fundamentalista musulmán en la cabina de mando de un avión comercial, no se lleva al más allá a otros consigo, obligándolos a conocer con él la posvida por anticipado.

La tierra no puede oponerse a las intenciones inmediatas del agua. Mediante su devastadora acción, el agua cumple con aquello que le gustaría hacer, llevando a buen puerto su poderío. A lo largo de la historia, el canto del cisne del agua ha quedado encapsulado en palabras e imágenes partícipes en un universo material que funciona como enigma y fuga inabordable de lo real. De lo contrario, no sería lo que es.

En sus distintas manifestaciones, el arte halló inspiración en los desastres asociados al agua cuando esta se desboca. En la historia de la pintura, de Oriente y Occidente, varios cuadros inobjetables han puesto a consideración del pensamiento y de la mirada la asimétrica relación que el hombre tiene con el mundo líquido a su alrededor, el que en ocasiones suele manifestarse con peculiar desprecio hacia las especies vivientes.

Los relatos que el arte hizo de los desastres naturales refieren en infinidad de ocasiones a fantasmas vestidos de agua inquieta, impredeciblemente movediza, emitiendo pronósticos indecibles que continuarán teniendo vigencia incluso después de haberse cumplido en la realidad. Son variaciones, estímulos visuales generados a partir de todo aquello proveniente del mundo real que hace pensar y le otorga una tarea más productiva a la curiosidad que actúa bajo los cielos de lo increíble.

Maremoto estético del cual no hemos logrado salir por completo (nada vino aún a reemplazarlo), el Romanticismo encontró en las aguas desbordadas de mares y ríos el lugar propicio donde mirada e imaginación pueden nadar mancomunadas, y hasta compartir el hundimiento de una belleza inhallable, a contracorriente. Los cuadros de Caspar David Friedrich (1774-1840) no son la excepción. Antes, en el también admirable *El naufragio*, de 1772, Claude Joseph Vernet (1714-1789) puso a la tierra, al océano y al cielo, que ese día se encontraba nublado, uno junto al otro como nunca antes lo habían estado y menos, con semejantes colores.

Décadas después, en *Le Radeau de la* Méduse (*La balsa de la* Medusa, 1818-1819), Théodore Géricault representó la vida del agua oceánica posterior a un naufragio, y para destacar la magnitud emocional de las horas de supervivencia recurrió a un enorme formato pictórico, a un volumen de color extraordinario, tremendo tamaño de visualidad sin medias tintas ni antagonismos. Mediante el testimonio de una imaginación con patrón de sentido, buscó evidenciar que nada ordinario puede existir una vez que el agua en cantidad se sale de sus carriles y ejerce a tutiplén su libertad. Describir un incidente aislado de la tragedia marina le sirvió al artista francés para rescatar la influencia emocional que la naturaleza tiene cuando se manifiesta librada de pudor, obligando a prestar atención a su desmesurado desorden en actividad.

Después de Géricault (1791-1824), el agua no volvió a ser la misma. Los ojos del mundo necesitaron patas de rana para llegar a su belleza de manera alterna, tal vez la única capaz de captar las características que la harían moderna. Tampoco fue la misma en los mares amarillos de J. M. W. Turner, los que invitan al esplendor de la furia a refugiarse en la mirada, único salvavidas disponible. La modernidad, del siglo xx para acá, contrariamente a lo que por un tiempo supusieron los ingenieros navales, no hizo a las aguas más vulnerables al control del hombre. Como si nada, la vida siguió naufragando en profundidades impensables.

En 1912, a poco de haber ocurrido el naufragio, Max Beckmann (1884-1950) comenzó a pintar *El hundimiento del Titanic*. Lo terminó al año siguiente, justo a tiempo para una exposición. Es una de las mejores representaciones pictóricas que se han hecho sobre el fastuoso barco transatlántico, una cuya magnificencia sigue siendo aún la primera, en producción e impacto estético.

Nadie como el alemán de los trípticos enormes, quien con ojo certero para representar escenas a raíz de catástrofes (tres años antes había pintado *El terremoto de Messina*, 1909), logró captar la agonía en su plenitud, con angustia incluida, sucediendo con triunfal complejidad en el agua invencible y fría del Atlántico norte, porque la de todos aquellos miles de turistas haciendo el viaje inaugural entre Southampton y Nueva York fue, sin que nadie la hubiese llamado, una muerte en vivo y en directo, sin romance ni Leonardo Di Caprio mirando desde la proa del barco a su gran amor antes del hundimiento, muerte que vino de apuro al universo para ser representada como hielo congelado para siempre por el ojo humano.

También allí, en la cantidad visual de ese óleo maravilloso, estreno y debut de una forma de interrogar al universo, la vida predijo su nada inmortal condición. Nada es gratuito, tampoco la nada. Al entrar en la enorme sala del Saint Louis Art Museum, en Missouri, donde la obra está colgada (el arte mejor suele tener la inánime suntuosidad de los ahorcados), el visitante exhuma lo vivido antes por otros, en momentos dramáticos que fueron líquidos, traduciendo con la instantaneidad de esa sanguinaria belleza una empatía singular respecto a ciertas apariencias mortales que salieron al universo en busca de descripción, de alguien que de alguna manera las pudiera representar, con mayor fidelidad a la imaginación que a la realidad de los hechos.

Por representar la gestualidad de la naturaleza, por su parsimonia para perder los estribos, *El hundimiento del Titanic* es un cuadro cromática y metafísicamente imponente, de esos que uno quisiera ver a diario aunque no sea posible, porque la obra está en el museo de St. Louis, en el cual, para peor, no venden pósters con la reproducción de la misma, de esos para colgar en el *living*, junto a un René Magritte o a un Jackson Pollock, también en reproducciones.

En ese mismo museo con aroma a mar abierto y rotundo, aunque la única agua cercana sea la del muy marrón río Mississippi, hay un cuadro realista y poco conocido, más bien bastante desconocido, de John Steuart Curry (1897-1946), *El Mississippi* (1935), que pide a grito pelado –deja oír la desesperación de los retratados– ser tenido en cuenta, sobre todo por la mirada cuando no tenía nada para hacer y de pronto se siente haciendo todo lo contrario. Lo descubrí por casualidad –como suelen descubrirse estas cosas invariables cuando uno menos lo piensa–, pues se encuentra colgado cerca del *Titanic* de Beckmann, en uno de los principales museos estadounidenses, por su refinado espacio físico y por la colección de obras magníficas que alberga.

Hay un Zurbarán extraordinario, *San Francisco contemplando una calavera* (1635), y un Gauguin, *Madame Roulin* (1888), merecedor del mismo adjetivo. Hay, si la exageración autoriza decirlo de este modo, de todo. A la imaginación no le alcanza con entender el mundo real de una forma capaz de complacer a las demás. El patrimonio visual del museo es un viaje a la belleza cuando apenas se inicia y no dejó de ser invitación al entusiasmo. Convertida en promesa, afincada en medio de azoramientos múltiples, la belleza sin calcular su poderío amaga ser de improviso experta en ella misma. Pero volvamos al cuadro de Curry, pintor estadounidense hoy caído en el olvido, aunque en verdad siempre lo estuvo, pues su fama, si es que en algún momento llegó a tenerla, fue efímera: de las que pasan desapercibidas.

El Mississippi, el cuadro, no el río pardo, es sobre una inundación, Goliat de la inevitabilidad. La realidad copia al arte, y quien lo dijo mucho antes que yo tenía razón. La inundación de Nueva Orleans en agosto de 2005 a raíz del huracán Katrina fue una réplica en tamaño real de todo aquello que Curry vio bastante antes que las cámaras de CNN, porque las inundaciones en el bajo Mississippi, río que desemboca cerca de esa ciudad con golfo y litoral, han sido, en lo descomunal de su poderío, cosa común y vienen de antes, desde que el planeta tiene imágenes y agua. «Somos un animal marino que repta por tierra buscando volar», dijo Carl Sandburg, poeta de Chicago, en uno de sus mejores poemas, y esa vez los habitantes anegados del cuadro de Curry hubieran deseado volar lo más lejos y alto posible.

En el cuadro hay una familia negra (el hombre, la mujer, y cuatro niños), trepada al techo de una precaria choza. Tal parece que ese día –podría ser una de las posibles interpretaciones– el agua quería estar donde el mundo ya lo estaba: a la altura de las circunstancias. ¿Habrá sido su exceso de sociabilidad lo que la hizo aparecer como destructiva? Vaya ironía: las aguas líquidas convertidas en convidadas de piedra. Las aguas crecen, están en eso, y, viendo la ondulación embravecida de las olas que Curry representó tan bien, como si hubiera estado presente (tal vez en su cuadro Curry es el padre, o uno de los hijos), todo indica que el fin en forma de agua tragándose a la gente se aproxima. Se viene, aunque en verdad, ya ha llegado; hizo su estreno. El hombre reza, ruega. Mira al sordo cielo nunca protector como buscando imposibles respuestas. No sabemos si las tuvo antes de ser sometido por las furiosas aguas.

Mientras el hombre reza con las manos en pose de súplica, la mujer, con la cabeza gacha y los ojos cerrados, exhibe sin disimulo un rostro de resignación, como el de los boxeadores cuando cayeron a la lona y les han contado diez. Con gestos compungidos, sabedores del mortal alcance de las circunstancias, los hijos parecen haber aceptado que aquello, esa escena de horror en proceso, en *fast-forward*, no es un juego para nada divertido, aunque haya agua de por medio como la hay en los charcos que saltan los niños al salir de la escuela y en las piscinas, a donde durante el verano va la gente a zambullirse. Todos, juntos y por separado, están con el agua al cuello y con el cuello en el agua. ¿Vendrá la muerte con el nombre de ellos escrito a buscarlos, o seguirá de largo? ¿O ya vino y ese techo con gente trepada encima fue lo único que dejó «vivo»?

Entre la resignación y la desesperación, souvenir de una naturaleza con alma interior, la vida en el cuadro de Curry está representada en su límite excesivo, en este caso, húmedo y arrasador, límite más allá del cual la muerte reina intolerante, intolerable, inalcanzable para el ojo humano. Ellos, los seis en pugna, que están y que en cualquier momento podríamos empezar a ser nosotros, llegaron hasta ese borde imperfecto de la realidad que separa a los vivos de los muertos, y a quienes cuentan lo que les está pasando a aquellos que jamás contarán el cuento.

Es lo que vemos, eso mismo –de tan irreal apariencia– que los ojos imaginan y pueden escuchar antes de que escape. Es música de indóciles sirenas dejándose oír bajo una pleamar sin pausa ni segunda oportunidad, desconfiando de la buena voluntad del destino. Música que les canta a los muertos, a los ahogados sin voz, y cuyo designio real es la desorientación. Eso a punto de ocurrir hace pensar en la lápida de John Keats: «Aquí yace alguien cuyo nombre fue escrito en el agua».

> Están estos dos peces jóvenes nadando, y por casualidad se encuentran con un pez viejo nadando en la dirección contraria, el cual asiente con la cabeza y les dice: «Buenos días, muchachos, ¿cómo está el agua?». Los dos jóvenes peces nadan un poco más y luego, finalmente, uno de ellos mira al otro y le dice: «¿Qué carajos es agua?».
>
> (David Foster Wallace, discurso dado en la ceremonia de graduación de Kenyon College, el 21 de mayo de 2005.)

En compañía del sentido que imágenes y palabras quieren darle, el agua es simbólica. En la Biblia lo es. Símbolo de vida y muerte. De la nada que puede con todo y exhibe la total imposibilidad de entendimiento. De otras cosas, en caso de haberlas. Con agua bautizó San Juan Bautista, y fue tal vez esa agua –bendita por las circunstancias– la misma que existió durante la época empapada de la gran inundación universal y del barco cargado de animales. También ella, neuróticamente camaleónica.

Aguas con propósitos diferentes. Una destructora; la otra, bautismal. Agua cuando está tranquila, y cuando se pasa de la raya. Agua de vida, de inauguración espiritual: marca la entrada a una existencia nueva. Cristo convirtió el agua en vino y vino caminando por encima del mar. A ese mismo le cantó Antonio Machado: «¡No puedo cantar, ni quiero / a ese Jesús del madero, / sino al que anduvo en el mar!» («La saeta», aunque Joan Manuel Serrat canta «sino al que anduvo en *la* mar»).

Por la oleosa superficie marina, extendida y en ocasiones maquillada con espumarajos, superficie descomunal que puede ser tanto masculina como femenina, yin y yang, el o la, y además, cuando quiere, masculina y femenina a la vez (el mar es andrógino), caminó el portador de la buena nueva, quizá para demostrar que cada vez que quisiese podía practicar la natación de tan milagrosa manera: yendo de una parte a otra igual que el incansable caballero del whisky, tan campante. Aun así, no le creyeron. Pensaron que caminaba sobre las aguas porque no sabía nadar.

Agua, vasto territorio de prodigios. Pero antes, en el Antiguo Testamento, lo fue también de muerte y purificación de actos y afectos: el mundo arrasado por un diluvio que para ser igual que el vino devino universal. De los sobrevivientes del agua venimos: de Noé y Naamah, acuáticos, no de Adán y Eva, terrestres y al ras como la serpiente que pudo con mujer y marido.

De lo húmedo hemos salido (lo dijo Tales de Mileto, presocrático y posdiluviano). Tan idénticos en esto a delfines, mantarrayas y tiburones, somos hijos adoptivos del agua.

Pero así y todo, no sabemos sobrevivir debajo de esta, ni siquiera por un corto periodo de tiempo. No hemos nacido para vivir entre lo líquido y lo acuoso. Quienes lo intentaron, quedaron enterrados en agua, hundiéndose con la Atlántida, tierra inhallable y misteriosa cuyo paisaje terminó naufragando como la fragata maldita de Géricault. Acuaman hay uno solo. Noé lo pudo hacer, seguir vivo, encima de un arca, pero la suya es una historia bíblica. En la Biblia, inicio y principio de tantas historias que, lo mismo que el agua, jamás tendrán conclusión, el agua irradia infinidad de apariciones favoritas. De apariencia engañosamente mansa, es una de las consignas estelares, aunque hasta ahora no haya podido ser hallada en el infinito cosmos de arriba. Marte sería un balneario, un destino turístico, de haber agua en su arrugada superficie.

La gente iría en masa al «planeta rojo» a pasar su luna de miel, sus vacaciones de verano o primavera, a escapar de la contaminación de las mega-urbes-terrestres, incluso a vivir, porque «La vie est ailleurs», dijo Jean-Arthur Rimbaud, quien se fue en autoexilio a Java y luego a África, pues también por entonces Marte quedaba muy lejos como para ir en hordas a encontrar la utópica periferia, el Katmandú romántico en el considerable espacio sideral.

Igual que aquellos latinoamericanos que a solas o en tropel se van a Estados Unidos porque el destierro los guía, y después de un tiempo pasan a ser *Mexican-American*, *Cuban-American*, *Dominican-American*, *uruguayo-americano*, la entera población planetaria tendría doble nacionalidad: seríamos a la misma vez terrícolas y marcianos, súbditos todos del guion entre medio de dos orígenes. Dice la canción de Facundo Cabral («Pobre mi patrón»): «Juan Comodoro buscando agua encontró petróleo pero se murió de sed». Nosotros iríamos en busca de un planeta, y volveríamos con doble identidad. ¡El agua da para tanto!

Hay infinidad de historias y parábolas que tienen al agua como protagonista, si no exclusiva, al menos central; es nuestra némesis principal. Las historias de Noé y de Juan el Bautista son el antes y el después, el alfa y el omega; el sentido que al mundo le hubiera gustado tener. Agua: sinónimo de fuente de vida, la que bebemos, y con la cual los seres son bautizados; y agua como fuente de óbito infinito: aquella en la que podemos ahogarnos y encontrar en su seno una muerte soluble.

En el agua vemos el principio y el fin tal cual han sido. Con ella, experimentamos la lógica del «todo puede ser posible». Hace diferente a lo que se ve igual a todo y podría ser aquello. En agua, Narciso se vio reflejado de manera ideal, tal cual quería ser correspondido por el eco de su mejor imagen, porque el agua es también espejo de realidades que deseamos tener incluso luego de haberlas alcanzado. Razón de anhelos, intermediaria para llegar. ¿A qué lugar, a qué tipo de sensaciones? ¿Hay un «dónde» físico al cual llegar?

Transformada cada tanto en máquina de desacatos, capaz de convertir la existencia humana en algo tan intenso, animado y breve como *haiku*, la naturaleza aprueba sus desproporciones, poniéndose al servicio de una iluminación venida del esplendor; de un *satori*. Queda por consiguiente cancelada la necesidad de frases y vocabulario para intentar explicarlo. En estos casos, ¿debería decir algo, a quién, a qué, cuándo, dónde? ¿Y cómo, o por qué? La muerte que la naturaleza trae consigo enceguece, impide la reconstrucción del presente. Solo es posible ver hasta dónde uno ya está, aunque sea de manera incompleta.

Dijo –a una amada imposible: fue su forma de demostrar el «amor ciego»– Cesare Pavese: «Vendrá la muerte y tendrá tus ojos». Pero la muerte, incluso cuando viene nadando o caminando por el aire (disfrazada de pájaro de fuego), no tiene anatomía, tampoco ojos, sino apenas la intención de esconderse en aquello que la mirada no alcanza a captar y que no es precisamente la mirada atenta de los demás, ni menos, tampoco esa, la de un «tú» idealizado existente de antemano.

Similar en eso al amor cuando un día deja de serlo, el agua mata de a poco. Como si se tardara. Como si realmente le costara. El viento y el fuego aniquilan rápido, tienen la velocidad de un suspiro. El agua vive de su paciencia, de su gratuita incorrección para hacerse presente. Y cuando llega, se queda. Somos sus conejillos de Indias, y ella, nuestro bien expropiado. Se cuela entre rendijas y poros, demostrando que no hay pared por fuerte que sea capaz de resistir, o dique alto para detenerla.

Tomando posesión de la cercanía que la encima –una orilla no tan invisible la acecha–, pasa a convertirse en fantasma vestido de destrucción, emite indecibles pronósticos sin que regrese a subsanar algo con la efectividad de un milagro, ni a emitir señales de haberlo hecho por última vez. A la geografía le hace ese planteo. ¿Existe alguna gran destrucción natural que sirva a un propósito concreto, aparte de embelesar al raciocinio cuando este siente la desmesura en toda su proporción y tiene ganas de seguir viendo, y viviendo?

El agua del Índico en su nada esquemático maremagno, la del Japón mientras temblaba, la de Nueva Orleans, aquel lunes 29 agosto de 2005, y la del Caribe con olor a pánico de turistas, en septiembre de 2017, entró por todas partes, en cuantas casas pudo. Tal como sucede en el cuadro de John Steuart Curry, la gente, trepada encima de techos que parecían caballos indomables, la vio crecer. Y la vio seguir creciendo hasta vulnerar su secreto, hasta no dejar nada, mejor dicho, hasta dejar a la nada estrenando imagen, que fue lo único que dejó ileso.

La transformación de la fragilidad en instante desprovisto de palabras hizo que lo muy desconocido –no sabemos bien qué– fuera incluso más incomprensible. Raras veces la muerte involucra razones específicas, imágenes a solas como parte cómplice de un enmudecimiento a punto de vacilar. La mirada se sintió obligada a reorientarse en medio de un paisaje de acontecimientos acumulados, atiborrados por un intento de totalidad descomunal. Un tipo de azar implacable los premió con ese afán, dedicados a eludir aquello mismo a lo que aludían.

> Aquí yace donde quiso yacer;
> De vuelta del mar está el marinero,
> De vuelta del monte está el cazador.
>
> (Epitafio de la tumba de Robert Louis Stevenson, 1850-1894.)

Con su melodía de autodidacta ferocidad, de franjas indefinidas que no caben en un epígrafe, haciendo de las suyas a ritmo de *moderato cantabile*, tal cual les ha correspondido hacerlo desde el origen del mundo, las catástrofes acuáticas reparten desproporción, prueban suerte, abren un abanico de irredentas consecuencias, se convierten en aficionadas de su desmesura. Dice un proverbio japonés que hay cuatro cosas verdaderamente aterradoras: los terremotos, los truenos, los incendios, y los padres. El agua, madre de tantos destrozos brutales, puede ser sin proponérselo tan aterradora como esas cuatro cosas juntas. Su poder destructivo la hace hija dilecta de lo inaudito por tener la destellante intensidad de un video clip.

A lo largo de los tiempos, la naturaleza ha enseñado que todo aquello que sucede en la imaginación ocurre antes como primicia en la realidad empírica, sin la intervención de indicios previos. La anormalidad no puede predecirse con debida antelación. La meteorología solo anuncia lo que ya casi ha llegado, el pasado del día posterior. Insumisa (de ahí sus actos difíciles de aceptar, sus soliloquios tan privados para sí misma), la naturaleza pone al raciocinio ante el enigma de «eso» que no podrá expresarse y menos, de la forma en que será dicho. Tal vez por ese motivo tenga extraordinario poder de convicción al momento de ser invitada a mostrarse con su abundante gama de bríos necrológicos, en el arte y la literatura, preocupada por todo lo existente, como si la mismísima vida del desastre estuviera en juego.

Quien dijo hace mucho que «el mar es un idioma» no se equivocó. A su alrededor, el arte y la literatura han establecido una tradición náutica que se expresa en su propio idioma, asumiendo la idea de que el agua es faro de historias nacidas para ser contadas y a las cuales la imaginación se siente obligada a regresar en forma periódica, con una frecuencia de cada tanto.

Encontramos una literatura con querencia acuática en Herman Melville, en Robert Louis Stevenson, quien murió (de un aneurisma) oyendo la pleamar del Pacífico sur, en Ernest Hemingway (pescador de alta mar), y en Álvaro Mutis (Maqroll el Gaviero demostró que un estuario no es naturaleza fluvial, sino territorio a donde las palabras van a desembocar), escritores que representaron al mar como idóneo pasaje donde parar la oreja y escuchar relatos alternos que la fabulación terrestre hasta entonces no había tenido en cuenta.

En el agua, la imaginación rema contra la corriente, que no es la eléctrica. No encontró mejor modo para hacerlo, ya que el agua puede significar, como nada ni nadie similar, los excesos de la naturaleza cuando quiere ser eso, y únicamente de tal forma: espectro de una persistencia que altera los pronósticos de la razón.

Como si estuviera bamboleado por educadas *geishas* que las profundidades oceánicas transformaron en harpías asesinas, el mar, médano de agua, enseña cada tanto sus garras de fiera brutal carente de modales, según aparece representado con magistral subjetividad en el cuadro *La ola* de Katsushika Hokusai (1760-1849), ese oriental adelantado nacido en Edo (hoy Tokio) que parece haber visto antes que nadie, como por primera vez en persona y de manera semejante, unas aguas enfurecidas al acecho y con forma animada, tal cual no lo son la mayor parte del tiempo.

En *La ola* vemos el agua, una pesadilla congruente configurando su afónica imagen. Desde lejos la vigila el monte Fuji,

esa gran declaración de principios del paisaje japonés, en el cual puede caber, si se lo propone, la nación al unísono, el archipiélago íntegro, la imaginación completa de ese país repartido en 6 852 islas, de las que solo 430 están habitadas. En el agua del mundo cabe de todo, y hasta lo demás: la realidad y lo imposible, la dicha y el horror, lo absoluto y la mitad menos uno, la resignación y la esperanza, la paz y el espanto. Depende; igual que la vida misma. El agua: nacimiento y destrucción, bautismo y diluvio, sosiego y espectáculo, vida y muerte. Dejo que Wallace Stevens lo diga mejor: «El agua jamás adaptada a la mente o la voz».

Índice

CPSIA information can be obtained
at www.ICGtesting.com
Printed in the USA
LVHW032315150821
695378LV00001B/50